S0-BKT-448

BEGINNERS' RUSSIAN

Beginners' Russian

BY AGNES JACQUES

HENDRICKS HOUSE INC. NEW YORK · 1958

Manufactured in the U.S.A.

TO VERA

PREFACE

BEGINNERS' RUSSIAN is an elementary inductive grammar, designed to provide the beginning student of Russian with the essentials of Russian grammar, together with a usable vocabulary of about 750 words. This book makes no claim to being a complete grammar. Instead, in it are stressed only those items which a beginning student must know in order to be able to read, speak and write simple Russian. Moreover, those items which are introduced are given adequate drill, so that the student may master them sufficiently to use them actively.

BEGINNERS' RUSSIAN, which is a more complete version of the author's former "Workbook for a Russian Primer," now consists of fifty lessons. Each lesson is divided into five parts: 1. Sentences, introducing the new grammatical topics; 2. A vocabulary of all new words; 3. An explanation of the new grammar in the lesson; 4. Exercises based on the material introduced in the lesson; 5. A reading exercise, followed by a vocabulary of additional new terms found for the first time in the readings. Among the fifty lessons are several review lessons.

The reading exercises, which complete each of the fifty grammar lessons,are intended to serve as a summary of the grammar and vocabulary introduced previously, and to provide a basis for conversation and composition within the framework of the student's knowledge. Some of these readings, particularly in the first half of the book, have been prepared by the author. Others are adaptations of selections from Russian folk-literature, taken mostly from Russian school texts. The authorship of those selections which are taken from Russian literature is indicated in the Table of Contents, immediately following the reading selection.

The author wishes to express grateful appreciation to her many students for whom and because of whom this book has been written, and to those who have actually helped in the tedious work of vocabulary checking and proof-reading; to her colleagues for their helpful comments on and enthusiastic use of the earlier versions of this book, to her Russian friends for their sympathetic reading of the Russian text, to Professor Francis Whitfield of the University of California for his valuable comments on the grammar part of the book and to Mrs. Fruma Gottschalk for her advice and assistance in the preparation of the readings. Thanks also should be expressed to Mrs. Betty Mirkin for preparing the pages of Russian script. To Miss Celia Klimas for her patient and painstaking labor in typing this manuscript for publication, heartfelt thanks.

AGNES JACQUES

Roosevelt College
Chicago, June, 1949

СОДЕРЖАНИЕ - CONTENTS

INTRODUCTION
(To the Student)

The Russian Language

The Russian language is one of the Slavonic languages, of which Polish, Serbian, Czech, are other members. The Slavonic languages are a subdivision of the Indo-European language family, as are the Germanic languages, of which English, German, the Scandinavian languages, etc., are members; and the Romance languages, of which French, Spanish, Italian, etc. are members. In spite of the difference in alphabet, therefore, English and Russian are related languages with many characteristics in common. Many Russian and English words have a common ancestor, while others are similar in both languages, with only some difference in pronunciation and spelling. The Russian words "brat,""mat'," "sestrá" have the same forefathers as our words "brother," "mother," "sister." No one can fail to recognize the meanings of the words "apparát," "telefón," "dóktor," "atómnaya bómba," and many others, which are the same in both languages.

The Russian Alphabet

The Russian alphabet, which appears so formidable to the beginner, is also not as strange as it at first seems to be. Several of the letters have exactly the same appearance and value as they have in English, while a few more look like English letters, but have other sounds. A few are Greek letters and are familiar to at least some American students. The remaining dozen or more symbols, which represent characteristically Russian sounds can easily be acquired by the diligent student in an hour.

Once the thirty-two symbols of the Russian alphabet are mastered, the student will be able to pronounce Russian adequately, without the difficulties encountered by the foreigner in learning English, or by the American or English student in mastering French pronunciation.

Since the letters of the Russian alphabet are arranged in an unfamiliar order, it is inadvisable at first to try to memorize the "a,b,c's" as one does in English. One should attempt merely to learn the pronunciation of each of the letters. One must then remember that Russian sounds are pronounced much more precisely and exactly than English sounds, and that the stress varies in Russian words. With the alphabet table presented herewith and the help of a Russian in pronouncing the few sounds for which there are no equivalents in English, most students are able to read Russian intelligibly after a few hours' serious application.

In all of the books written on how to learn a foreign language, no one has found a substitute for constant repetition and practice. The more one repeats a word, the more it becomes part of him and the more fluently he will be able to use it. The student is therefore urged to read aloud and to repeat and review constantly that which he has learned. Only in that way can he acquire a "good" Russian pronunciation and fluent use of the language.

The Russian Alphabet

In the alphabet table which follows there are five columns. Columns I and II give the letters in the capital and small forms. Column III gives a transliteration of the Russian name for the letter. Column IV gives the approximate sound in English and Column V contains Russian words which will be familiar when spelled out.

A stress (accent) mark is present in each of the Russian words to be read. Stress varies in Russian and there are no practical rules for determining the stressed syllable. Therefore every Russian word in the text will be accented on the proper syllable. These accent marks should be noted in the reading.

THE RUSSIAN ALPHABET

Capital	Small	Name in Russian	Approximate English Sound	Russian Words Containing This Sound
А	а	ah	a in arm	а́втор
Б	б	beh	b in bit	бале́т
В	в	veh	v in vim	во́дка
Г	г	geh	g in go	газ
Д	д	deh	d in do	до́ктор
Е	е	yeh	ye in yet	Евро́па (Europe)
Ё	ё	yo (approximate sound. Occurs only in accented syllables)	yo in yoeman	Пётр (Peter)
Ж	ж	zheh	ge in rouge	журна́л
З	з	zeh	z in zinc	ро́за
И	и	ee	ee in beet	инжене́р
Й	й	"ee kratkoye" - no sound of its own - used in diphthongs		Толсто́й
К	к	kah	k in kin	класс
Л	л	ell	l in law	Ло́ндон
М	м	em	m in men	ма́ма
Н	н	en	n in no	Ната́ша

О	о	awe (approximate)	aw in raw	о́пера
П	п	peh	p in papa	па́па
Р	р	err	rr in error	ра́дио
С	с	ess	s in so	сове́т
Т	т	teh	t in it	тост
У	у	ooh	oo in boot	ура́
Ф	ф	eff	f in if	флаг
Х	х	khah	(ch in the German word "ich" - no exact English equivalent)	хара́ктер
Ц	ц	tseh	ts in cats	царь
Ч	ч	cheh	ch in chair	Чика́го
Ш	ш	shah	sh in shoe	шко́ла
Щ	щ	shchah	(sh plus ch)	борщ
Ъ	ъ	(hard sign - no sound - called "yer" in Russian)		брат(ъ) (brother)
Ы	ы	yeree (pronounced somewhat like i in pit)		бы (would)
Ь	ь	(soft sign - no sound - called "yer'" in Russian)		брат(ь) (to take)
Э	э	eh	e in met	экза́мен
Ю	ю	you	"you"	юмор
Я	я	yah	ya in yard	Я́лта

Palatalization (Hard and Soft Vowels and Consonants)

In the alphabet the "hard sign" (ъ) and the "soft sign" (ь) are included. Neither of these signs has any sound of its own and the "hard sign" is now rarely used. However, these "signs" are very important in pronouncing Russian sounds.

As has been said, the Russian sounds are very precise. In pronouncing the sound "a" in Russian, the speaker pronounces the sound "ah." In producing this sound the tongue makes no contact with the "palate" or roof of the mouth. Such a vowel is called a "non-palatal" or "hard" vowel.

In Russian there are two series of vowels: 1. The "hard" or non-palatal and 2. the "soft" and palatal vowels. They are usually presented in pairs and their grammatical significance will be seen as the student progresses in his study of the language.

The hard vowels and their soft counterparts are as follows:

Hard	Soft	Hard	Soft
а – – –	я	у – – –	ю
э – – –	е	ы – – –	и
о – – –	ё or е	ъ – – –	ь

Note that o has two soft counterparts: ё and е. As ё can only appear in accented syllables, е occasionally appears as the soft counterpart of o.

Just as there are hard and soft vowels, there are also hard and soft consonants. But whereas the "soft" vowels are represented by other symbols, the "soft" consonants are indicated by the sign (ь) which follows the letter.

When a consonant is followed by a soft sign, that is, when it is a "soft" consonant, it is pronounced as though followed by the sound of "y" in the English word "yet," To distinguish between the hard and soft consonants it is well first to pronounce them in a series with a hard vowel such as o. To make the same consonants soft, one should insert the "y" sound as suggested above.

Exercise on Pronunciation of "Soft" Consonants

Pronounce the following series of sounds:

1. до, ло, но, ро, то
2. дё, лё, нё, рё, тё

Now pronounce the second row retaining only the "y" sound of the vowel. After a little practice, the "soft" or "palatal" sounds will be acquired.

Note that the soft sign (ь) occasionally occurs in places where it has no obvious effect, as for example, after the soft consonant ш (шь) in the second person singular of the verb.

Some Important Exceptions in Pronunciation

While, on the whole, most of the sounds in the Russian alphabet remain constant, a few important variations must be known.

1. Pronunciation of unaccented о: The "best" Russian pronunciation requires that an unaccented о which precedes the accented or stressed syllable should be pronounced more like а than о. Thus: хорошо́ "good" is pronounced as though written: "харашо́"; молодо́й "young" is pronounced as though written: "маладо́й"; whereas Шо́лохов "Sholokhov" and мо́лодость "youth" retain the о sound.

   О when stressed or following the stressed syllable has only one sound, which is something like the sound: "awe."

2. The letter Г is pronounced like В when it occurs in the genitive singular ending of adjectives or pronouns. This rule will be mentioned in the text when these case endings occur.

3. Unvoicing of final consonants: At the end of a word and sometimes before another unvoiced consonant, an unstressed "voiced" consonant becomes "unvoiced." "Voiced" consonants are those which may be heard, such as in English: b, v, d, g, etc.; in Russian: б, в, д, г, etc. At the end of a word and occasionally before another consonant, these

sounds are pronounced as though written: п, ф, т, к, respectively.

Thus: хлеб "bread" is pronounced as though written "хлеп"
Ки́ев "Kiev" is pronounced as though written "Ки́еф"
Но́вгород "Novgorod" is pronounced almost as though written "Но́фгорот"
снег "snow" is pronounced almost as though written "снек"

4. The consonant <u>г</u> before <u>к</u> is pronounced like <u>х</u> so that the word лёгкий "light" is pronounced as though written "лёхкий".

5. The word кто "who" is pronounced as though written "хто" and что "what" as though written "што."

Most of these variations are a result of a natural tendency to unvoice unstressed sounds and will therefore be acquired naturally when the student attains some fluency in speaking and reading the language.

READING EXERCISES

I. Read the following words. Do you know what they mean?

метро́	тра́ктор	Во́лга	Аргенти́на
поэ́т	музе́й	океа́н	Достое́вский
суп	идио́т	бале́т	симфо́ния
билья́рд	телефо́н	фильм	исто́рия
ка́рта	Росси́я	спорт	Аме́рика
Са́ша	кино́	Ле́нин	Пу́шкин
орке́стр	Москва́	джаз	журна́л
секре́т	ла́мпа	Чика́го	киломе́тр
му́зыка	конце́рт	Ста́лин	аэропла́н
бо́мба	фило́соф	сове́т	демокра́т
ме́тод	до́ллар	ми́тинг	Нью Ио́рк
лимо́н	Берли́н	пи́кник	трамва́й
центр	флаг	кри́зис	футбо́л
теа́тр	аппети́т	рубль	социали́ст
ра́дио	те́ннис	офице́р	шампа́нское

II. Pronounce the following words containing difficult sounds or exceptions to rules of pronunciation. Practice these words by reading them aloud many times.

бы	легко́	Го́голь	молодо́й
быть	клуб	царь	мо́лодость
мы	труд	Ха́рьков	хоро́шая
мыть	что	шить	хорошо́
кто	ничего́	ра́дость	лёгкий

THE WRITTEN ALPHABET

Copy the written alphabet several times until you have mastered it.

Студентка Таня

Таня русская студентка. Она учится в техническом институте. Она серьёзно занимается, потому что она хочет быть инженером.

Дом Тани находится на широком бульваре около красивого парка.

Таня встаёт очень рано. Она быстро одевается. Она пудрится и красит губы.

Practice these difficult combinations

ал ам ба бы ого же зл им

ск их ач це ще эт хол ть ль

Practice writing these words containing all the letters of the alphabet

Таня бульвар этого возле же улица товарищ фабрика имя хороший пью счастье был город

LESSONS

ПЕ́РВЫЙ УРО́К - LESSON I

The Gender of Nouns

Read and translate:

(Note: Consult the vocabulary which follows the lesson for meanings of words.)

1. Что э́то? Это телефо́н.
2. Что э́то? Это мел.
3. Что э́то? Это журна́л.
4. Что э́то? Это стол.
5. Что э́то? Это каранда́ш.

6. Кто э́то? Это студе́нт.
7. Кто э́то? Это профе́ссор.
8. Что э́то? Это стул.
9. Что э́то? Это ра́дио.
10. Что э́то? Это перо́.

11. Что э́то? Это письмо́.
12. Что э́то? Это ла́мпа.
13. Что э́то? Это бума́га.
14. Что э́то? Это газе́та.
15. Что э́то? Это кни́га.

16. Кто я? Вы профе́ссор.
17. Кто вы? Я студе́нт. Я студе́нтка.
18. Кни́га ли э́то? Нет, э́то не кни́га. Это газе́та.
19. Каранда́ш ли э́то? Нет, э́то не каранда́ш. Это перо́.
20. Студе́нт ли я? Нет, вы не студе́нт. Вы профе́ссор.

21. Это каранда́ш, а не перо́.
22. Это письмо́, а не кни́га.
23. Это стол, а не стул.
24. Это журна́л, а не газе́та.
25. Это студе́нтка, а не студе́нт.

26. Где бума́га? Вот бума́га.
27. Где журна́л? Вот журна́л.
28. Где ла́мпа? Вот ла́мпа.
29. Что э́то - ра́дио и́ли стол? Это стол.
30. Что э́то - бума́га и́ли письмо́? Это письмо́.

VOCABULARY

что - what
Что э́то? - What is this?
э́то - this
телефо́н - telephone
мел - chalk
журна́л - journal, magazine
стол - table
каранда́ш - pencil
Кто? - Who?
Кто э́то - Who is this?
студе́нт - student
профе́ссор - professor, teacher
стул - chair
ра́дио - radio
перо́ - pen
письмо́ - letter
ла́мпа - lamp
бума́га - paper
газе́та - newspaper
Кто я? - Who am I?
я - I
вы - you
кни́га - book
студе́нтка - student (female)
ли - interrog. particle. (See Grammar #5)
нет - no
не - not
а - but, whereas
где - where
вот - here
и́ли - or

GRAMMAR

1. Verbs: The verb "to be" is generally not expressed in Russian in the present tense. Hence one may express a complete sentence without a verb.

2. Articles: There are no definite or indefinite articles in Russian. The nouns in this lesson may be preceded in English by "a" or "the" as the student wishes, or as seems appropriate.

3. Nouns: Russian is a highly inflected language. Nouns, adjectives and pronouns have different endings to express different cases and genders. In this lesson we are studying only the nominative, or subject case.

4. Gender of nouns: Nouns are divided into three fundamental groups - Masculine, Neuter and Feminine. Masculine nouns

have no ending, neuter nouns end in o and feminine nouns end in a.

Masculine	Neuter	Feminine
телефо́н—	пер о́	ла́мп а

5. The interrogative particle ли may be used to ask a question if there is no interrogative word in the sentence. It may follow any word.

EXERCISES

I. Вопро́сы (Questions):

1. Кто вы?
2. Кто я?
3. Где телефо́н?
4. Где перо́?
5. Где письмо́?
6. Где профе́ссор?
7. Где газе́та?
8. Где кни́га?
9. Где ла́мпа?
10. Где стул?
11. Где стол?
12. Где бума́га?
13. Где ра́дио?
14. Студе́нт ли я?
15. Студе́нтка ли вы?
16. Студе́нт ли вы?
17. Журна́л ли э́то?
18. Где студе́нтка?
19. Стул ли э́то?
20. Газе́та ли э́то?
21. Письмо́ ли э́то?
22. Где журна́л?
23. Кто студе́нт?
24. Телефо́н ли э́то?

II. Fill in the blanks where necessary:

1. Эт__ каранда́ш__.
2. Эт__ пер_́__.
3. Эт__ кни́г__.
4. Я студе́нт__.
5. Вы студе́нтк__.
6. Эт__ бума́г__.
7. Это не кни́г_, а журна́л_.
8. Где ра́ди__?
9. Где пер_́_?
10. Где ла́мп__?

III. Translate into Russian (you may print):

1. This is a pencil, a pen, a book, a radio.
2. I am the student, you are the professor.
3. Here is the magazine.
4. Where is the radio?
5. Where is the chair?
6. Where is the table?

7. Who am I? Who are you?
8. Where is the chalk? Here is the chalk.
9. This is not a pen, this is a pencil.
10. I am not the professor, but the girl student.

Шко́ла

Вот шко́ла. Вот студе́нт. Вот студе́нтка.
Ива́н студе́нт. Ната́ша студе́нтка.
Вот профе́ссор Миха́йлов.
Профе́ссор: Ива́н, где каранда́ш?
Ива́н: Вот каранда́ш.
Профе́ссор: Ната́ша, где перо́?
Ната́ша: Вот перо́.
Профе́ссор: Ива́н, что э́то?
Ива́н: Это кни́га.
Профе́ссор: Ната́ша, что э́то?
Ната́ша: Это стол.
Профе́ссор: Нет, э́то не стол. Это стул.
Ната́ша: Ах, да! Это стул!

VOCABULARY

шко́ла - school
Ива́н - John
Ната́ша - Natalie
ах - ah
да - yes

(Note: The readings in this book will contain some words that have not yet occurred in the grammar. Such words will be found in the vocabulary following the reading.)

ВТОРО́Й УРО́К - LESSON II

IA Verbs
The Accusative Case

Read and translate:

1. Я чита́ю уро́к.
2. Ты чита́ешь уро́к.
3. Он чита́ет уро́к.

4. Мы чита́ем письмо́.
5. Вы чита́ете письмо́.

6. Они́ чита́ют кни́гу.
7. Я понима́ю сло́во.
8. Ты понима́ешь по-ру́сски.
9. Она́ не понима́ет по-ру́сски.
10. Мы слу́шаем му́зыку.

11. Вы слу́шаете му́зыку.
12. Они́ слу́шают ра́дио.
13. Учи́тельница чита́ет газе́ту.
14. Что де́лает студе́нт?
15. Он чита́ет кни́гу по-ру́сски.

16. Учени́к зна́ет уро́к.
17. Что вы чита́ете - журна́л и́ли газе́ту?
18. Я чита́ю газе́ту, а учени́к чита́ет кни́гу.
19. Понима́ете ли вы уро́к?
20. Да, я понима́ю уро́к.

21. Чита́ете ли вы газе́ту? Да, я чита́ю газе́ту.
22. Зна́ешь ли ты сло́во? Да, я зна́ю сло́во.
23. Что учени́к чита́ет - кни́гу и́ли журна́л?
24. Что вы зна́ете? Я зна́ю уро́к.
25. Кто чита́ет по-ру́сски? Учени́ца чита́ет по-ру́сски.

VOCABULARY*

чита́ть, IA - read
уро́к - lesson
ты - you (familiar)
он - he
мы - we
вы - you (formal and plural)
они́ - they
понима́ть, IA - understand
сло́во - word
по-ру́сски - (in) Russian (adv.)
она́ - she
слу́шать, IA - listen to, hear
му́зыка - music
учи́тельница - teacher (female)
де́лать, IA - do
учени́к - pupil
знать, IA - know
да - yes
учени́ца - pupil (female)

(*Until a grammatical item is taken up in the grammar, words will be given in the form in which they appear in the text.)

GRAMMAR

1. Verbs change their endings according to person and number. The verbs in this lesson are known as IA verbs. The infinitives of IA verbs usually end in ать. IA verbs are conjugated as follows:

читáть, IA

я читá ю	мы читá ем
ты читá ешь	вы читá ете
он, онá читá ет	онѝ читá ют

Note that only the endings of the verb change. In IA verbs a vowel precedes the endings.

2. The Accusative Case of Nouns. The direct object of a verb appears in the accusative case. In most masculine and neuter nouns it is like the nominative case. In feminine nouns, the accusative case ends in у.

	Masculine	Neuter	Feminine
Nominative:	карандáш—	пер ó	кнѝг а
Accusative:	карандáш—	пер ó	кнѝг у

EXERCISES

I. Conjugate the following verbs:

читáть   знать   слýшать   понимáть

II. Give the accusative case of the following nouns:

1. урóк	4. карандáш	7. перó
2. телефóн	5. слóво	8. лáмпа
3. студéнтка	6. газéта	9. кнѝга

III. Fill in the blanks where necessary:

1. Он читá___ урóк.
2. Мы знá___ слóв___.
3. Кто понимá____ по-рýсски?
4. Что студéнтк___ дéла___?
5. Онá читá___ газéт___.

6. Я чита́___ кни́г___.
7. Вы зна́___ уро́к?
8. Ты чита́___ сло́в___? Да, я чита́___.
9. Учени́к слу́ша___ ра́дио.
10. Что вы слу́ша___? Я слу́ша___ му́зык___.

IV. Translate into Russian (you may print):

1. I listen to music.
2. Who reads a book?
3. The student knows the lesson.
4. I know the (girl) pupil.
5. They understand the lesson.
6. The teacher reads the newspaper.
7. What is the teacher doing?
8. Do you know the lesson?
9. Yes, I know the lesson.
10. The (girl) pupil and the (boy) pupil are reading the newspaper.

Уро́к

Ива́н и Ната́ша чита́ют пе́рвый уро́к. Они́ понима́ют пе́рвый уро́к. Они́ чита́ют по-ру́сски. Они́ чита́ют уро́к по-ру́сски, а газе́ту и журна́л по-англи́йски.

Профе́ссор Миха́йлов спра́шивает: "Ива́н, где окно́?"

Ива́н отвеча́ет: "Там окно́."

Профе́ссор спра́шивает Ната́шу: "Что э́то - журна́л и́ли газе́та?"

Ната́ша отвеча́ет: "Это газе́та."

Профе́ссор спра́шивает: "Что вы де́лаете?"

Ната́ша отвеча́ет: "Я чита́ю пе́рвый уро́к."

Ива́н отвеча́ет: "Я чита́ю кни́гу."

Профе́ссор спра́шивает: "Вы понима́ете, что я чита́ю?"

Ива́н отвеча́ет: "Я не понима́ю."

Ната́ша отвеча́ет: "Я понима́ю, что вы чита́ете. Я понима́ю уро́к.

Профе́ссор Миха́йлов чита́ет по-ру́сски. Ива́н и Ната́ша отвеча́ют по-англи́йски.

VOCABULARY

пе́рвый - first
по-англи́йски - (in) English
спра́шивать, IA - ask
окно́ - window

отвеча́ть, IA - answer
там - there
что - what; that which

ТРЕ́ТИЙ УРО́К - LESSON III

Adjectives
The Accusative Case of Adjectives
Class IIA Verbs

Read and translate:

1. Что вы чита́ете? Я чита́ю пе́рвый уро́к.
2. Пе́рвый уро́к не о́чень тру́дный.
3. Что она́ чита́ет? Она́ чита́ет интере́сное письмо́.
4. Это о́чень интере́сное письмо́.
5. Что э́то? Это но́вая кни́га.

6. Вот но́вое ра́дио. Там но́вый стол.
7. Что вы чита́ете? Я чита́ю о́чень интере́сную кни́гу.
8. Вы чита́ете но́вую кни́гу? Да, я чита́ю но́вую кни́гу.
9. Каранда́ш кра́сный, а перо́ чёрное.*
10. Бума́га бе́лая, а доска́ чёрная.

11. Грамма́тика тру́дная, но интере́сная.
12. Мы слу́шаем интере́сную му́зыку.
13. Вот кра́сное перо́ и чёрный каранда́ш.
14. Кто она́? Она́ но́вая учи́тельница.
15. Зна́ете ли вы но́вую учи́тельницу?

16. Что э́то? Это но́вый уче́бник.
17. Кни́га интере́сная, а уче́бник не интере́сный.
18. Кто чита́ет журна́л? Учени́к чита́ет но́вый журна́л.
19. Я говорю́ по-ру́сски.
20. Ты говори́шь по-ру́сски.

21. Он, (она́) говори́т по-ру́сски.
22. Мы не говори́м по-англи́йски.
23. Вы говори́те по-англи́йски?
24. Говоря́т ли студе́нт и студе́нтка по-англи́йски?
25. Профе́ссор говори́т по-ру́сски.

26. Я пóмню пéрвый урóк.
27. Вы пóмните нóвое слóво?
28. Да, мы пóмним нóвое слóво.
29. Ты пóмнишь рýсскую граммáтику?
30. Натáша пóмнит, но я не пóмню.

(*Accent marks are omitted in words with ё as this vowel is always accented.)

VOCABULARY

пéрвый -ое -ая - first
óчень - very
трýдный -ое -ая - difficult, hard
интерéсный -ое -ая - interesting
нóвый -ое -ая - new
там - there
крáсный -ое -ая - red
чёрный -ое -ая - black
бéлый -ое -ая - white
доскá - board (blackboard) (acc. дóску)
граммáтика - grammar
но - but
учéбник - text-book
говори́ть, IIA - speak, talk
по-англи́йски - (in) English
пóмнить, IIA - remember

GRAMMAR

1. Adjectives must change their endings to agree with the word they modify. They must appear in the same gender, case and number. The nominative adjective endings are: Masculine: ый; Neuter: ое; Feminine: ая.

2. The accusative case ending of feminine nouns and feminine adjectives differs from that of the nominative. The endings are у for the noun and ую for the adjective:

Nom.	нóв ая	кни́г а
Acc.	нóв ую	кни́г у

The accusative case of most masculine nouns and all neuters is like the nominative.

3. Class IIA verbs are not as numerous as IA verbs. They are distinguished from IA verbs by the vowel и which occurs in the second and third person singular, and first and second person plural. The vowel of the infinitive is not retained in the conjugation. The third person plural vowel is я

instead of ю. The conjugation of говори́ть, IIA is:

я говор ю́	мы говор и́м
ты говор и́шь	вы говор и́те
он говор и́т	они́ говор я́т

EXERCISES

I. Give the neuter and feminine nominative forms of the following adjectives:

пе́рвый   но́вый   бе́лый
интере́сный   чёрный   тру́дный

II. Give the accusative forms of the adjectives above in all three genders.

III. Conjugate:

говори́ть, IIA   по́мнить, IIA   слу́шать, IA
знать, IA   де́лать, IA   понима́ть, IA

IV. Fill in the blanks where necessary:

1. Я говор_́_ по-ру́сск__.
2. Он говор_́_ по-ру́сск__.
3. Студе́нт__ и студе́нтк__ говор_́_ по-ру́сск__.
4. Мы не понима́____ по-ру́сск__.
5. Кто понима́___ пе́рв___ уро́к__?

6. Учени́к и учени́ц___ понима́___ пе́рв___ уро́к__.
7. Я по́мн___ пе́рв___ сло́в___.
8. Они́ по́мн___ пе́рв___ уро́к__.
9. Кто чита́___ но́в___ кни́г___?
10. Учи́тельниц___ чита́___ но́в___ кни́г___.

11. Мы чита́___ но́в___ газе́т__.
12. По́мн____ ли вы тру́дн___ сло́в__?
13. Где кра́сн___ каранда́ш___?
14. Вот кра́сн___ каранда́ш, а там бе́л__ бума́г__.
15. Я чита́___ интере́сн___ кни́г___.

16. Я по́мн___ интере́сн___ сло́в___.
17. Вот но́в___ уче́бник.
18. Где но́в___ грамма́тик___?

19. Где красн___ бумаг___?
20. Где чёрн___ карандаш___?

V. Translate into Russian (you may print):

1. I remember the first word.
2. They remember the first lesson.
3. Does the student speak Russian?
4. The pen is red but the pencil is black.
5. Are you reading an interesting book?
6. Do you know the new (lady) teacher?
7. Where is the new red pencil?
8. Who remembers the new word?

Ива́н и Ната́ша

Ива́н и Ната́ша чита́ют но́вую кни́гу. Кни́га о́чень интере́сная. Ива́н и Ната́ша чита́ют журна́л. Журна́л интере́сный, но журна́л тру́дно чита́ть. Они́ не понима́ют, что они́ чита́ют.

Вот но́вое ра́дио. Ива́н и Ната́ша слу́шают ру́сскую програ́мму. Они́ слу́шают ру́сскую му́зыку. Они́ слу́шают ру́сский уро́к.

Учи́тель спра́шивает: "Вы понима́ете, что я говорю́?"
Учени́ца отвеча́ет: "Я не всё понима́ю. Я не ру́сская. Я америка́нка. Я не говорю́ по-ру́сски."

Ива́н говори́т: "Это о́чень тру́дный уро́к. Я не понима́ю, что они́ говоря́т."
Ната́ша говори́т: "Я ма́ло понима́ю. Я то́лько понима́ю сло́во 'ра́дио' но уро́к интере́сный. До свида́ния, Ива́н."
"До свида́ния, Ната́ша."

VOCABULARY

тру́дно - hard (adv.)
програ́мма - program
ру́сский -ое -ая - Russian
учи́тель - teacher (male)
всё - all, everything
америка́нка - American (fem.)
ма́ло - little (adv.)
то́лько - only
До свида́ния - good-bye, "till we meet again"

ЧЕТВЁРТЫЙ УРО́К - LESSON IV

The Prepositional Case
The Prepositions в, на, о and Their Cases
Two Verbs: иду́ and кладу́

Read and translate:

1. Учени́к в ко́мнате.
2. Ко́мната в шко́ле.
3. Шко́ла в го́роде.
4. Кто в теа́тре? Я в теа́тре.
5. В кни́ге но́вое сло́во.

6. Кра́сный каранда́ш на кни́ге.
7. Но́вая кни́га на столе́.
8. На стене́ чёрная доска́.
9. Я иду́ в теа́тр.
10. Кто идёт в шко́лу? Ната́ша идёт в шко́лу.

11. Они́ иду́т в теа́тр. Они́ в теа́тре.
12. Чёрное перо́ на столе́.
13. Я кладу́ чёрное перо́ на стол.
14. Учени́к кладёт кра́сный каранда́ш на стол.
15. Перо́ и каранда́ш на столе́.

16. Мы идём на конце́рт.
17. На конце́рте мы слу́шаем симфо́нию.
18. Ива́н и Ната́ша говоря́т о конце́рте.
19. Мы чита́ем в газе́те о го́роде.
20. Мы говори́м о журна́ле.

21. Вы по́мните ру́сское сло́во? Да, я по́мню.
22. Кто говори́т о му́зыке? Ива́н и Ната́ша говоря́т о му́зыке.
23. Они́ кладу́т письмо́ и кни́гу на стол.
24. Но́вый учё́бник и но́вая грамма́тика на столе́.
25. Орке́стр игра́ет симфо́нию на конце́рте.

VOCABULARY

в - into, in (with acc. or prep.)
ко́мната - room
шко́ла - school
го́род - city
теа́тр - theatre
на - on, to (with acc. or prep.)
стена́ - wall
я иду́, ты идёшь, etc. - I go, you go; etc.
я кладу́, ты кладёшь, etc. - I put, place
конце́рт - concert
на конце́рт - to the concert
симфо́ния - symphony
о - about (with prep.)
орке́стр - orchestra
игра́ть, IA - play

GRAMMAR

1. The Prepositional Case. Certain prepositions are used with the prepositional case. The prepositional ending most often is е in both hard and soft declensions.

2. The preposition о meaning "about" is used with the prepositional case.

3. The prepositions в and на are used sometimes with the prepositional and sometimes with the accusative case. In answer to the question "whither?" we use the accusative case.

Я иду́ в го́род	I am going into the city
Я иду́ на конце́рт	I am going to a concert

When a fixed or permanent position is indicated, the prepositional case is used with these two prepositions:

Я в го́роде	I am in the city
Я на конце́рте	I am at the concert

4. We now know three cases of the singular of the most important declensions. They are as follows:

	Masculine	Neuter	Feminine
Nom.	каранда́ш—	пер о́	кни́г а
Acc.	каранда́ш—	пер о́	кни́г у
Prep.	карандаш е́	пер е́	кни́г е

5. The verbs иду́ and кладу́ may be considered irregular for the time being. They both belong to conjugation ID and are conjugated as follows:

я ид у́	мы ид ём	я клад у́	мы клад ём
ты ид ёшь	вы ид ёте	ты клад ёшь	вы клад ёте
он ид ёт	они́ ид у́т	он клад ёт	они́ клад у́т

Note the endings <u>У</u> in the first person singular and <u>УТ</u> in the third person plural.

EXERCISES

I. Give the accusative and prepositional endings of the following nouns:

	уче́бник	письмо́	газе́та	го́род	каранда́ш
Acc.	___	___	___	___	___
Prep.	___	___	___	___	___

II. Complete the conjugation of:

я по́мню　　я иду́　　я кладу́　　я игра́ю

III. Fill in the blanks where necessary:

1. Мы в го́род___.
2. Он ид___ в шко́л___.
3. Я клад___ книг___ на стол.
4. Но́в___ кни́г___ на стол___.
5. Ива́н говор___ о газе́т___.

6. Студе́нтка клад___ каранда́ш___ и пер___ на стол___.
7. Мы э́то чит___ в уче́бник___.
8. Они́ говор___ о кни́г___.
9. Кто на конце́рт___?
10. Кто ид___ на конце́рт___?

11. Я иду́ в теа́тр___. Мы в теа́тр___.
12. Они́ говор___ о конце́рт___.
13. Кто по́мн___ симфо́ни___? Ива́н по́мн___.
14. Мы говор___ о му́зык___.
15. Я клад___ но́в___ газе́т___ на стол___.

16. Кни́г___ на сту́л___ а не на стол___́.
17. Кто клад___̈ кни́г__ на стул___ а не на стол___?
18. Ты говор___́ о письм___́.
19. Вы говор___́ о конце́рт__.
20. Студе́нт говор___́ о му́зык___.

IV. Translate into Russian:

1. I am in the school.
2. The red book is on the table.
3. The pupil puts the red book on the table.
4. The school is in the city.
5. They are going into the city.
6. We are in the city.
7. We are going to a concert.
8. The orchestra is playing a symphony.

На конце́рте

Сего́дня Ива́н и Ната́ша иду́т на конце́рт. Они́ иду́т на симфони́ческий конце́рт. Орке́стр игра́ет и ру́сскую и америка́нскую му́зыку. Ру́сская му́зыка класси́ческая. Ната́ша лю́бит класси́ческую му́зыку. Она́ лю́бит слу́шать симфо́нию. Она́ лю́бит слу́шать симфо́нию Проко́фьева и́ли Рахма́нинова.

Ива́н лю́бит слу́шать джаз. Джаз америка́нская му́зыка. Джаз не симфо́ния. Но в Аме́рике игра́ют "джаз симфо́нию" Ге́ршвина.

Никола́й и Ольга то́же на конце́рте. Ива́н говори́т: "Вот Никола́й и Ольга. До́брый ве́чер, Никола́й и Ольга, как вы пожива́ете? Сего́дня интере́сная програ́мма, не так ли? Вы лю́бите симфо́нию Проко́фьева? Ната́ша лю́бит симфо́нию, но я люблю́ джаз."

Они́ иду́т вме́сте домо́й. Они́ говоря́т о конце́рте, о му́зыке, о шко́ле и о теа́тре.

VOCABULARY

симфони́ческий - symphonic
и...и - both...and
америка́нский - American
класси́ческий - classical

лю́бит * - likes, loves
джаз - jazz
Никола́й - Nicholas
то́же - also, too
до́брый ве́чер - good evening
Как вы пожива́ете? - How are you?
сего́дня - today (pronounced as tho written сево́дня)
не так ли? - Isn't that so?
вы лю́бите* - you like
я люблю́* - I like
вме́сте - together
домо́й - home (adv.)

*люби́ть "to love" belongs to a different classification of verbs which will be taken up later in the grammar.

ПЯ́ТЫЙ УРО́К - LESSON V

The Genitive (Possessive) Case
"Soft" Declensions
Expression of possession with у

Read and translate:

1. Это кни́га ученика́.
2. Это перо́ студе́нта.
3. Это грамма́тика учени́цы.
4. Вот газе́та учи́тельницы.
5. Вот но́вый автомоби́ль учи́теля.

6. Вот но́вое ра́дио сестры́.
7. Шко́ла о́коло па́рка.
8. Дом о́коло го́рода.
9. Кни́га о́коло газе́ты.
10. Де́вочка стои́т о́коло ма́льчика.

11. Учи́тель и учи́тельница в шко́ле.
12. Вот слова́рь учи́теля.
13. Вот чёрный автомоби́ль профе́ссора.
14. В автомоби́ле ра́дио.
15. Чёрное мо́ре на ю́ге Росси́и.

16. Около мо́ря ста́рый го́род.
17. Росси́я о́коло Герма́нии.
18. Мы стои́м о́коло автомоби́ля.

19. Вы зна́ете тётю Ольги?
20. Тётя Ольги учи́тельница.

21. У до́ктора Бра́уна ста́рый автомоби́ль.
22. У тёти Ольги но́вый дом.
23. У ма́льчика сестра́.
24. У де́вочки брат.
25. У учи́теля и учи́тельницы ста́рый дом.

VOCABULARY

автомоби́ль - automobile
учи́тель - (male) teacher
сестра́ - sister
о́коло - near (prep. with gen.)
парк - park
дом - house, home
де́вочка - girl
стоя́ть, IIA - stand
  стою́ -и́шь (present)
ма́льчик - boy

слова́рь - dictionary
мо́ре - sea
юг - south
Росси́я - Russia
ста́рый - old
Герма́ния - Germany
тётя - aunt
у - at
до́ктор - doctor
  у до́ктора - the doctor has
брат - brother

GRAMMAR

1. The genitive, or possessive case is used:

   a. To express possession: кни́га учи́теля: "the book of the teacher" or "the teacher's book."

   b. With certain prepositions such as о́коло: "near" and у: "at."

   c. In combination with у to express the idea of "to have." у ученика́ means "the pupil has..."

2. The genitive of hard nouns is formed as follows:

   a. Masculine nouns: by adding а to the nominative: дом, до́ма.

   b. Neuter nouns: by changing the nominative ending о to а: перо́, пера́.

c. Feminine nouns: by changing the nominative ending а to ы: сестрá, сестры́.

Thus hard nouns in the four cases studied are declined as follows:

	Masculine	Neuter	Feminine
Nom.	дом—	пер ó	кóмнат а
Gen.	´" а	" á	" ы
Acc.	"—	" ó	" у
Prep.	´" е	" é	" е

3. There is a smaller number of masculine, neuter and feminine nouns that are known as "soft" nouns. They end in soft vowels instead of hard ones. Thus, a soft masculine ends in ь (словáрь); a soft neuter ends in е or ё (мóре) and a soft feminine ends in я (тётя).

Soft nouns in the four cases so far studied are declined:

	Masculine soft	Neuter soft	Feminine soft
Nom.	словáр ь	мóр е	тёт я
Gen.	" я́	" я	" и
Acc.	" ь	" е	" ю
Prep.	" é	" е	" е

4. Note и in certain feminine genitives such as кни́га, кни́ги and дéвочка, дéвочки. This is caused by a very important phonetic rule which is as follows:

г, к, х, ж, ч, ш and щ cannot be followed by ы, ю or я but cause these vowels to change to и, у or а respectively. This phonetic rule is applied throughout the language in adjectives, verbs, etc. as well as in nouns.

EXERCISES

I. Decline the following nouns in the four cases:

1. дом
2. перó
3. словáрь
4. гóрод
5. тётя
6. шкóла
7. автомоби́ль
8. кни́га
9. мóре

II. Fill in the blanks where necessary:

1. Стул стои́т о́коло стол___.
2. Дом о́коло шко́л__.
3. Доск__́ о́коло карти́н__.
4. Это кни́га учени́ц___
5. Это перо́ учени́к___, а каранда́ш учи́тел__.

6. Го́род о́коло мо́р___.
7. Шко́ла о́коло теа́тр___.
8. Герма́ния о́коло Росси́___.
9. Каранда́ш о́коло словар___.
10. Дом о́коло па́рк___.

11. У бра́т__ слова́р___.
12. У учи́тел___ но́вый дом.
13. У ма́льчик___ ра́дио.
14. У студе́нт___ перо́.
15. У тёт___ автомоби́л___.

16. У студе́нтк___ каранда́ш.
17. У до́ктор__ брат.
18. У де́вочк__ сестра́.
19. На ю́г___ Чёрн___ мо́р___.
20. Около словар___ каранда́ш.

III. Translate into Russian:

1. This is the pencil of the teacher; of the pupil.
2. The park is near the sea.
3. The school is near the theatre.
4. The book is near the dictionary.
5. The table is near the chair.
6. The chair is near the wall.
7. The teacher's pen is on the table.
8. Here is the automobile of (my) aunt.
9. Here is the boy's radio.
10. (My) aunt has a new automobile.

Автомоби́ль до́ктора Бра́уна

Никола́й и Ольга - брат и сестра́. Ольга сестра́ Никола́я. Никола́й брат Ольги. Оте́ц Никола́я и Ольги до́ктор Бра́ун. Мать Никола́я и Ольги гражда́нка Браун.

Она́ то́же до́ктор.

Дом до́ктора Бра́уна на краси́вой у́лице о́коло мо́ря.
У до́ктора Бра́уна но́вый автомоби́ль. Его́ автомоби́ль кра́сный.

Около автомоби́ля до́ктора Бра́уна стои́т чёрный автомоби́ль. Он не но́вый. Он ста́рый. Это автомоби́ль граждани́на Миха́йлова. Граждани́н Миха́йлов учи́тель Никола́я и Ольги.

Ольга у граждани́на Миха́йлова. Она́ спра́шивает: "Вы ви́дите наш но́вый автомоби́ль?...А ваш автомоби́ль то́же но́вый?"

"Нет, он не но́вый," отвеча́ет граждани́н Миха́йлов. "Он о́чень ста́рый и некраси́вый."

"Наш автомоби́ль краси́вый," говори́т Ольга.

"Ваш автомоби́ль дорого́й?" спра́шивает граждани́н Миха́йлов.

"Да, он о́чень дорого́й. А ваш автомоби́ль то́же дорого́й?"

"Он не о́чень дорого́й; он ста́рый," отвеча́ет граждани́н Миха́йлов.

VOCABULARY

оте́ц - father
мать - mother
гражда́нка - Mrs.
краси́вый - pretty
у́лица - street
его́ - his, him
граждани́н - Mr., citizen
у граждани́на Миха́йлова - at the home of...
вы ви́дите? - do you see?
наш - our
ваш - your
некраси́вый - ugly, not pretty
дорого́й - expensive, dear

ШЕСТО́Й УРО́К - LESSON VI

Variations in the Nominative and Accusative of Masculine Adjectives

Declension of Feminine Adjectives

Read and translate:

1. Ру́сский язы́к не лёгкий.
2. Это лёгкое сло́во.
3. Это лёгкая грамма́тика.
4. Росси́я больша́я страна́.
5. Москва́ большо́й го́род.

6. Вот друга́я у́лица.
7. Вот друго́й дом.
8. Там большо́е окно́.
9. Вот большо́й автомоби́ль.
10. Я чита́ю второ́й уро́к.

11. Ты чита́ешь друго́е письмо́.
12. Ива́н чита́ет другу́ю кни́гу.
13. Граждани́н Миха́йлов ру́сский учи́тель.
14. Гражда́нка Бра́ун ру́сская учи́тельница.
15. Это дорого́й дом.

16. Автомоби́ль о́чень дорого́й.
17. Како́й журна́л вы чита́ете?
18. Я чита́ю ру́сский журна́л.
19. Больша́я карти́на на большо́й стене́.
20. Мы сего́дня в друго́й ко́мнате.

21. Я чита́ю другу́ю большу́ю кни́гу.
22. У ма́ленькой де́вочки но́вое ра́дио.
23. Мы в до́ме ру́сской учи́тельницы.
24. Это дорого́й ру́сский слова́рь.
25. Тепе́рь Росси́ю называ́ют "Сове́тский Сою́з."

VOCABULARY

ру́сский - Russian (adj.)
язы́к - language, tongue
лёгкий - easy
большо́й - big
страна́ - land, country
Москва́ - Moscow
друго́й - other, different
окно́ - window
граждани́н - Mr., citizen
гражда́нка - Mrs.
второ́й - second
дорого́й - expensive, dear
како́й - which, what, what sort of
сего́дня - today (note г pronounced like в)
карти́на - picture
ма́ленький - little, small
тепе́рь - now
называ́ть, IA - call, name
Сове́тский Сою́з - Soviet Union

GRAMMAR

1. Variations in adjective endings:

A. At times the nominative singular masculine ending of hard adjectives is: о́й. This ending occurs only if the adjective is accented on the final syllable:

Masculine	Neuter	Feminine
втор о́й	втор о́е	втор а́я

B. Frequently certain endings appear to be those of soft declensions, whereas the adjective declension is hard. This is caused by the important phonetic rule mentioned in Lesson V. Thus is caused the seemingly soft ending ий in ру́сский.

C. Hard adjectives may therefore have three types of endings in the nominative singular masculine. The endings of the nominative singular neuter and feminine are the same for all three:

Masculine	Neuter	Feminine
ста́р ый	ста́р ое	ста́р ая
втор о́й	втор о́е	втор а́я
ру́сск ий	ру́сск ое	ру́сск ая

2. The genitive and prepositional endings of the feminine adjectives are: ой. Feminine adjective and noun endings

of the four cases so far studied are:

Nom.	но́в	ая	кни́г	а
Gen.	"	ой	"	и
Acc.	"	ую	"	у
Prep.	"	ой	"	е

EXERCISES

I. Supply the missing nominative forms of the following adjectives:

1. большо́е ________________ ________________
2. ма́ленькая ________________ ________________
3. лёгкое ________________ ________________
4. ру́сский ________________ ________________
5. тру́дный ________________ ________________
6. кака́я ________________ ________________
7. друго́е ________________ ________________
8. но́вая ________________ ________________

II. Decline in four cases:

друга́я кни́га, больша́я у́лица, кака́я де́вочка.

III. Fill in the blanks where necessary:

1. Это ру́сск___ кни́г__ ру́сск___ учи́тельниц___.
2. Я чита́___ ру́сск___ кни́г___ учи́тел___.
3. Мы чита́____ ру́сск___ журна́л.
4. Сестра́ и брат ид_́__ на интере́сн___ конце́рт.
5. Ма́леньк___ де́вочк___ и ма́леньк___ ма́льчик в больш_́__ шко́л___.
6. Я кладу́ ма́леньк____ кни́г____ на больш_́__ стол.
7. Кра́сн___ перо́ о́коло чёрн___ кни́г___.
8. Больш_́__ карти́на о́коло ма́леньк____.
9. Друг_́__ дом___ о́коло шко́л___.
10. Пе́рв___ уро́к о́чень лёгк___.
11. Чита́____ ли вы газе́т___ "Но́в___ Ру́сск___ Сло́в___"?
12. Втор_́___ уро́к не о́чень тру́дн___.
13. Но́в___ дом на друг_́___ у́лиц___.

14. В уро́к___ но́в___ сло́в___.
15. Москва́___ больш_́__ го́род.

IV. Translate into Russian:

1. into the large room
2. in the large room
3. of the large room
4. a large window
5. the other pencil

6. large house
7. Russian lesson
8. Russian word
9. Russian book
10. in the Russian book

11. into the Russian book
12. easy language
13. easy word
14. the other pen
15. of the English book

16. into the Russian city
17. into an interesting country
18. large city
19. little boy
20. of the little girl

Сове́тский Сою́з и Аме́рика

Тепе́рь Росси́ю называ́ют "СССР" и́ли "Сове́тский Сою́з." Росси́я больша́я и интере́сная страна́. Столи́ца Росси́и Москва́. Москва́ большо́й го́род. Ленингра́д то́же большо́й го́род. Он второ́й го́род в СССР.

Аме́рика то́же больша́я страна́. Столи́ца Аме́рики Вашингто́н. Вашингто́н не о́чень большо́й го́род. Он краси́вый го́род. Нью Ио́рк большо́й америка́нский го́род.

В шко́ле ка́рта СССР. На ка́рте мы ви́дим, кака́я больша́я страна́ Сове́тский Сою́з. Мы ви́дим Москву́ и Ленингра́д. Мы ви́дим Ха́рьков, Оде́ссу и Ки́ев. Мы ви́дим большу́ю реку́ Во́лгу. Го́род Сталингра́д на Во́лге. Мы ви́дим Чёрное мо́ре и Бе́лое мо́ре. Бе́лое мо́ре на се́вере Росси́и, а Чёрное мо́ре на ю́ге.

Ки́ев столи́ца Укра́ины. Ки́ев краси́вый ста́рый го́род. Он не о́чень большо́й. Ки́ев на реке́ Днепре́. На Укра́ине говоря́т и по-укра́ински, и по-ру́сски.

VOCABULARY

СССР - USSR
столи́ца - capital
ка́рта - map
мы ви́дим - we see

река́ - river
Во́лга - Volga
се́вер - north

Украи́на - Ukraine
по-украи́нски - (in) Ukrainian

VOCABULARY STUDY

Which words in Column II have meanings related to, or opposite from, words in Column I? Write ten simple sentences using some of these words.

I	II
1. английский	1. учительница
2. ма́ленький	2. каранда́ш
3. му́зыка	3. по-ру́сски
4. учи́тель	4. брат
5. де́вочка	5. ру́сский
6. тру́дный	6. ма́льчик
7. по-английски	7. орке́стр
8. но́вый	8. лёгкий
9. перо́	9. большо́й
10. сестра́	10. ста́рый

СЕДЬМО́Й УРО́К - LESSON VII

The Dative Case
Prepositions к and по
Verbs: даю́, даёшь; гуля́ть; and е́ду, е́дешь

Read and translate:

1. Учи́тель говори́т ученику́: "До́брое у́тро."
2. Брат говори́т Ива́ну: "Как ты пожива́ешь?"
3. Ната́ша говори́т Ольге: "Спаси́бо."
4. Я даю́ кни́гу ученику́.
5. Что ты даёшь сестре́?

6. Ольга даёт каранда́ш ма́льчику.
7. Мы даём учи́телю но́вую кни́гу.
8. Что вы даёте бра́ту? Мы даём бра́ту каранда́ш.

9. Ольга и Ива́н даю́т учи́телю я́блоко.
10. Я иду́ к окну́.

11. Он идёт к до́ктору.
12. Мы идём к профе́ссору Бра́уну.
13. Вы идёте к учи́телю.
14. За́втра мы е́дем в парк.
15. Я е́ду в го́род к бра́ту.

16. Ната́ша и Никола́й гуля́ют по у́лице.
17. Я гуля́ю в па́рке.
18. Ма́льчик даёт я́блоко до́брой учи́тельнице.
19. Де́вочка даёт я́блоко ма́льчику.
20. Брат даёт сестре́ бе́лое пла́тье.

VOCABULARY

до́брое у́тро - good morning
Как ты пожива́ешь? - How are you?
спаси́бо - thanks
даю́, даёшь - give (IOb verb. See Grammar #8)
я́блоко - apple
к - to (with dat.)
за́втра - tomorrow
е́ду, е́дешь - ride (See Grammar #9)
гуля́ть, IA - stroll, walk
до́брый - good, kind
по - along, according to (with dat.)
пла́тье - dress (neut.)

GRAMMAR

1. The Dative Case is used to express the indirect object.

   Я даю́ кни́гу ученику́ — I give a book to the pupil

2. The dative case is also used with some prepositions, the most important of which are: К and ПО.

   Я иду́ к доске́ — I am going to the board
   Он гуля́ет по у́лице — He is strolling along the street

3. The dative case ending for the masculine and neuter is У for hard and Ю for soft nouns. For the feminine it is Е in both the hard and soft declensions.

4. Feminine adjectives end in ОЙ in the dative as they do in the genitive, instrumental and prepositional cases.

5. Below appear typical hard masculine and neuter nouns in five cases. Note that the genitive, dative and prepositional endings are alike for masculine and neuter nouns:

	Masculine		Neuter	
Nom.	каранда́ш	—	пер	о́
Gen.	"	а́	"	а́
Dat.	"	у́	"	у́
Acc.	"	—	"	о́
Prep.	"	е́	"	е́

6. A typical feminine noun and adjective are declined as follows:

	Adjective		Noun	
Nom.	больш	а́я	ко́мнат	а
Gen.	"	о́й	"	ы
Dat.	"	о́й	"	е
Acc.	"	у́ю	"	у
(Inst.	"	о́й	"	ой)*
Prep.	"	о́й	"	е

(*See Lesson VIII)

7. The verb даю́, etc. may be learned as an irregular verb for the time being. It is conjugated as follows:

я да ю́	мы да ём
ты да ёшь	вы да ёте
он да ёт	они́ да ю́т

8. Some IA verbs have other vowels than <u>а</u> before the <u>ть</u>. They are conjugated exactly like other IA verbs, however:

я гул я́ ю	мы гул я́ ем
ты гул я́ ешь	вы гул я́ ете
он гул я́ ет	они́ гул я́ ют

9. The verb е́ду "I ride" is conjugated somewhat like иду́ "I go":

я е́д у	мы е́д ем
ты е́д ешь	вы е́д ете
он е́д ет	они́ е́д ут

EXERCISES

I. Decline in five cases:

го́род, стол, окно́, автомоби́ль, мо́ре, сло́во.

II. Decline in five cases:

но́вая карти́на, интере́сная кни́га.

III. Fill in the blanks where necessary:

1. Он да___ перо́ ученик___.
2. Мы говор___ ученик___: "До́брое у́тро."
3. Учени́к даёт книг___ учи́тел___.
4. Она́ ид___ к окн___.
5. Мы ид___ к стол___.

6. Я ид___ к бра́т___.
7. Они́ ид___ к тёт___.
8. Она́ гуля́___ по у́лиц___.
9. Учи́тель и учи́тельница гуля́___ в па́рк___.
10. Он е́д___ к до́ктор___.

11. Мы ид___ к мо́р___.
12. Учени́к и учени́ца е́д___ в го́род___.
13. Мы ид___ на интере́сн___ конце́рт.
14. Он гуля́___ по у́лиц___.
15. Учени́к ид___ к чёрн___ доск___.

16. Я да___ газе́т___ ру́сск___ де́вочк___.
17. Окно́ о́коло больш___ карти́н___.
18. Они́ е́д___ в Росси́___.
19. Учи́тельниц___ говори́т учени́ц___: "Как вы пожива́___?"
20. Учени́к да___ учи́тельниц___ кра́сн___ я́блоко.

21. Что вы да___ ма́леньк___ де́вочк___?
22. Что ты да___ ма́льчик___, Ми́ша?
23. Брат да___ но́в___ ра́дио сестр___.
24. Я говорю́ бра́т___: "Вот перо́."
25. Мы е́д___ в парк. Там мы слу́ш___ му́зык___.

IV. Translate into Russian:

1. I say "good morning" to the teacher.
2. They give the pupil a new book.
3. She goes to the black-board.
4. I go (am riding) into the city.
5. I am strolling in the park.
6. We are going (riding) to Russia.
7. You are going to the window.
8. We give the professor a new lamp.
9. The large city is in a large country.
10. Moscow is a large city, but Yalta (Ялта) is a small city.

Шу́тка

Учи́тель: Никола́й, что ты де́лаешь?
Никола́й: Ничего́.
Учи́тель: А, Ива́н, что ты де́лаешь?
Ива́н: Я помога́ю Никола́ю.

* * * * *

Посло́вица: Ти́ше е́дешь, да́льше бу́дешь.
(Haste makes waste.)

* * * * *

Стихи́

Ве́тер по́ морю гуля́ет
и кора́блик подгоня́ет

—Алекса́ндр С. Пу́шкин

VOCABULARY

шу́тка - joke
ничего́ - nothing
помога́ть, IA - help (takes dative)
посло́вица - proverb
ти́ше - quieter, more slowly
да́льше - further
бу́дешь - you will be
стихи́ - verses
ве́тер - wind
кора́блик - little ship
подгоня́ть, IA - drive on

ВОСЬМО́Й УРО́К - LESSON VIII

The Instrumental Case
Verbs: писа́ть, держа́ть
Masculine Soft Nouns in Й

Read and translate:

1. Я пишу́ письмо́ карандашо́м.
2. Ты пи́шешь перо́м на бума́ге.
3. Учи́тель пи́шет ме́лом на чёрной доске́.
4. Мы пи́шем на доске́.
5. Вы пи́шете пра́вой руко́й.

6. Де́вочка и ма́льчик пи́шут уро́к карандашо́м.
7. Я держу́ бума́гу в пра́вой руке́.
8. Никола́й де́ржит перо́ в ле́вой руке́.
9. Что они́ де́ржат в руке́?
10. Я не зна́ю, что они́ де́ржат.

11. Брат и сестра́ говоря́т с учи́телем.
12. Ма́льчик идёт в парк с сестро́й.
13. Мы идём в шко́лу с дру́гом.
14. Я иду́ на конце́рт с подру́гой.
15. Около трамва́я стои́т автомоби́ль.

16. Я е́ду в го́род и́ли трамва́ем и́ли автомоби́лем.
17. Я пишу́ ме́лом на чёрной доске́.
18. Ольга пи́шет ру́сское сло́во на доске́.
19. Что вы пи́шете на доске́? Я пишу́ уро́к.
20. Вы де́ржите мел в ле́вой руке́, когда́ вы пи́шете на доске́?

VOCABULARY

я пишу́, etc. - I write
пра́вый - right (hand)
рука́ - hand

держа́ть, IIA - hold, keep
(держу́, ´-жишь etc.)
ле́вый - left (hand)

с - with (with instr.)
друг - friend (masc.)
подру́га - girl friend
трамва́й - street-car

писа́ть, IB - write (пишу́, -шешь, etc.)
йли...йли - either...or
когда́ - when

GRAMMAR

1. The Instrumental Case has several uses:

   1) to express instrument or agent: Я пишу́ перо́м: "I write with a pen."

   2) to express accompaniment. For this purpose the preposition с is used: Я иду́ в парк с дру́гом: "I go to the park with (my) friend."

2. The instrumental case of hard masculine and neuter nouns ends in ом. Soft masculines and neuters end in ем or ём.

   In the feminine hard nouns, the instrumental ends in ой, and in soft nouns the ending is ей.

   The feminine adjective ending is also ой.

   The singular declension of regular masculine and neuter nouns is as follows:

	Masc. hard		Masc. soft		Neuter	
Nom.	стол	—	автомобил	ь	пер	о́
Gen.	"	а́	"	я	"	а́
Dat.	"	у́	"	ю	"	у́
Acc.	"	—	"	ь	"	о́
Inst.	"	о́м	"	ем	"	о́м
Prep.	"	е́	"	е	"	е́

Feminine adjective and noun

Nom.	до́бр	ая	сестр	а́
Gen.	"	ой	"	ы́
Dat.	"	ой	"	е́
Acc.	"	ую	"	у́
Inst.	"	ой	"	о́й
Prep.	"	ой	"	е́

3. Трамва́й belongs to a small group of masculine soft nouns

ending in й. With the exception of the accusative case, which is, of course, like the nominative, the other singular endings resemble exactly those of regular soft masculine nouns in ь.

4. Some verbs in both conjugations end in у in the first person singular and ут or ат in the third person plural. Sometimes this is for phonetic reasons, as in the verb: держу́, де́ржишь. Sometimes, as in иду́, идёшь, these endings occur without phonetic reasons. Verbs of the latter kind change unpredictably from their infinitive.

Note that the phonetic rule for nouns and adjectives also holds for verbs, i.e.: г, к, х, ж, ч, ш, щ change ы, ю, я to и, у, а. Many IIA verbs have the endings у in the first person singular and ат in the third person plural because of this rule.

Писа́ть, IB belongs to a large group of first conjugation verbs which have regular changes in the root consonant. (See Lesson XIII)

EXERCISES

I. Decline in full in the singular:

мо́ре, окно́, слова́рь, го́род, трамва́й, перо́.

II. Decline in full in the singular:

ру́сская кни́га, больша́я ко́мната, молода́я студе́нтка.

III. Conjugate in the present:

слу́шать, знать, говори́ть, держа́ть.

IV. Continue in the present:

я иду́, я пишу́, я кладу́, я даю́, я е́ду.

V. Translate into Russian (watch clues for cases):

1. interesting book
2. new pen
3. big pencil
4. new teacher
5. old pupil
6. near the street-car
7. near the big school
8. near the old book
9. near the dictionary
10. of the (male) teacher

11. of the little girl
12. of the window
13. to the teacher
14. to the sea
15. to the little girl
16. along the big street
17. to the black-board
18. onto the old table
19. into the class room
20. into the Russian city
21. with brother
22. on the table
23. (by means of) chalk
24. in the automobile
25. by street-car

Прогу́лка

Ива́н и Никола́й сидя́т в шко́ле. Пого́да хоро́шая и им не хо́чется занима́ться. Ива́н де́ржит кни́гу в руке́, но не чита́ет. Никола́й де́ржит каранда́ш, но не пи́шет. Они́ смо́трят в окно́. Хо́чется гуля́ть.

По́сле шко́лы Ива́н е́дет с Никола́ем в парк. Там они́ встреча́ют Ната́шу и Ольгу. Ива́н зна́ет Ольгу. Она́ подру́га Ната́ши. Де́вочки* сидя́т под де́ревом и ку́шают са́ндвичи и фру́кты. "Не хоти́те ли вы ку́шать с на́ми?" спра́шивает Ольга.

"Спаси́бо, с удово́льствием," отвеча́ет Ива́н.

Они́ ку́шают са́ндвичи и фру́кты и разгова́ривают. Пото́м они́ игра́ют в мяч. "Ах, как здесь хорошо́," говори́т Никола́й. Ле́том, когда́ пого́да хоро́шая, не хо́чется занима́ться. Хо́чется гуля́ть."

Ве́чером они́ е́дут домо́й авто́бусом. "Приходи́те к нам с бра́том и с сестро́й," говори́т Ната́ша.

"Спаси́бо, с удово́льствием," отвеча́ют Никола́й и Ива́н.

(*де́вочки - nom. plur.)

VOCABULARY

прогу́лка - stroll
сидя́т - (they) sit
пого́да - weather
хоро́шая - good

им не хо́чется - they don't feel like (id.)
занима́ться, IA - study
смотре́ть, IIA - look (through)
по́сле - after (with gen.)
под - under (with instr.)
де́рево - tree
ку́шать, IA - eat
са́ндвичи - sandwiches
фру́кты - fruits
не хоти́те ли вы - don't you want to
с на́ми - with us
спаси́бо - thanks
с удово́льствием - with pleasure
разгова́ривать, IA - converse
игра́ть в мяч - play ball
пото́м - then
здесь - here
хорошо́ - nice, well, good
*ле́том - in summer
*ве́чером - in the evening
авто́бус - autobus
приходи́те - come (impera.)
к нам - to us

(*Note use of instrumental to express time of day and season of the year.)

ДЕВЯ́ТЫЙ УРО́К - LESSON IX

Review Lesson on Singular of Nouns and Feminine Adjectives

Some Question Words

VOCABULARY

куда́ - where to, whither
кто - who
у кого́*- who has, at whose house?
кому́ - to whom
кого́ *- whom (acc. & gen. case)
что́ это за ** - what kind of...is this?
(с) кем - with whom (instr.)
о ком - about whom (prep.)
шесто́й - sixth
пя́тый - fifth
чем - with what (instr.)
(в, о) чём - (in, about) what (prep.)
почему́? - why?
от - from (with gen.)

(*г in these words is pronounced like Russian в.)

(**In idiomatic phrases, the stress is often on one of the words of the phrase.)

EXERCISES

I. Отвечайте, пожалуйста, по-русски. (Please answer in Russian.)

Use only vocabulary of first 9 lessons.

1. Где вы? (Answer: in the class-room, in the city, in the school, etc.)
2. Кто вы?
3. Что вы делаете?
4. Куда вы идёте? (Answer: I go to the city, to the black-board, to the window, etc.)
5. Куда вы едете?

6. Где вы стоите?
7. Кто у учителя?
8. Кому вы даёте книгу?
9. Кто даёт яблоко девочке?
10. Чем вы держите перо?

11. Чем вы пишете на чёрной доске?
12. Чем вы пишете на бумаге?
13. От кого письмо?
14. Кто пишет по-русски?
15. Кто читает по-русски?

16. Что это за перо?
17. Что это за карандаш?
18. Что это за газета?
19. Что это за автомобиль?
20. Какую книгу вы читаете?

21. О чём вы говорите с учителем?
22. Куда вы кладёте перо?
23. О ком вы говорите?
24. С кем вы идёте на концерт?
25. Что брат и сестра делают?

26. Что учитель делает?
27. Что Ольга держит в руке?
28. Что это за школа?
29. О чём говорят мальчик и девочка?
30. Помните ли вы шестой урок?

31. Понима́ете ли вы пя́тый уро́к?
32. Вы говори́те хорошо́ по-ру́сски?
33. Вы пи́шете хорошо́ по-ру́сски?
34. Вы понима́ете хорошо́ по-ру́сски?
35. Вы пи́шете ле́вой и́ли пра́вой руко́й?

II. Complete conjugation of:

я	держу́	пишу́	даю́
ты	де́рж____	пи́ш______	да____
он	де́рж____	пи́ш______	да____
мы	де́рж____	пи́ш______	да____
вы	де́рж____	пи́ш______	да____
они́	де́рж____	пи́ш______	да____

я	иду́	кладу́	е́ду
ты	ид______	клад_____	е́д____
он	ид______	клад_____	е́д____
мы	ид	клад	е́д
вы	ид______	клад_____	е́д____
они́	ид______	клад_____	е́д____

III. Complete declension of:

Nom.	кто	что	ма́ленькая	сестра́
Gen.	____	____	___	_
Dat.	____	____	___	_
Acc.	____	____	___	_
Inst.	____	____	___	_
Prep.	____	____	___	_

IV. Use of Prepositions:

1. Use proper form of the following with у:

у учи́тел___ у учи́тельниц___
у сестр___ у ма́льчик___
у бра́т___ у де́вочк___

2. Use proper form with о́коло:

о́коло словар___ о́коло бо́льш___ ко́мнат___
о́коло кни́г___ о́коло окн___
о́коло стол___ о́коло го́род___
о́коло стен___ о́коло бра́т___

3. Use proper form with к or по:

к окн___́　　к ма́леньк___ сестр___́
к доск___́　　к ма́льчик___
к бра́т___　　по больш___́ у́лиц___

4. Use proper form with в or на:

a. Я е́ду в го́род____.
b. Он идёт на конце́рт___.
c. Они́ иду́т в шко́л___.
d. Кни́га на стол___́.
e. Мы в ма́леньк___ ко́мнат___.
f. Он в го́род___́.
g. Я на больш___́ у́лиц___.
h. Я е́ду в Сове́тск___ Сою́з___.

5. Use proper forms as called for:

1. с учи́тел___　　6. с бра́т___
2. у Ольг___　　7. в словар___́ (2 ways)
3. с де́вочк___　　8. к тёт___
4. о ма́льчик___　　9. по́ мор___
5. о газе́т___　　10. в трамва́___

Филиппо́к

Филиппо́к ма́ленький ма́льчик. Его́ брат и сестра́ иду́т в шко́лу. Он то́же хо́чет итти́ в шко́лу, но его́ мать говори́т: "Ты сли́шком ма́ленький. Нельзя́."

Мать и оте́ц на рабо́те. Брат и сестра́ в шко́ле, а Филиппо́к сиди́т до́ма с ба́бушкой. Ба́бушка спит. Ему́ ску́чно. Он хо́чет итти́ в шко́лу. Он берёт ша́пку бра́та и ухо́дит.

Он стои́т о́коло шко́лы и не зна́ет, что де́лать. Он бои́тся. Же́нщина ви́дит его́ и говори́т: "Все в шко́ле а ты тут стои́шь. Почему́ ты не идёшь в шко́лу? Ты бои́шься и́ли ты лентя́й? Иди́ в шко́лу!" И Филиппо́к вхо́дит в шко́лу.

В шко́ле шу́мно. Де́ти разгова́ривают. Они́ чита́ют

и пи́шут. Учи́тель хо́дит по ко́мнате и смо́трит, что они́ де́лают. Наконе́ц, он спра́шивает: "Кто э́тот ма́ленький ма́льчик?"

Ми́ша, его́ брат, отвеча́ет: "Это мой брат, Филиппо́к. Он давно́ хо́чет итти́ в шко́лу, но он сли́шком ма́ленький."

Учи́тель до́брый челове́к. Он спра́шивает: "А, Филиппо́к, ты уме́ешь чита́ть и писа́ть?"

"Да," говори́т Филиппо́к.

"Ну, хорошо́," отвеча́ет учи́тель. "Сиди́ о́коло бра́та и чита́й э́ту кни́гу."

И с тех пор, Филиппо́к хо́дит в шко́лу.

VOCABULARY

Филиппо́к - little Philip
хо́чет - wants
итти́, ID - go (infin.)
Pres.: иду́, идёшь, etc.
сли́шком - too much, too
нельзя́ - not allowed, you may not (with infin.)
рабо́та - work
до́ма - at home (adv.)
ба́бушка - grandmother
спит - sleeps
ему́ - to him
ему́ ску́чно - he is bored
берёт - takes
ша́пка - cap
ухо́дит - goes away
бои́тся - is afraid
же́нщина - woman
ви́дит - sees
лентя́й - lazy-bones
все - all (plur.)
тут - here
вхо́дит - enters, goes into
шу́мно - noisy
де́ти - children (plur.)
хо́дит - goes, walks
наконе́ц - at last, finally
э́тот - this (masc.)
мой - my (masc.)
давно́ - long since
челове́к - person
уме́ть, IA - know how to (with infin.)
ну - well
сиди́ - sit (impera.)
чита́й - read (impera.)
с тех пор - since that time (id.)

VOCABULARY STUDY

A. Give words opposite in meaning or related to the following:

1. ма́льчик ____________
2. ста́рый ____________
3. писа́ть ____________
4. сестра́ ____________

5. бе́лый ______________
6. учи́тельница ______________
7. учени́к ______________
8. пра́вый ______________
9. студе́нт ______________
10. тру́дный ______________
11. е́ду ______________
12. большо́й ______________
13. мать ______________
14. се́вер ______________

B. Make sentences using these words or their opposites.

ДЕСЯ́ТЫЙ УРО́К - LESSON X

Future Tense of Imperfective Verbs (with бу́ду)
Imperatives ∵ Other IA Verbs
Auxiliary Verbs, Adverbs

Read and translate:

1. Я бу́ду изуча́ть ру́сский язы́к.
2. Ты бу́дешь изуча́ть ру́сский язы́к.
3. Он бу́дет чита́ть четвёртый уро́к.
4. Она́ бу́дет говори́ть по-ру́сски.
5. Мы бу́дем писа́ть письмо́ по-ру́сски.

6. Вы бу́дете говори́ть ме́дленно по-ру́сски.
7. Они́ бу́дут слу́шать му́зыку на конце́рте.
8. Ива́н бу́дет говори́ть, писа́ть, и чита́ть.
9. Ольга и Ната́ша бу́дут чита́ть тре́тий уро́к.
10. Я уме́ю чита́ть бы́стро, а говори́ть ме́дленно.

11. Чита́й ме́дленно, Ми́ша.
12. Чита́йте, пожа́луйста.
13. Не чита́йте так бы́стро, профе́ссор Миха́йлов!
14. Говори́те по-ру́сски, пожа́луйста.
15. Ма́ша, говори́ ме́дленно.

16. Отвеча́йте по-англи́йски, а не по-ру́сски.
17. Пиши́ карандашо́м, а не перо́м, Ольга.
18. Пиши́те на доске́, пожа́луйста.
19. Они́ ничего́* не уме́ют де́лать.
20. Я гуля́ю с сестро́й и с бра́том.

21. Я не умéю писáть по-рýсски.
22. Я умéю хорошó говорúть по-рýсски.
23. Мы сегóдня в шкóле ничегó не дéлаем.
24. Онú ничегó не знáют.
25. Читáйте, но не говорúте!

26. Идúте к доскé и пишúте!
27. Держúте кнúгу, пожáлуйста!
28. Учúтель объясняéт урóк по-англúйски.
29. Он бýдет объяснять э́тот урóк.
30. Пожáлуйста, объясняйте мéдленно пéрвый урóк.

VOCABULARY

бýду, бýдешь - shall, will (fut. aux.)
изучáть, IA - study
четвёртый - fourth
мéдленно - slowly
трéтий - third
умéть, IA - know how to, be able to
бы́стро - fast, quickly
пожáлуйста - please
так - so
отвечáть, IA - answer
ничегó*(не) - nothing
хорошó - well
объяснять, IA - explain

(*г in these words is pronounced like Russian в.)

GRAMMAR

1. The future of Imperfective Verbs. The verbs studied thus far are all called imperfective verbs. The future tense of such verbs is formed by the use of an auxiliary verb (бýду, бýдешь) plus the infinitive. The future of читáть is:

я бýду читáть	мы бýдем читáть
ты бýдешь читáть	вы бýдете читáть
он бýдет читáть	онú бýдут читáть

бýду, бýдешь also can be used alone, when it means "I shall be," "you will be," etc.

2. The imperative is usually formed by cutting off the ending of the second person singular of the verb and adding: й or йте. In IA verbs the vowel preceding the ending is retained and forms a diphthong (ай, яй) with it. Thus the

imperative is formed as follows:

	чита́ть, IA	говори́ть, IIA
Singular	чит а́й	говор и́
Plural	чит а́йте	говор и́те

3. IA verbs with roots other than a. Some IA verbs have other root vowels than a such as e or я. These vowels are then retained in the conjugation, which is otherwise like чита́ть. Such verbs are:

я гул я́ ю	я ум е́ ю
ты гул я́ ешь	ты ум е́ ешь
etc.	etc.

4. In ничего́ не "nothing" note the double negative.

Я ничего́ не понима́ю   I understand nothing

Note that ничего́ не precedes the verb.

5. Although the hard sign (ъ) is very rarely used in modern orthography, it is retained in a prefix ending in a consonant before a root beginning with e or я.

6. Note that adverbs are formed from adjectives by cutting off the adjective ending and adding o: тру́дный: тру́дно.

EXERCISES

I. Fill in the blanks where necessary:

1. Граждан´___ Миха́йлов бу́д___ говор´___ по-англи́йски.
2. Граждан´___ Г. уме́___ пис´___ по-ру́сски.
3. Мы бу́д___ чит´___ тре́тий уро́к сего́дня.
4. Говор´___ ме́дленно, пожа́луйста.
5. Не говор´___ так бы́стро, Ми́ша.

6. Я ниче´___ не уме́___ де́л___.
7. Они́ ниче´___ не говор´___.
8. Отвеча́___, когда́ учи́тел___ спра́шива___.
9. Пиш´___ письм´___ на бума́г___, пожа́луйста.
10. Граждан´___ Б. бу́д___ слу́ш___ ра́дио.

11. Они́ уме́___ говор___ по-ру́сски.
12. Они́ нич___ не по́мн___.
13. Учи́тель бу́д___ объясн___ уро́к.
14. Он нич___ не поним___.
15. Бу́д___ ли вы гул___ сего́дня?

16. Пиш___ уро́к перо́м, Ми́ша.
17. Спра́шива___ э́то по-англи́йски, пожа́луйста.
18. Ид___ к доск___, пожа́луйста.
19. Держ___ э́то в пра́в___ рук___.
20. Гуля́___ с учи́тел__ сего́дня, а не с сестр___.

II. Conjugate in the present and future:

держа́ть, писа́ть, говори́ть, объясня́ть,
уме́ть, отвеча́ть, гуля́ть, по́мнить.

III. Give imperatives of the same verbs.

IV. Translate into Russian:

1. I shall speak Russian, but she will speak English.
2. They do not know how to write on the board.
3. Answer in English, because I do not understand Russian.
4. Write with a pen please, Mischa.
5. We shall be walking in the park.
6. They will read the Russian lesson in school today.
7. He doesn't understand anything.
8. Speak slowly, please.
9. Can you (уме́ть) read Russian?
10. Explain the lesson, please.
11. Will you listen to Russian music at the concert?
12. Will the teacher speak to the pupil?
13. I know how (уме́ть) to read the lesson.
14. The teacher explains the lesson to the pupil.
15. Do you know how (уме́ть) to answer in Russian?

Лентя́й

Серёжа сего́дня плохо́й ма́льчик. Он ничего́ не хо́чет де́лать. Он лентя́й. Учи́тель говори́т: "Серёжа, пиши́ уро́к," а он не пи́шет. Учи́тель говори́т: "Серёжа, чита́й," а он не чита́ет. Учи́тель говори́т:

"Иди́ к доске́," а он не идёт.

Учи́тель говори́т: "Сиди́," а он стои́т. Он говори́т: "Стой," а Серёжа сиди́т. Серёжа разгова́ривает с дру́гом в кла́ссе. Учи́тель говори́т: "Серёжа, молчи́!" А он отвеча́ет: "Молчи́те са́ми!"

Наконе́ц, учи́тель се́рдится. "Иди́ домо́й, Серёжа, я бо́льше не хочу́ тебя́ ви́деть."

Серёжа говори́т: "За́втра всё бу́дет ина́че. За́втра я бу́ду писа́ть, я бу́ду чита́ть, я не бу́ду разгова́ривать с дру́гом. Я бу́ду серьёзно учи́ться."

"Ты лентя́й," говори́т учи́тель. "За́втра, за́втра, не сего́дня, так лени́вцы говоря́т. Ты зна́ешь э́ту посло́вицу?"

"Да, зна́ю," отвеча́ет Серёжа.

* * * * * * * *

Посло́вица: "За́втра, за́втра, не сего́дня," так лени́вцы говоря́т.

VOCABULARY

Серёжа - dim. of Серге́й
плохо́й - bad
класс - class
молчи́, -и́те - be still (impera. of молча́ть)
са́ми - yourself
се́рдится - is angry
тебя́ - you (acc. or gen. of ты)
ина́че - different
серьёзно - seriously
учи́ться, IIA - study
бо́льше - (any) more, longer
лени́вцы - lazybones (plur.)

ОДИ́ННАДЦАТЫЙ УРО́К - LESSON XI

Nominative and Accusative Plural of Nouns and Adjectives

Read and translate:

1. В го́роде - теа́тры, магази́ны, университе́ты и шко́лы.
2. В го́роде - у́лицы и бульва́ры.
3. В шко́ле - ко́мнаты и кла́ссы.
4. Мы покупа́ем но́вые карандаши́, кни́ги и газе́ты в магази́не.
5. В кла́ссной ко́мнате - сте́ны, столы́ и о́кна.

6. В словаре́ - ру́сские и англи́йские слова́.
7. В ко́мнате - больши́е о́кна и столы́.
8. На у́лице - автомоби́ли, трамва́и и авто́бусы.
9. На столе́ - ру́сские журна́лы и кни́ги.
10. Пе́рвые уро́ки не тру́дные; они́ лёгкие.

11. Больши́е карти́ны вися́т на стене́.
12. Же́нщина покупа́ет но́вые перча́тки в магази́не.
13. Де́ти чита́ют пе́рвые уро́ки.
14. Ла́мпа и ста́рые часы́ на столе́.
15. Мужчи́на покупа́ет бе́лые руба́хи.

16. В ка́ждой стране́ - больши́е города́.
17. Ру́сские учителя́ говоря́т хорошо́ по-ру́сски.
18. В го́роде - больши́е дома́.
19. Росси́я и Аме́рика интере́сные больши́е стра́ны.
20. Что доктора́ де́лают?

21. Ру́сские интере́сные лю́ди.
22. Ру́сские и англи́йские газе́ты на столе́.
23. В магази́не мы покупа́ем перча́тки, руба́хи, пла́тья и часы́.
24. В шко́ле - ученики́, учени́цы, учителя́ и учи́тельницы.
25. В трамва́е - мужчи́ны и же́нщины.

VOCABULARY

магази́н - store, shop
университе́т - university
бульва́р - boulevard
класс - class
покупа́ть, IA - buy
кла́ссный - class (adj.)
же́нщина - woman
перча́тки - gloves (plur.)
де́ти - children (plur. only)
часы́ - clock, watch (plur. declension)
мужчи́на - man (masc. with feminine declension)
руба́ха - shirt
ка́ждый - every, each
лю́ди - people (plur. only)
англи́йский - English (adj.)
авто́бус - autobus

GRAMMAR

1. Nominative plural of nouns. The nominative plural of regular hard masculine and feminine nouns ends in ы. Note that the masculine and feminine are alike in the nominative plural. Soft masculine and feminine nouns end in и in the nominative plural.

   Very often hard masculine and feminine nouns have и in the nominative plural because of the phonetic rule which prevents г, к, х, ж, ч, ш, щ from being followed by ю, я or ы.

   Several masculine nouns have an irregular nominative plural ending: а́ or я́. This irregular ending is always accented. Four words in this lesson have the irregular plural in а́ or я́. They are:

Nom. Sing.	Nom. Plur.
дом	дома́
го́род	города́
учи́тель	учителя́
до́ктор	доктора́

2. The regular neuter nominative plural ending is а or я.

3. Nominative plural of adjectives. The plural endings of adjectives are the same for all genders. The nominative plural ending is: ые for the hard adjectives and ие for the soft. The phonetic rule mentioned above also applies to adjectives.

4. The accent frequently shifts in the plural of nouns. As

there are no satisfactory rules, the changes are indicated in the text or vocabulary.

5. The accusative plural of nouns and adjectives is usually like the nominative in all genders.

6. Note words like де́ти, лю́ди, часы́ which either have different forms or are not used in the singular. Час in the singular means "hour."

EXERCISES

I. Fill in the blanks, using plural endings wherever possible:

1. В шко́ле - кни́г__, стол_́_, сте́н__ и до́ск__.
2. В го́роде - шко́л__, автомоби́л__, магази́н__ и теа́тр__.
3. Словар_́__ больш_́__ кни́г__.
4. Ру́сск___ город_́__ больш_́__.
5. Мы чита́ем интере́сн___ кни́г__.

6. Ученик_́__ изуча́ют тру́дн___ ру́сск___ уро́к___.
7. Ученик_́__ и учени́ц___ в шко́ле.
8. На столе́ - но́в___ час_́__.
9. Ма́льчик___ игра́ют в па́рке.
10. На у́лице - бе́л___ авто́бус___ и чёрн___ автомоби́л___.

11. Москва́ и Нью Ио́рк больш_́__ город_́__.
12. Легко́ чита́ть ру́сск___ слов_́__. (plural)
13. В больш_́__ ко́мнате - больш_́__ о́кн__.
14. На у́лиц___ - больш_́__ дом_́__. (plural)
15. Учител_́__ покупа́___ но́в___ кни́г__ в магази́не.

II. Translate into Russian:

1. In the city are street-cars and automobiles.
2. The student has Russian books. (Express with у)
3. In the house there are men and women.
4. There are books, pencils and newspapers on the table.
5. The teachers buy interesting books in the store.

6. Russian people are interesting.
7. The chalk is white but the pencils are black.

8. In America there are large cities and houses.
9. Russian words are in the dictionary.
10. We are buying Russian newspapers and dictionaries.

Универма́г

В Москве́ есть большо́й магази́н, где лю́ди покупа́ют ра́зные ве́щи. Таки́е магази́ны называ́ются "универма́ги." В Аме́рике то́же больши́е магази́ны. Вы зна́ете, как они́ называ́ются в Аме́рике? Коне́чно, зна́ете. Универма́г зна́чит "универса́льный магази́н."

В универма́ге лю́ди покупа́ют ру́сские и англи́йские кни́ги, газе́ты и журна́лы. Там покупа́ют карандаши́, бума́гу и словари́. Там же́нщины покупа́ют пла́тья, шля́пы и перча́тки, а мужчи́ны покупа́ют костю́мы, руба́хи и га́лстуки. Де́ти покупа́ют мячи́, ку́клы и други́е игру́шки.

В Аме́рике в универма́ге лю́ди покупа́ют карти́ны, столы́, ла́мпы, часы́ и да́же автомоби́ли.

Же́нщины лю́бят ходи́ть в магази́ны. Они́ лю́бят смотре́ть в о́кна магази́на. Они́ смо́трят на но́вые пла́тья, костю́мы и шля́пы. Они́ смо́трят на ла́мпы, часы́ и игру́шки.

VOCABULARY

универма́г - department store
есть - there is (impers. verb)
ра́зный - various, different
называ́ться, IA - be called
тако́й - such
ве́щи - things
как - how
коне́чно - of course
зна́чить, IIA - mean (have meaning)
универса́льный - universal
шля́па - hat
костю́м - suit
га́лстук - necktie
ку́кла - doll
игру́шка - toy
да́же - even
ходи́ть - go (often)

ДВЕНА́ДЦАТЫЙ УРО́К - LESSON XII

The Past Tense
The verb: быть

Read and translate:

1. Учи́тель чита́л пе́рвый уро́к, а учи́тельница чита́ла второ́й уро́к.
2. Учени́к и учени́ца чита́ли тре́тий уро́к.
3. Ма́льчик говори́л по-ру́сски, а де́вочка говори́ла по-англи́йски.
4. Учи́тель спра́шивает Ольгу: "Где ты изуча́ла ру́сский язы́к?"
5. Ольга отвеча́ет: "Я изуча́ла ру́сский язы́к в Москве́."

6. Учи́тель спра́шивает: "Где ты изуча́л англи́йский язы́к, Ми́ша?"
7. Ми́ша отвеча́ет: "Я изуча́л англи́йский язы́к в Ло́ндоне."
8. Вчера́ ве́чером мы писа́ли пи́сьма.
9. Что вы чита́ли вчера́ ве́чером, гражда́нка Бра́ун?
10. Я чита́ла интере́сную кни́гу.

11. Что вы чита́ли, де́ти? Мы чита́ли кни́ги.
12. Вчера́ мы писа́ли письмо́ к сестре́.
13. Что ты де́лал вчера́ у́тром, Ми́ша?
14. Я изуча́л деся́тый уро́к.
15. За́втра у́тром я бу́ду изуча́ть оди́ннадцатый уро́к.

16. "Быть и́ли не быть," писа́л Шекспи́р.
17. Вчера́ ве́чером мы бы́ли в теа́тре.
18. За́втра у́тром мы бу́дем в шко́ле.
19. Где ты была́ вчера́, Ольга? Я была́ в шко́ле.
20. Где ты был, Никола́й? Я был в магази́не.

21. Что ты де́лал в магази́не? Я покупа́л игру́шки и кни́ги для сестры́.
22. Вчера́ бы́ло хо́лодно.
23. Вчера́ был конце́рт.
24. Мы бы́ли у учи́теля.
25. У учи́теля был ста́рый автомоби́ль.

VOCABULARY

Ло́ндон - London
вчера́ - yesterday
  вчера́ ве́чером - last evening
ве́чером - in the evening
у́тром - in the morning
деся́тый - tenth
за́втра у́тром - tomorrow morning
оди́ннадцатый - eleventh
быть, ID - to be
Шекспи́р - Shakespeare
игру́шка - toy
хо́лодно - cold
для - for (with gen.)

GRAMMAR

1. The Past Tense. The past tense of the Russian verb differs radically from that of other languages. Whereas in most languages the past tense, like the present, has different endings for each person, in Russian it has different endings for each gender. The plural of the past tense, like the plural of adjectives, is the same for all genders.

The past tense is, in fact, a verbal adjective. Its endings resemble certain adjective endings.

In almost all verbs the past tense is formed regularly and simply from the infinitive. The infinitive ending ТЬ is cut off and the following endings are added:

Singular

Masculine: -л Neuter: -ло Feminine: -ла

Plural (all genders and persons): -ли

The past tense of regular verbs is as follows:

Singular M	Singular F	Singular N	Plural (all genders)
я чита́ л	я чита́ ла		мы чита́ ли
ты чита́ л	ты чита́ ла		вы чита́ ли
он чита́ л	она́ чита́ ла	оно́ чита́ ло	они́ чита́ ли

The past tense of most other verbs is formed in the same way.

2. Whereas the verb "to be" is not expressed in the present, it is expressed in the past and future. In the future быть becomes: бу́ду, бу́дешь etc. The past is formed from the infinitive, быть.

3. To say "I had," etc., that is, to express possession in the past, one must use the past tense of the verb with an У phrase:

У учи́теля была́* кни́га	The teacher had a book
У учи́теля бы́ло* перо́	The teacher had a pen

(*Note the shift in accent.)

It is also possible to use бы́ло impersonally:

Вчера́ бы́ло хо́лодно	It was cold yesterday

EXERCISES

I. In the reading exercise at the beginning of this lesson change all the sentences from the past to the present. You may change the adverbial phrase to suit, using сего́дня "today" if necessary.

II. Use the proper form of the verb in brackets in the following sentences to express:

			1. Present tense	2. Past tense	
1.	[знать]	Я	______	______	пе́рвый уро́к.
2.	[держа́ть]	Мы	______	______	э́то перо́.
3.	[де́лать]	Что они́	______	______	?
4.	[говори́ть]	Кто	______	______	по-ру́сски?
5.	[понима́ть]	Она́	______	______	учи́тельницу.
6.	[отвеча́ть]	Мы	______	______	по-ру́сски.
7.	[быть]	У сестры́	______	______	но́вая шля́па.
8.	[по́мнить]	Ми́ша	______	______	ру́сское сло́во.
9.	[изуча́ть]	Вы	______	______	ру́сский язы́к.
10.	[по́мнить]	Что они́	______	______	?

III. Give the following sentences in the past and future:.

1. Сегóдня я в шкóле.
2. Ми́ша и Ольга пóмнят трéтий урóк.
3. Когдá мы в Москвé, мы говори́м по-рýсски.
4. Что ты читáешь на урóке, Ми́ша?
5. Что вы слýшаете на концéрте, дéти?

6. Я понимáю всё, что учи́тельница говори́т.
7. У ученикá кни́га, а у учени́цы перó.
8. Сегóдня мы ничегó не дéлаем. (Use вчерá and зáвтра.)
9. Учи́тель объясня́ет граммáтику.
10. Мы всё знáем, но не всё пóмним.

Мы бы́ли в теáтре

Вчерá вéчером мы бы́ли в теáтре. Там игрáли пьéсу Шекспи́ра - "Гáмлет". Вы пóмните трагéдию "Гáмлет"?

"Быть и́ли не быть," говори́т Гáмлет. Я читáл э́ту* пьéсу в шкóле по-англи́йски, но рýсские читáют пьéсы Шекспи́ра по-рýсски.

В теáтре я встрéтил** Ольгу Петрóву. Онá подрýга моéй сестры́. Ольга былá в Лóндоне и там ви́дела другýю пьéсу Шекспи́ра - "Отéлло". В СССР тóже игрáют "Отéлло", но, конéчно, не по-англи́йски, а по-рýсски.

Рýсские лю́бят ходи́ть в теáтр. В Москвé я ви́дел дрáму Чéхова - "Дя́дя Вáня", и комéдию Гóголя - "Ревизóр".

Когдá я был в Москвé, я был в Москóвском худóжественном теáтре. Я там ви́дел рýсские, англи́йские и америкáнские пьéсы. Актёры игрáли по-рýсски. В Москвé есть óчень хорóший балéт. В Москвé я ви́дел балéт и слýшал óперу. Я ви́дел и америкáнские и рýсские карти́ны в кинó. Рýсские лю́бят смотрéть америкáнские фи́льмы.

(*Э́то may also be used as an adjective, in which case it is declined. Э́та, э́той, э́ту are feminine forms.)
(**See Lesson XIV for explanation of past perfectives.)

пьéса - play, piece
трагéдия - tragedy
встрéтить, IIB - meet (perfec.)
вйдеть, IIB - see
дрáма - drama
Чéхов - Chekhov (a dramatist and short story writer)
Дя́дя Вáня - Uncle Vanya
комéдия - comedy
Ревизóр - Inspector General
Гóголь - Gogol (a novelist and playwright)
в Москóвском худóжественном теáтре - in the Moscow Art Theatre
актёр - actor
балéт - ballet
óпера - opera
кинó - movies, cinema
фильм - film

ТРИНА́ДЦАТЫЙ УРÓК - LESSON XIII

IB and IIB Verbs
The Verb хотéть

Read and translate:

1. Учи́тель сиди́т на сту́ле. Я сижу́ в крéсле.
2. Он ви́дит Ольгу, а я ви́жу Ми́шу.
3. Учени́к пи́шет урóк на доскé, а я пишу́ урóк на бумáге.
4. Я рéжу хлеб, а он рéжет я́блоко.
5. Я плачу́ за билéты, но он не плáтит.

6. Дéти плáчут, но я не плáчу.
7. Я ищу́ газéту, а они́ и́щут кни́гу.
8. Я хожу́ чáсто в кинó, а они́ хóдят чáсто в теáтр.
9. Мы умéем писáть и говори́ть по-ру́сски.
10. Они́ бу́дут сидéть óколо учи́теля.

11. Он бу́дет рéзать хлеб.
12. Они́ бу́дут искáть карандаши́.
13. Дéвочка бу́дет носи́ть нóвое плáтье.
14. Чёрная доскá виси́т на стенé.
15. Карти́ны вися́т на стенé.

16. Что ты хо́чешь, Ива́н?
17. Я ничего́ не хочу́.
18. Они́ хотя́т е́хать в парк.
19. Я ношу́ но́вую шля́пу.
20. Лю́ди ви́дят но́вые дома́.

21. Де́вочка и́щет ста́рую ку́клу.
22. Ната́ша но́сит ста́рое пальто́.
23. Мужчи́ны и же́нщины сидя́т в теа́тре.
24. Что вы ре́жете - мя́со и́ли хлеб?
25. Ско́лько вы пла́тите за мя́со тепе́рь? Я плачу́ сли́шком мно́го.

26. Почему́ ты пла́чешь, Ольга?
27. Потому́ что я хочу́ но́вую ку́клу.
28. Где вы сиди́те, граждани́н Петро́в?
29. Я сижу́ о́коло ру́сской же́нщины.
30. Что ты и́щешь? Я ищу́ перча́тки.

VOCABULARY

сиде́ть, IIB - sit
кре́сло - arm chair
ви́деть, IIB - see
ре́зать, IB - cut
хлеб - bread
плати́ть, IIB - pay
за - for (with acc. or instr.)
биле́т - ticket
пла́кать, IB - cry
иска́ть, IB - look for
ходи́ть, IIB - go (keep going)
ча́сто - often
носи́ть, IIB - wear, carry
висе́ть, IIB - hang
хоте́ть - wish (irreg. verb)
итти́, ID - to go (irreg. infin.)
шля́па - hat
ку́кла - doll
пальто́ - coat (not declined)
мя́со - meat
ско́лько - how much (fol. by gen.)
сли́шком - too much
мно́го - much, many (fol. by gen. sing. or plur.)
потому́ что - because
кино́ - movies, cinema (not declined)

GRAMMAR

1. IB and IIB verbs. Many verbs in both the first and second conjugations undergo certain changes from their infinitive to their present tense. The changes take place in the final consonant of the stem of the verb. The pattern, which is rigorously adhered to, is as follows:

д, з	become	ж
с, х	become	ш
к, т	become	ч
ск, ст	become	щ

(Note: Occasionally т becomes щ. This occurs rather rarely.)

These changes take place throughout the first conjugation (IB verbs), but only in the first person of the second conjugation (IIB verbs). As the infinitives of Russian verbs give no indication as to their class, the classification will always be indicated in the vocabulary.

Note that IA verbs differ also from IB verbs in that they retain the vowel of the infinitive in the present tense. The phonetic rule for the consonants г, к, х, ж, ч, ш and щ also applies to IB and IIB verbs. Typical IB and IIB verbs are conjugated as follows:

писа́ть, IB		носи́ть, IIB	
я пиш у́	мы пи́ш ем	я нош у́	мы но́с им
ты пи́ш ешь	вы пи́ш ете	ты но́с ишь	вы но́с ите
он пи́ш ет	они́ пи́ш ут	он но́с ит	они́ но́с ят

These changes in consonants are known as "permutations."

2. Хоте́ть "to wish" is an irregular verb belonging in the singular to class IB and in the plural to class IIB:

я хоч у́	мы хот и́м
ты хо́ч ешь	вы хот и́те
он хо́ч ет	они́ хот я́т

3. The past tense of IB and IIB verbs is formed precisely like that of IA and IIA verbs.

4. Ходи́ть and итти́ both mean "to go." Ходи́ть means "to be in the habit of going," whereas итти́ means "to be going a single time."

EXERCISES

I. Fill in the blanks where necessary and translate:

1. Я хо___ ́ ча́сто на конце́рты.
2. Они́ хо́____ в шко́лу с учи́телем.

3. Куда́ вы хо́д____ так ча́сто? Я хо__´__ в кино́.
4. Что вы ви́____? Я ви́___ карти́ну.
5. Они́ ви́____ автомоби́ли на у́лице.

6. Мы [иска́ть] __´_____ карандаши́.
7. Я [иска́ть] ___´ книгу.
8. Де́ти [пла́кать] ____´____, но я не ___´___.
9. Я бу́д___ пис__´___ письмо́.
10. Они́ пи́____ пи́сьма.

11. Кто [ре́зать] __´____ хлеб сего́дня?
12. Карти́ны [висе́ть] _____´__ на стене́.
13. Де́ти [носи́ть] ___´_____ бе́лые пла́тья.
14. Я но__´ чёрное пальто́ и чёрные перча́тки.
15. Мы пла́_____ (cry) когда́ мы слу́ш____ му́зыку.

16. Я си___´ о́коло стола́.
17. Учи́тель и учени́к сид__´_ в ко́мнате.
18. О́льга но́с___ кра́сную шля́пу.
19. Кто хо́____ пла___´__ за биле́ты?
20. Я пла__´ за кни́гу.

II. Conjugate in the present, past and future:

ви́деть, IIB	писа́ть, IB	носи́ть, IIB
ре́зать, IB	сиде́ть, IIB	плати́ть, IIB
ходи́ть, IIB	хоте́ть, irreg.	иска́ть, IB

III. Translate into Russian:

1. I often go to the theatre.
2. I see automobiles and street-cars in the city.
3. I am sitting in the class-room and writing.
4. They are sitting in the class-room and writing.
5. He is sitting on the chair and writing.

6. They go to the movies often.
7. We see big stores in the city.
8. I am looking for an interesting book.
9. Children often cry. I do not cry.
10. I am paying for the ticket.

IV. Change the sentences in Exercise I to the past tense.

Ве́чер

Ве́чер. Семья́ сиди́т в гости́ной. Па́па сиди́т в кре́сле и чита́ет "Де́йли Та́ймс." Я сижу́ у стола́ и перевожу́ уро́к. Ма́ма сиди́т на сту́ле и вя́жет чуло́к. На дива́не сидя́т Пе́тя и Со́ня. Пе́тя ре́жет я́блоко для Со́ни.

Ма́ленькая сестра́, Ве́ра, и́щет ку́клу. Она́ пла́чет. Она́ не зна́ет, где её ку́кла. Ма́ма помога́ет Со́не иска́ть ку́клу. Наконе́ц я нахожу́ её под кре́слом, где сиди́т па́па.

Я прошу́ ма́му: "Пожа́луйста, дай мне де́ньги. Я хочу́ пойти́ в кино́ с Ива́ном." Ма́ма се́рдится: "Ско́лько раз в неде́лю ты хо́дишь в кино́? Ты был в кино́ вчера́. Ты тра́тишь сли́шком мно́го на кино́. Сиди́ до́ма и чита́й кни́гу и́ли пиши́ уро́к."

Тепе́рь я сержу́сь. Я пла́чу и говорю́: "Я хочу́ пойти́ в кино́. Дай мне де́ньги."

Ма́ма о́чень до́брая. Наконе́ц она́ даёт мне де́ньги. Я одева́ю ша́пку, пальто́ и перча́тки, и ухожу́ в кино́.

VOCABULARY

семья́ - family
гости́ная - living-room (adj. declension)
Де́йли Та́ймс - Daily Times
переводи́ть, IIB - translate
вяза́ть, IB - knit, tie
чуло́к - stocking (gen.: чулка́)
дива́н - divan, couch
Пе́тя - Peter (dim.)
Со́ня - Sonya
её - her
находи́ть, IIB - find
проси́ть, IIB - ask
дай мне - give me
де́ньги - money (plural only)
пойти́, ID - go (perfec.)
ско́лько - how much (with gen.)
раз - time(s)
неде́ля - week
тра́тить, IIB - spend
одева́ть, IA - put on
уходи́ть, IIB - go away

ЧЕТЫ́РНАДЦАТЫЙ УРО́К - LESSON XIV

The Past Perfective: Formation, Meaning and Use
The Past Tense of ИТТИ́

Read the following sentences:

1. Сего́дня я е́ду в го́род.

2. Я е́хал весь день.
   I was riding all day.

3. Вчера́ я пое́хал в дере́вню.
   Yesterday I went (rode) to the country.

4. Я прие́хала в три часа́ дня.
   I arrived at 3 o'clock P. M.

5. Я уе́хал в два часа́.
   I went away at two o'clock.

6. Он писа́л уро́к перо́м.

7. Он написа́л уро́к вчера́ ве́чером.
   He wrote (and finished) the lesson last night.

8. Ма́ма говори́т: "До́брое у́тро."

9. Ма́ма сказа́ла: "До́брое у́тро."
   Mamma said: "Good morning."

10. Ма́ма поговори́ла с учи́телем.
    Mamma had a talk with the teacher.

11. Сего́дня Ми́ша идёт в шко́лу.

12. Ми́ша хо́дит ча́сто в кино́.
    Mischa goes often to the movies.

13. Ми́ша ходи́л ча́сто в кино́ ле́том.
Mischa used to go to the movies often in summer.

14. Вчера́ ве́чером Ми́ша шёл в кино́.
Last evening Mischa was on his way (was going) to the movies.

15. Ольга шла в парк с подру́гой.
Olga was going to the park with her friend.

16. Ми́ша пошёл в кино́ с Ольгой.
Mischa went to the movies with Olga.

17. Ольга пошла́ в кино́ с сестро́й.
Olga went to the movies with (her) sister.

18. Мы все пошли́ в теа́тр.
We all went to the theatre.

19. Ма́льчик ку́шал я́блоко.

20. Ма́льчик поку́шал и ушёл в шко́лу.
The boy ate (had a snack) and went to school.

21. Я сижу́ на дива́не.

22. Я сиде́л на дива́не.

23. Я посиде́л на дива́не полчаса́.
I sat on the divan for half an hour.

24. Ива́н чита́л газе́ту.

25. Ива́н почита́л газе́ту и ушёл в шко́лу.
John read the paper (for a while) and went (away) to school.

26. Ната́ша почита́ла газе́ту и пошла́ спать.
Natalie read the paper a while and went to sleep.

27. Я ча́сто встреча́ла подру́гу о́коло шко́лы.
I often used to meet my friend near school.

28. Вчера́ я её не встре́тила.
Yesterday I did not meet her.

29. Ми́ша игра́л на гита́ре.

30. Он сыгра́л пе́сню на гита́ре.
He played a song on the guitar.

VOCABULARY*

е́хать, ID - ride
весь - all
день, дня - day
пое́хать, ID - go (perfec.)
дере́вня - country, village
прие́хать, ID - arrive (perfec.)
три часа́ дня - 3 P. M.
уе́хать, ID - go away (pfc)
два часа́ - 2 o'clock
написа́ть, IB - write (perfec.)
сказа́ть, IB - tell, say (perfec.)
поговори́ть, IIA - have a talk (perfec.)
ле́том - in summer
шёл, шло, шла, шли - went
пошёл - went (perfec.) (past of пойти́)
ку́шать, IA - eat
поку́шать, IA - eat (perfec.)
ушёл - went away (past of уйти́)
посиде́ть, IIB - sit (perfec.)
полчаса́ - half hour
почита́ть, IA - read (perfec.)
встреча́ть, IA - meet
встре́тить, IIB - meet (perfec.)
гита́ра - guitar
сыгра́ть, IA - play (perfec. of игра́ть)
пе́сня - song

*From now on perfective verbs will be marked: (perfec.). Verbs not so designated are imperfective.

GRAMMAR

1. The Perfective Aspect. The Russian verb has no compound past tenses; that is, one does not say in Russian "I have written," "I had written" or "I shall have written." On the other hand, the Russian verb has aspect (in Russian ВИД). "Aspect" indicates the exact manner in which an action is performed, and also whether the action is continuous or happens only once. If an action is continuous, it is said to be in the imperfective aspect. If an action

happens only once, or has been completed, it is said to be in the perfective aspect.

When the Russian says: Я писа́л he means "I kept writing" or "I was writing." When he wants to say "I wrote something once and it was finished," he says: Я написа́л.

This lesson deals only with aspect in the past tense. In the past, it is not difficult to distinguish between an act that was continuing and one that occurred only once or was completed. The translations of the sentences indicate the distinction in meaning.

Perfective verbs take the same verb endings as imperfective verbs, but the perfective verb which corresponds to the imperfective can differ from it in a number of ways. A foreigner cannot know by which of the ways a certain verb will be made perfective. He can only learn through practice.

Most imperfective verbs are made perfective by the addition of a prefix to the imperfective verb. Thus <u>по</u>сиде́ть is the perfective of сиде́ть, and <u>на</u>писа́ть is the perfective of писа́ть. In some instances, however, the class of the verb changes, as, for example, in встреча́ть, IA, the perfective of which is встре́тить, IIB; or открыва́ть, IA, the perfective of which is откры́ть, ICc. In other instances, an entirely different verb is used to express the perfective, as in говори́ть, which has the perfective сказа́ть, IB.

Every prefix added to a verb in some way modifies its meaning. One prefix is usually said to make the verb perfective, changing its meaning only to that extent. Other prefixes, also making the verb perfective, change its meaning still further, as in the case of уйти́, ID (perfec.), "to go away." The perfective of итти́ is пойти́.

2. The past tense of the verb итти́ is formed from another root altogether. It is:

Singular			Plural
M.	N.	F.	(all genders)
шёл	шло	шла	шли

EXERCISES

I. Re-read the sentences in the reading exercise, analyzing the form and aspect of each verb.

II. List the ways in which the perfectives are formed in the reading exercise.

Вечери́нка у Ольги

Вчера́ ве́чером мы с Ива́ном пое́хали в го́род. Мы гуля́ли, смотре́ли витри́ны и не зна́ли, что де́лать. Вдруг я уви́дел Ми́шу. Я закрича́л: "Эй, Ми́ша, куда́ ты идёшь?"

"А, Серёжа," отве́тил Ми́ша, "как ты пожива́ешь? Когда́ ты прие́хал в го́род?"
"Только что́," сказа́л Ива́н.

"Не хоти́те ли пое́хать к Ольге? У Ольги вечери́нка. Бу́дет ве́село."
"Хорошо́, пое́дем," отве́тил я.

Мы пое́хали к Ольге авто́бусом. У Ольги бы́ло о́чень ве́село. На́ши това́рищи бы́ли там. Мы пе́ли пе́сни. Ива́н игра́л на гита́ре. Он сыгра́л "Две гита́ры" и "Очи чёрные."

"Я рад, что встре́тил тебя́, Ми́ша. Бы́ло о́чень прия́тно. Приезжа́й к нам в дере́вню," сказа́л Ива́н.
"Да, приезжа́й," сказа́л я.
"Хорошо́, спаси́бо, с удово́льствием," отве́тил Ми́ша.

VOCABULARY

вечери́нка - party
витри́на - show window
вдруг - suddenly
уви́деть, IIB - see, catch sight of (perfec.)
закрича́ть, IIA - cry out (perfec.)
отве́тить, IIB - answer (perfec.)
только что́ - just (now)
ве́село - cheerful, gay
пое́дем - let's go (perfec.)
това́рищ - comrade
пе́ли - sang (past of петь)
две - two (fem.)
о́чи - eyes (poetic)
"Очи чёрные" - "Dark Eyes"
рад - glad
прия́тно - pleasant
приезжа́й - come (impera.)

ПЯТНА́ДЦАТЫЙ УРО́К - LESSON XV

Reflexive Verbs · Declension of э́тот, э́то, э́та

Genitive and Prepositional of Masculine & Neuter Adjectives

Read and translate:

1. Я нахожу́сь в большо́м го́роде.
2. Ты нахо́дишься в э́том до́ме.
3. Москва́ нахо́дится в Сове́тском Сою́зе.
4. Како́й рабо́той вы занима́етесь?
5. Сего́дня мне не хо́чется занима́ться.

6. Эта шко́ла нахо́дится о́коло ру́сского теа́тра.
7. Этот теа́тр закрыва́ется ра́но.
8. Это кино́ открыва́ется по́здно ве́чером.
9. Этот большо́й магази́н закрыва́ется ве́чером.
10. Я сижу́ о́коло большо́го окна́.

11. Около э́того до́ма нахо́дится парк.
12. В э́том словаре́ нахо́дятся ру́сские слова́.
13. Я сижу́ о́коло ру́сского учи́теля.
14. В како́м магази́не вы покупа́ете э́ти кни́ги?
15. Мы покупа́ем э́ти кни́ги в кни́жном магази́не.

16. Эта студе́нтка у́чится в техни́ческом институ́те.
17. Я учу́сь в Моско́вском университе́те.
18. Эти студе́нты у́чатся в большо́м университе́те.
19. Где вы у́читесь? Я учу́сь в шко́ле.
20. Где вы учи́лись? Я учи́лся в Ленингра́де.

21. Ма́ма се́рди_ся, потому́ что я одева́юсь так ме́дленно.
22. Учителя́ се́рдятся, когда́ ученики́ разгова́ривают в кла́ссе.
23. Я ча́сто встреча́юсь с подру́гой в э́том до́ме.
24. Мы встре́тились о́коло Моско́вского теа́тра.
25. Вы ви́дели ру́сский фильм: "Они́ встре́тились в Москве́?

VOCABULARY

находи́ться, IIB - be located, be found, frequent
э́тот, э́то, э́та, э́ти - this (demonstr. pron. & adj.)
рабо́та - work
занима́ться, IA - occupy oneself, study
хоте́ться - feel like (doing)
  мне не хо́чется - I don't feel like.... (id.)
закрыва́ться, IA - close
ра́но - early
открыва́ться, IA - open
по́здно - late
кни́жный - book (adj.)
учи́ться, IIA - study (with dative)
техни́ческий - technical
институ́т - institute
серди́ться, IIB - be angry
одева́ться, IA - dress (self)
встреча́ться, IA - meet (with)
  встре́титься, IIB - meet (with) (perfec.)
фильм - film
Моско́вский - Moscow (adj.)

GRAMMAR

1. Reflexive Verbs. There is no complete passive voice in Russian. One way to express the passive voice is to add a syllable meaning "one's self," which in Russian is expressed by ся or сь, directly to the verb. Ся is added to the verb forms ending in a consonant and сь to the forms ending in a vowel. Such verbs are called "reflexives."

   Many verbs are reflexive in form without having any actual reflexive meaning. Such a verb is серди́ться, "be angry."

   A typical reflexive verb is conjugated as follows:

   занима́ться, IA "to occupy one's self," "to study"

я занима́ юсь	мы занима́ емся
ты занима́ ешься	вы занима́ етесь
он занима́ ется	они́ занима́ ются

   In the past tense of reflexive verbs the suffixes ся or сь are added in the same way:

   он занима́лся, она́ занима́лась, etc.

   The я in the reflexive syllable ся is pronounced as though written а.

2. The genitive and prepositional endings of adjectives are similar in the masculine and neuter. The genitive ending

is: ого (pronounced ово); and the prepositional ending is: ом.

3. э́тот, э́то, э́та, э́ти, the demonstrative pronoun and adjective, have regular adjective endings in the genitive and instrumental cases. The nominatives of all three genders differ somewhat from the regular adjectives. The feminine and neuter adjectives have a single vowel ending in the nominative and accusative. The nominative plural for all three genders is: э́ти.

Declension of э́тот in four cases in the singular:

	M	N	F
Nom.	э́т от	э́т о	э́т а
Gen.	" ого	" ого	" ой
Acc.	" от	" о	" у
Prep.	" ом	" ом	" ой

EXERCISES

I. Translate into Russian:

1. in the Soviet Union
2. near the big window
3. in this university
4. of this pupil
5. this pupil
6. this window
7. near this big house
8. on this black table
9. in every large city
10. in which city?
11. of the Russian teacher
12. about the Russian text-book
13. this Russian newspaper
14. of this large school
15. near this large city
16. near the Russian school
17. in this interesting country
18. near the Russian university
19. in this interesting city
20. of this old magazine

II. Fill in the blanks where necessary:

1. Мы в больш ́___ го́род___.

2. В э́т___ сове́тск____ университе́т___ - ру́сск___ профессора́.
3. Около э́т___ па́рк___ - больш´___ шко́ла.
4. Мы сид´___ о́коло э́т___ окн´___ на э́т___ сту́л__.
5. Я говор___ о ру́сск___ литерату́р___.

6. Они́ говор´___ о ру́сск___ ма́льчик___.
7. Мы нахо́д_____ в сове́тск___ го́род___.
8. Они́ у́ч_____ в больш´___ университе́т___.
9. Теа́тры закрыва́_______ по́здно.
10. Шко́лы открыв´______ у́тром.

11. В Сове́тск___ Сою́з___ нахо́д_____ больш´____ города́.
12. Я говор´___ о ру́сск___ учи́тел___.
13. Что нахо́д______ в э́т___ ру́сск___ журна́л___?
14. Где вы встреча́______ с подру́гой?
15. Я тепе́рь нахо´______ у ру́сск___ учи́тел___.

16. Они́ сид´____ о́коло э́т___ больш´____ окн´__.
17. Я сего́дня сер´_____ (am angry).
18. Мы чит´____ о Сове́тск___ Сою́з___ в э́т___ журна́л____.
19. Мы одева́______ у́тром.
20. У э́т___ но́в___ учи́тел___ сестра́ и брат.

Студе́нтка Та́ня

Та́ня ру́сская студе́нтка. Она́ у́чится в техни́ческом институ́те. Она́ серьёзно занима́ется, потому́ что она́ хо́чет быть инжене́ром.*

Дом Та́ни нахо́дится на широ́ком бульва́ре о́коло краси́вого па́рка.

Та́ня встаёт о́чень ра́но. Она́ бы́стро одева́ется. Она́ пу́дрится и кра́сит гу́бы. Пото́м она́ пьёт ча́шку ко́фе с молоко́м и ку́шает кусо́к чёрного хле́ба с ма́слом. Она́ надева́ет пальто́, перча́тки и бере́тку, и ухо́дит в институ́т.

В трамва́е она́ встреча́ется с подру́гой, На́дей. Они́ вме́сте у́чатся в институ́те. Они́ ра́ды, что встре́тились. Они́ ве́село разгова́ривают и смею́тся. В трамва́е сиди́т стари́к. Он се́рдится. "Почему́ вы так гро́мко смеётесь?" спра́шивает он. Та́ня и На́дя не отвеча́ют. Они́ то́лько смею́тся.

Вот они́ прие́хали в институ́т. Пе́рвая ле́кция начина́ется в во́семь часо́в. В кла́ссе ти́хо. Сего́дня экза́мен. Все серьёзно занима́ются. Они́ рабо́тают весь день, то в библиоте́ке, то в лаборато́рии, то в кла́сcной ко́мнате. В шесть часо́в ве́чера кла́ссы конча́ются. Та́ня с На́дей е́дут домо́й у́жинать. А по́сле у́жина, они́ бу́дут занима́ться, и́ли до́ма и́ли в библиоте́ке. В двена́дцать часо́в, На́дя идёт домо́й, а Та́ня ложи́тся спать.

(*инжене́ром is a predicate instrumental. See Lesson XXXIX for explanation.)

VOCABULARY

инжене́р - engineer
широ́кий - broad, wide
встаёт - gets up
пу́дриться, IIA - powder
кра́сить, IIB - paint
гу́бы - lips
пьёт - drinks
ча́шка - cup, bowl
ко́фе - coffee (not decl.)
кусо́к - piece
ма́сло - butter
надева́ть, IA - put on
бере́тка - beret
смея́ться, irreg. - laugh
(смею́сь, смеёшься)
стари́к - old man
гро́мко - loudly
ле́кция - lecture
начина́ться, IA - begin
во́семь часо́в - 8 o'clock
ти́хо - quiet(ly)
экза́мен - examination
весь день - all day
то...то... - now...now...
библиоте́ка - library
лаборато́рия* - laboratory
шесть часо́в ве́чера - six P. M.
конча́ться, IA - end
у́жинать, IA - eat supper
у́жин - supper
опя́ть - again
двена́дцать часо́в - 12 o'clock
ложи́ться, IIA - lay (self) down
(go to sleep)

(*в лаборато́рии - The prepositional ending of words in __ия__ or __ие__ is __ии__.)

ШЕСТНА́ДЦАТЫЙ УРО́К - LESSON XVI

IIВл Verbs: спать and люби́ть
Verbs: встава́ть and дава́ть

Dative and Instrumental Singular of Masculine and Neuter Adjectives

Read and translate:

1. Я люблю́ до́лго спать.
2. Зимо́й я сплю хорошо́, но сестра́ спит пло́хо.
3. Мы спим о́чень ма́ло.
4. Мы лю́бим встава́ть ра́но.
5. Я не люблю́ встава́ть ра́но.

6. Ле́том мы спим под де́ревом в па́рке.
7. Де́ти не лю́бят встава́ть по́здно. Они́ встаю́т ра́но.
8. Кому́ вы даёте э́то кра́сное перо́?
9. Я даю́ э́то перо́ ма́ленькому ма́льчику.
10. Я хожу́ к ста́рому до́ктору ка́ждый день.

11. С кем вы говори́те? Я говорю́ со ста́рым дру́гом.
12. Чем вы пи́шете? Я пишу́ но́вым перо́м.
13. Я не люблю́ писа́ть э́тим но́вым карандашо́м.
14. Да́йте мне друго́е перо́ и друго́й каранда́ш.
15. Чем вы ре́жете э́тот хлеб? Я ре́жу хлеб э́тим ножо́м.

16. Я даю́ ка́ждому ученику́ но́вую кни́гу.
17. У э́того ученика́ была́ о́чень интере́сная кни́га.
18. С кем вы идёте в кино́? Я иду́ с молоды́м учи́телем.
19. Эта же́нщина даёт ку́клу Ната́ше.
20. Этот стари́к даёт э́тому ма́льчику но́вый мяч.

21. Сколько вы заплатили этому человеку за билеты?
22. Я заплатил один доллар.
23. Эта девочка идёт с этим мальчиком в кино.
24. Я даю каждому мальчику новый нож.
25. Куда вы идёте с этим молодым человеком?

VOCABULARY

любить, IIВл - love, like
спать, IIВл - sleep
зимой - in winter
долго - long
плохо - badly
мало - little
вставать, ICb - get up
под - under (with instr.)
дерево - tree
давать, ICb - give
дайте - give (impera.)
мне - to me (dative of я)
заплатить, IIВ - pay (perfec.)
доллар - dollar
каждый - each
нож - knife
человек - man, person
старик - old man

GRAMMAR

1. Several verbs, chiefly of the second conjugation, undergo another phonetic change from the infinitive to the first person singular. They insert an л between the root and the endings. In the second conjugation this change only occurs in the first person singular. Two such verbs are: спать and любить. In the first person these verbs are: я сплю and я люблю. After that they are conjugated like regular second conjugation verbs, i.e.: ты спишь, он спит, etc.

2. Вставать is conjugated like давать (see Lesson VII). The infinitives contain the syllable ва which is dropped in the conjugation. These verbs are known as ICb verbs.

3. The dative singular ending of masculine and neuter hard adjectives is: ому; and the instrumental is: ым.

Adjectives in the masculine and neuter singular and nominative plural are declined as follows:

	Singular			
	M	N	M	N
Nom.	нóв ый	нóв ое	э́т от	э́т о
Gen.	" ого	" ого	" ого	" ого
Dat.	" ому	" ому	" ому	" ому
Acc.	(like nom. or gen.)*	" ое	(like nom. or gen.)*	" о
Instr.	нóв ым	" ым	э́т им	" им
Prep.	" ом	" ом	" ом	" ом

	Plural (all genders)	
Nom.	нóв ые	э́т и

(*See Lesson XVIII)

Note that the declension of э́тот differs from that of ordinary adjectives in the instrumental singular, where the ending is им instead of ым, and in the nominative plural, which is э́ти.

EXERCISES

I. Decline in full in the singular and nominative plural:

1. э́тот нóвый дом
2. э́та ру́сская кни́га
3. э́то ру́сское слóво

II. Conjugate in the present, past and future:

вставáть спать ложи́ться
давáть люби́ть учи́ться

III. Translate the following phrases into Russian:

1. to the kind woman
2. to the kind old man
3. with the kind woman
4. with the kind man
5. I get up early.

6. We sleep late.
7. Who sleeps late?
8. I love music.

9. this knife
10. of this knife
11. with this new pen
12. this pen
13. to this man

14. in this city
15. into this house
16. We sleep at brother's.

17. along (по) this boulevard
18. We love this little girl.
19. The boy and the girl are sleeping.
20. Children like to sleep.

В дере́вне

Раз ле́том мы с това́рищем пое́хали в дере́вню. Мы пое́хали к старику́, кото́рый живёт в ма́ленькой избе́ о́коло ре́чки. Я люблю́ е́здить к э́тому старику́.

В дере́вне мы встаём ра́но у́тром. Я люблю́ встава́ть ра́но. Всё ти́хо. Во́здух све́жий. На за́втрак, стари́к даёт нам фру́кты, све́жий чёрный хлеб и молоко́. Мы ку́шаем с больши́м аппети́том. В дере́вне всё вку́сно.

По́сле за́втрака мы идём по широ́кому по́лю в лес. Там мы собира́ем я́годы и цветы́. Мы игра́ем в мяч. Пото́м мы спим под больши́м де́ревом. Мы встаём и идём купа́ться в ре́чке. Прия́тно купа́ться в ре́чке. Вода́ тёплая.

Мы у́жинаем со старико́м. Я говорю́ това́рищу: "Я был весь день на све́жем во́здухе. Я уста́л и хочу́ спать. В дере́вне, я люблю́ ложи́ться ра́но спать и встава́ть ра́но. Споко́йной но́чи."

"Споко́йной но́чи," отвеча́ют стари́к и мой това́рищ. И мы ложи́мся спать.

VOCABULARY

раз - once
мы с това́рищем - I and my comrade
кото́рый - who, which, what (decl. like reg. adj.)
живёт - lives
изба́ - hut, peasant's house
ре́чка - little river
е́здить, IIB - go, (keep) riding, go frequently
во́здух - air
све́жий - fresh
нам - to us
аппети́т - appetite
вку́сно - tastes good, tasty
по́ле - field
лес - woods
собира́ть, IA - gather
я́годы - berries
цветы́ - flowers
купа́ться, IA - bathe, swim
вода́ - water (acc.: во́ду)
тёплый - warm
споко́йной но́чи - good night

СЕМНА́ДЦАТЫЙ УРО́К - LESSON XVII

Review Lesson on
Verbs
Singular of Nouns and Adjectives

I. Отвеча́йте по-ру́сски, пожа́луйста. (Use adjective phrases when possible.)

1. Чем вы пи́шете?
2. С кем вы лю́бите ходи́ть в кино́?
3. О чём вы говори́те?
4. Вы лю́бите до́лго спать?
5. Когда́ вы встаёте ра́но?

6. До́лго ли вы спи́те зимо́й?
7. Кому́ вы даёте э́ти кни́ги?
8. Куда́ вы лю́бите ходи́ть?
9. У кого́ вы бы́ли вчера́?
10. Вы лю́бите е́хать в дере́вню?

11. У кого́ бы́ло но́вое перо́?
12. Каки́м карандашо́м вы лю́бите писа́ть?
13. Кому́ вы даёте э́тот кра́сный каранда́ш?
14. С кем идёт де́вочка в кино́?
15. В како́м университе́те вы у́читесь?

16. С кем вы ча́сто встреча́етесь?
17. Кто иска́л но́вую ку́клу?
18. Где нахо́дится ва́ша шко́ла?
19. Что лю́ди де́лают в дере́вне?
20. Что нахо́дится в э́том большо́м го́роде?

II. Give proper forms of verbs as called for:

	занима́ться	дава́ть	спать	ходи́ть
я	________	________	________	________
она́	________	________	________	________
вы	________	________	________	________
они́	________	________	________	________

	находи́ться	встава́ть	пла́кать	иска́ть
ты	________	________	________	________
он	________	________	________	________
мы	________	________	________	________
я	________	________	________	________

	ложи́ться	учи́ться	ви́деть	носи́ть
мы	________	________	________	________
они́	________	________	________	________
вы	________	________	________	________
он	________	________	________	________

III. Use proper form of noun and adjective in the singular:

1. У э́т____ учи́тел____.
2. У э́т____ учи́тельниц____.
3. К э́т____ но́в____ до́м____.
4. По э́т____ больш́____ у́лиц____.
5. По (according to) э́т___ ру́сск___ сло́в___.

6. В э́т____ но́в____ дом.
7. В э́т____ но́в____ до́ме.
8. Эт____ но́в____ перо́м.
9. С э́т____ до́бр____ учи́тел___.
10. О ста́р____ дру́г___.

11. О ка́жд____ ма́льчиќ___.
12. В ка́жд____ больш́____ го́род___.
13. К ка́жд____ ма́леньк____ ма́льчик_____.
14. К ка́жд____ ма́леньк____ де́вочк______.
15. За э́т____ биле́т.

IV. Translate into Russian:

1. I like to get up early in summer.
2. We sleep long in winter.
3. I always give every friend a book.
4. Write the letter with the new pen.
5. Don't go to the movies so often.

6. Where were you yesterday? I was at the movies.
7. This little girl has a (girl) friend.
8. This boy has a new friend.
9. She was wearing her new dress yesterday.
10. We were at the concert with this friend.

V. Vocabulary Study

A. Complete sentences with proper word or words, being sure to use proper forms:

1. Мы (get dressed) ____________ у́тром.
2. Я иду́ на конце́рт с ________ ________.
3. Мы хо́дим ча́сто в кино́ (in the evening) ____________.
4. Больши́е дома́ на э́т___ ________ ________.
5. Мы лю́бим ____________ ра́но.

6. Я ____________ в университе́те.
7. Де́ти не ________ встава́ть по́здно.
8. Вчера́ мы ________ у э́того бра́та.
9. Гражд́анин С. ________ у бра́та.
10. У э́того учи́теля но́вые ________.

B. Give words opposite in meaning to the following:

1. ма́ленький
2. открыва́ться
3. по́здно
4. зимо́й
5. ве́чером
6. сего́дня (2 words)
7. ма́льчик
8. же́нщина
9. спаси́бо
10. ложи́ться

Use these words in sentences.

C. What words do you know that are related to the word: учи́тель?

D. What Russian words do you know that sound like English words, i.e. are cognates?

Ле́то в дере́вне
(из ру́сского уче́бника)

Ле́том мы с сестро́й, Та́ней, жи́ли в дере́вне. Весь день бе́гали на све́жем во́здухе, купа́лись в ре́чке, ходи́ли в лес иска́ть я́годы и грибы́. С на́ми ходи́ла в лес соба́чка, Жу́чка. Она́ пры́гала и бе́гала о́коло нас, но убега́ла от нас, когда́ мы хоте́ли её вы́купать в ре́чке.

Ко́злик (Пе́сня)

Жи́л-был у ба́бушки
се́ренький ко́злик.
Во́т как, во́т как -
се́ренький ко́злик.

Ба́бушка ко́злика
о́чень люби́ла.
Во́т как, во́т как -
о́чень люби́ла.

Взду́малось ко́злику
в лес погуля́ти.*
Во́т как, во́т как -
в лес погуля́ти.

Напа́ли на ко́злика
се́рые во́лки.
Во́т как, во́т как -
се́рые во́лки.

Оста́вили ба́бушке
ро́жки да но́жки.
Во́т как, во́т как -
ро́жки да но́жки.

(*погуля́ти, an archaic infinitive ending.)

VOCABULARY

из - out of, from
жить, ID - live
бе́гать, IA - run
грибы́ - mushrooms
соба́чка - little dog
Жу́чка - name of dog (beetle)
пры́гать, IA - jump
нас - us
убега́ть, IA - run away
вы́купать, IA - bathe (perfec.)
ко́злик - little goat
жи́л-был - once upon a time
се́ренький - little grey
во́т как - that's how
взду́малось, IA - got an idea (perfec.)
погуля́ти, IA - go walking (perfec.) (archaic form)
напа́ли - fell upon
се́рый - grey
волк - wolf
оста́вить, IIВл - leave (perfec.)
ро́жки - (little) horns
да - and (poetic)
но́жки - (little)feet

ВОСЕМНА́ДЦАТЫЙ УРО́К - LESSON XVIII

Other Uses of the Genitive Case
Numbers 2, 3, 4
Declension of оди́н

Read and translate:

1. Я чита́ю ру́сский журна́л. Я не чита́ю ру́сского журна́ла.
2. Я чита́ю ру́сскую кни́гу. Я не чита́ю ру́сской кни́ги.
3. Я хочу́ э́то перо́. Я не хочу́ э́того пера́.
4. Я люблю́ учи́тельницу. Я не люблю́ учи́тельницы.
5. Я люблю́ учи́теля. Я не люблю́ учи́теля.

6. Ма́льчик ви́дит большо́го медве́дя.
7. Я зна́ю ва́шего бра́та.
8. Он ва́шей сестры́ не по́мнит.
9. У медве́дя два гла́за, два у́ха, и одна́ голова́.
10. У медве́дя четы́ре ноги́.

11. У челове́ка оди́н рот, оди́н нос и две руки́.
12. У челове́ка две ноги́.
13. У челове́ка оди́н рот, две губы́ и оди́н язы́к.
14. У медве́дя то́же язы́к и зу́бы.
15. У э́той же́нщины две шля́пы и одно́ пла́тье.

16. Мужчи́на говори́т: Я по́мню твоего́ бра́та и твою́ сестру́.
17. Ма́льчик ничего́ не отвеча́ет.
18. Он рта не открыва́ет.
19. В э́той шко́ле нет ни одного́ ученика́.
20. У ученика́ три пера́ и четы́ре карандаша́.

21. Для чего́ у челове́ка глаза́?
22. Для чего́ у челове́ка у́ши?
23. Да́йте мне, пожа́луйста, кусо́к хле́ба и стака́н молока́.

24. По́сле конце́рта мы пошли́ домо́й.
25. Я выхожу́ из кла́сса в три часа́.

26. Мы прихо́дим домо́й в четы́ре часа́.
27. Я всегда́ хожу́ до шко́лы с подру́гой.
28. Я перевожу́ уро́к без словаря́.
29. Ма́льчик сиди́т во́зле краси́вой де́вочки.
30. Мы занима́емся до у́жина.

VOCABULARY

медве́дь - bear
глаз - eye
  глаза́ - (nom. plur.)
у́хо - ear
  у́ши - (nom. plur.)
голова́ - head
два, две - two
четы́ре - four
нога́ - foot
  но́ги - (nom. plur.)
рот, рта - mouth
нос - nose
оди́н, -дно́, -дна́ - one
зуб - tooth
три - three
губа́ - lip
нет ли - there is not even...
для чего́ - for what, why?
кусо́к, куска́ - piece
стака́н - glass
молоко́ - milk
по́сле - after (with gen.)
выходи́ть, IIB - go out
из - out of (with gen.)
приходи́ть, IIB - arrive, come
домо́й - home(wards) (adv.)
час - hour, o'clock, time
всегда́ - always
до - up to, as far as, until
  (with gen.)
без - without (with gen.)
переводи́ть, IIB - translate
во́зле - near (next to)
краси́вый - pretty

GRAMMAR

1. Note contractions in the genitive of кусо́к (куска́), рот (рта), which occur in some nouns to facilitate pronunciation. Such contractions are indicated in the vocabularies.

2. The genitive case has more uses than any other case. Some of the functions of the genitive case are:

   1) To indicate possession:

   кни́га учи́теля — the teacher's book

   2) To indicate part of a whole:

   кусо́к хле́ба — a piece of bread

3) After many prepositions, the most common of which are:

1.	без	without
2.	вóзле	near (next to)
3.	для	for
4.	до	up to, until
5.	из	out of, from
6.	óколо	near (in the neighborhood of)
7.	от	from, away from
8.	пóсле	after
*9.	с	from, since, down from
10.	у	at

(*Note different meaning when used with instrumental.)

4) To express the accusative after a negative verb:

Я не читáю кни́ги — I am not reading the book

5) To express the accusative of masculine animate nouns:

Я ви́жу учéбник — I see the text-book
but Я ви́жу учи́теля — I see the teacher

6) After most numerals:

(a) After numbers designating two, three and four (два, [две], три, четы́ре) and compounds with them, the genitive singular is used.

(b) Otherwise the genitive plural is used.

Thus: две газéты "two newspapers," три карандашá "three pencils," etc. Note that two (два) has a separate form for the feminine, (две).

7) After the negative expression: нет (there is(are), no)

У учи́теля нет кни́ги — The teacher has no (does not have a) book

Note the double negative in:

У учи́теля нет ни однóй кни́ги — The teacher has not a single book (not even one book)

3. Оди́н, -дно́, -дна́ is an adjective and declined much like э́тот.

M	N	F
од и́н	одн о́	одн а́
" н ого́	" ого́	" о́й
" " ому́	" ому́	" о́й
(like nom. or gen.)	" о́	" у́
одн и́м	" и́м	" о́й
" о́м	" о́м	" о́й

EXERCISES

I. Fill in the blanks where necessary:

1. Он ви́дит учи́тел___ и учи́тельниц___.
2. Мы ви́дим ученик__́_ и учени́ц___.
3. Я не чита́ю кни́г___, я чита́ю газе́т___.
4. Я чита́ю дв__ газе́т___ в день.
5. Я чита́ю три журна́л___ ка́ждый день.

6. У ма́льчик___ четы́ре я́блок___.
7. У челове́к___ дв___ гла́з___ и дв___ губ__́_.
8. У челове́к___ дв___ ног__́_, а у медве́д___ четы́ре.
9. В э́т___ ко́мнат__ есть од__́_ окно́.
10. В друг__́_ ко́мнат___ нет ни од__́_ окн__́_.

11. Я люблю́ э́т___ де́вочк___ и э́т___ ма́льчик___.
12. Я не люблю́ э́т___ де́вочк___. Я люблю́ э́т___ ма́льчик___.
13. Ма́льчик лю́бит э́т___ челове́к___, а он ма́льчик___ не лю́бит.
14. Од__́_ челове́к ви́дит одн__́_ ма́льчик___.
15. Да́йте мне три пер__́_, дв__ карандаш__́_ и одн__́_ перо́.

16. По́сле шко́л___ мы идём домо́й с подру́г___.
17. Эта кни́га для ма́леньк___ ма́льчик___.
18. Я сижу́ во́зле подру́г___.
19. Ле́том я хожу́ без шля́п___ и без пальт__́_.
20. Я хочу́ стака́н молок__́_ и кусо́к хле́б___.

II. Translate the following phrases into Russian:

1. one hand
2. two hands
3. three apples
4. four feet
5. one pencil

6. one pen
7. two eyes
8. three boys
9. four girls
10. three words

11. without this teacher
12. for this girl
13. for this bear
14. out of the large city
15. after school

16. as far as the house
17. away from the large city
18. without a black pencil
19. near this house
20. near every table

21. I like this (male) teacher.
22. I do not like this teacher.
23. Do you see this young man?
24. No, I do not see this young man.
25. There is no young man here.

26. I like this (lady) teacher.
27. Do you see the (lady) teacher?
28. No, I do not see the (lady) teacher.
29. The man was not here yesterday.
30. Give me a glass of milk, please.

Воро́на и рак

Воро́на пойма́ла ра́ка. Се́ла на де́рево у ре́чки; и ра́ка во рту́ де́ржит.

Ви́дит рак, что беда́ прихо́дит. Вот он и говори́т воро́не: "По́мню я, воро́на, твоего́ отца́ и твою́ мать. Сла́вные бы́ли они́ пти́цы."

Воро́на говори́т: "Угу́!"* А рта не открыва́ет.
Рак говори́т: "По́мню я твоего́ бра́та и твою́ сестру́. Сла́вные бы́ли пти́цы!"

"Угу́!"* говори́т воро́на. А рта всё не открыва́ет.
Рак говори́т: "Хоро́шие они́ бы́ли пти́цы. Но ты лу́чше всех."

"Ага́!"* сказа́ла воро́на и откры́ла рот. А рак упа́л в во́ду.

(*угу́ and ага́ should be pronounced as though written in Russian: уху́ and аха́.)

Оди́н и два

Рот у нас оди́н всегó, а уха́ два - для чегó?
Сам ужé поду́май: бóльше ты слу́шай, да помéньше болта́й.

Рот у нас оди́н всегó, а гла́за два - для чегó?
В óба смотри́: два́жды поду́май и раз говори́.

Рот у нас оди́н всегó а две руки́ - для чегó?
Знай же ты: две для рабóты, оди́н для еды́.

VOCABULARY

ворóна - crow
рак - crab, crayfish
поймать, IA - catch (perfec.)
сéла - sat down (perfec.) (past of сесть)
во рту́ - in his mouth (special prepositional)
беда́ - trouble, misfortune
твоегó - your
твою́ - your
сла́вный - excellent, fine, renowned
пти́ца - bird
всё - still
лу́чше всех - best of all
откры́ла - opened (perfec.)
упа́л - fell (perfec.) (past of упа́сть)
у нас - we have
всегó - all in all
сам - (one's) self
поду́мать, IA - think (perfec.)
помéньше - less
болта́ть, IA - gossip, chatter
óба - both
два́жды - twice
еда́ - eating

ДЕВЯТНА́ДЦАТЫЙ УРÓК - LESSON XIX

Possessive Adjectives
Soft Adjectives

Read and translate:

1. Это мой отéц, а не твой.
2. Это моя́ мать, а не твоя́.
3. Это моё пла́тье, а не твоё.
4. Егó автомоби́ль стои́т óколо моегó дóма.
5. Егó сестра́ у ва́шего бра́та.

6. Его́ перо́ лежи́т на ва́шем столе́.
7. Наш брат идёт к ва́шему отцу́.
8. Что ваш брат даёт мое́й сестре́?
9. Мой брат дал ва́шей сестре́ но́вую кни́гу.
10. Где её оте́ц? Я её отца́ не ви́жу.

11. Где его́ брат? Я его́ бра́та не зна́ю.
12. Где их дом? Я их до́ма не ви́жу.
13. Кто говори́т с ва́шим отцо́м?
14. Что Ольга говори́т ва́шему бра́ту?
15. Я ви́жу ва́шего бра́та и ва́шу сестру́.

16. Мой дя́дя в на́шем до́ме, а не в ва́шем.
17. Мы в своём до́ме, а не в ва́шем.
18. Мать лю́бит своего́ сы́на.
19. Ната́ша лю́бит свою́ сестру́.
20. Вы зна́ете мою́ сестру́? Нет, я её не зна́ю.

21. У меня́ си́ний каранда́ш.
22. У ма́льчика си́нее пальто́.
23. У де́вочки си́няя шля́па.
24. У Ольги нет си́него пла́тья.
25. Я не ношу́ си́ней шля́пы, я ношу́ чёрную.

26. Ива́н сего́дня о́чень хоро́ший ма́льчик.
27. Ната́ша сего́дня не хоро́шая де́вочка.
28. Вот хоро́шее, кра́сное я́блоко.
29. Я пишу́ э́тим хоро́шим си́ним перо́м.
30. Зимо́й в дере́вне же́нщины занима́ются дома́шней рабо́той.

VOCABULARY

мать, SFS (irreg.) - mother
оте́ц, отца́ - father (note contraction)
мой - my
твой - your
его́ - his, him (pronoun and poss.)
лежа́ть, IIA - lie, be lying
ваш - your
наш - our
её - her (pronoun and poss.)
их - them, their (pronoun and poss.)
дя́дя - uncle (masc.)
свой - one's own
си́ний - blue
хоро́ший - good
дома́шний - domestic, home (adj.)
у меня́ - I have

1. The pronouns я, ты, мы, вы have corresponding possessive adjectives. Being adjectives, these forms must vary according to the gender, case and number of the nouns they modify. In the genitive, dative, instrumental and prepositional cases the endings exactly coincide with the endings of soft adjectives like хоро́ший (see 3 below). In the nominative and accusative these possessives have either a single vowel ending or no ending.

Singular

	(my) мой*			(your) твой		
	M	N	F	M	N	F
N.	мо й	мо ё	мо я́	тво й	тво ё	тво я́
G.	-его́-		" е́й	-его́-		" е́й
D.	-ему́-		" е́й	-ему́-		" е́й
A.	й, его́, ё**		" ю	й, его́, ё**		" ю
I.	-и́м-		" е́й	-и́м-		" е́й
P.	-ём-		" е́й	-ём-		" е́й

Plural (all genders)

N.	мо и́	тво и́

(*The reflexive possessive adjective свой meaning "one's own" is declined in exactly the same way.)

Singular

	(our) наш			(your) ваш		
	M	N	F	M	N	F
N.	на́ш—	на́ш е	на́ш а	ва́ш—	ва́ш е	ва́ш а
G.	-его-		" ей	-его-		" ей
D.	-ему-		" ей	-ему-		" ей
A.	—, его, е**		" у	—, его, е**		" у
I.	-им-		" ей	-им-		" ей
P.	-ем-		" ей	-ем-		" ей

Plural (all genders)

N.	на́ш и	ва́ш и

(**The ending of the accusative case resembles that of the nominative in inanimate masculines and in neuters. In animate masculines it resembles that of the genitive.)

The third person pronouns он, oна́, оня́, however, lack a possessive adjective form. Here, the genitive case of the pronoun itself is used: он: его́; она́: её; они́: их. Not being adjectives, these forms never vary.

Thus, we say:	мой дом	my house
	моё перо́	my pen
	моя́ кни́га	my book
But:	(её) его́ дом	(her) his house
	(её) его́ перо́	(her) his pen
	(её) его́ кни́га	(her) his book

"With my pen" is: мои́м перо́м, but "with her pen" is: её перо́м.

2. The accusative case of pronouns is like the genitive:

Nom.	(Gen., Acc.)	Nom.	(Gen., Acc.)
я	меня́	мы	нас
ты	тебя́	вы	вас
он	его́	они́	их
она́	её		

Note that pronouns of the third person, when used with a preposition, are preceded by (н). This <u>does not apply</u> when these pronouns are used as possessives:

	у его́ до́ма	near his house
but:	у него́ - дом	he has a house

3. A certain number of adjectives belong to a soft declension instead of a hard declension. This means that, as in soft nouns, wherever there is a hard vowel in the hard declension, a soft vowel is substituted in the soft declension.

Many of the adjectives belonging to the soft declension have a root ending in the consonants г, к, х, ж, ч, ш, щ. These consonants, of course, cause certain of the endings to be disguised. Such adjective declensions are frequently called "mixed."

SOFT ADJECTIVES

Singular

си́ний (blue)

	M	N	F
Nom.	си́н ий	си́н ее	си́н яя
Gen.	" его	" его	" ей
Dat.	" ему	" ему	" ей
Acc.	(like nom. or gen.)	" ее	" юю
Instr.	си́н им	" им	" ей
Prep.	" ем	" ем	" ей

Plural (all genders)

Nom. си́н ие

Singular

хоро́ший (good)

	M	N	F
Nom.	хоро́ш ий	хоро́ш ее	хоро́ш ая
Gen.	" его	" его	" ей
Dat.	" ему	" ему	" ей
Acc.	(like nom. or gen.)	" ее	" ую
Instr.	хоро́ш им	" им	" ей
Prep.	" ем	" ем	" ей

Plural (all genders)

Nom. хоро́ш ие

EXERCISES

I. Give the possessive forms in three genders of the following pronouns:

я _____ _____ _____
ты _____ _____ _____
мы _____ _____ _____
вы _____ _____ _____

он _____ _____ _____
она́ _____ _____ _____
они́ _____ _____ _____

II. Decline the following phrases through the nominative plural:

мой си́ний каранда́ш
твоё хоро́шее сло́во
ва́ша си́няя кни́га
наш хоро́ший учи́тель

его́ большо́й дом
её си́няя шля́па
их ру́сское письмо́
твоя́ но́вая шля́па

III. Translate into Russian:

1. my father
2. your mother (2 ways)
3. his brother
4. our sister
5. their house

6. my friend
7. good boy
8. blue pen
9. black pencil
10. with his pen

11. with her blue pencil
12. with my old father
13. with your little sister
14. your houses
15. of the good woman

16. of my father
17. to your (female) friend
18. with our sister
19. with your father
20. about his letter

21. about her book
22. about my lesson
23. near our house
24. in our city
25. our books

26. good new houses
27. to his friend
28. along the blue sea
29. on our street
30. of the big black bear

Зи́мние кани́кулы

Ве́ра ма́ленькая де́вочка. Раз зимо́й она́ пое́хала к свое́й ба́бушке на зи́мние кани́кулы. Её ба́бушка живёт в дере́вне. Ве́ра лю́бит жить у ба́бушки.

Ве́ра написа́ла письмо́ домо́й. Она́ писа́ла:

"Мои́ дороги́е роди́тели!

В дере́вне у ба́бушки о́чень интере́сно. Вчера́ шёл снег, но сего́дня со́лнце я́рко све́тит, и не́бо тёмно-си́нее. На́ша ре́чка уже́ замёрзла, и мы по ней ката́емся на конька́х.

У меня́ здесь три подру́ги. Они́ сёстры: Ста́ршую зову́т 'Оля', сре́днюю 'На́дя', а мла́дшую 'Со́ня'. Я их о́чень люблю́, и мы ве́село прово́дим вме́сте вре́мя. У сре́дней сестры́, На́ди, есть лы́жи. Я хочу́ учи́ться ходи́ть на лы́жах, и она́ бу́дет меня́ учи́ть.

Ве́чером мы с ба́бушкой сиди́м до́ма. Ба́бушка занима́ется дома́шней рабо́той. Она́ вя́жет тёплые чулки́ для меня́. Мои́ подру́ги ча́сто прихо́дят к нам и мы чита́ем, пьём чай, шьём и поём пе́сни. Мне здесь о́чень хорошо́, но ску́чно без вас. Пожа́луйста, пиши́те ча́сто.

Ва́ша до́чка Ве́ра."

VOCABULARY

зи́мний - winter (adj.)
кани́кулы - vacation (school)
роди́тели - parents
снег - snow
снег шёл - it was snowing
со́лнце - sun
я́рко - brightly
све́тит - shines
не́бо - sky
тёмно-си́нее - dark blue
замёрзла - froze
ката́ться на конька́х - go skating
по ней - on it (fem.)
ста́рший - older, oldest
звать, ID - call, name
зову́, -ёшь - (pres.)
сре́дний - middle
мла́дший - younger, youngest
проводи́ть, IIB - to spend, pass, accompany
лы́жи - skis
ходи́ть на лы́жах - go skiing
шьём - sew (we)
поём - sing (we)
до́чка - little daughter

ДВАДЦА́ТЫЙ УРО́К - LESSON XX

Special Feminine Soft Declension (SFS)
The Verb ЖИТЬ, ID
Numbers from 5 to 10

Read and translate:

1. Когда́ я вхожу́ в ко́мнату, я закрыва́ю дверь.
2. В э́той ко́мнате две две́ри.
3. Он подхо́дит к две́ри и открыва́ет её.
4. Мы всегда́ закрыва́ем дверь зимо́й, когда́ хо́лодно.
5. Я сплю но́чью, а встаю́ у́тром.

6. Зимо́й но́чи дли́нные, а ле́том они́ коро́ткие.
7. На Кра́сной пло́щади стои́т мавзоле́й Ле́нина.
8. Мы живём о́коло Пло́щади револю́ции.
9. В э́той ко́мнате есть три крова́ти.
10. На Кра́сной пло́щади произно́сят ре́чи.

11. Пожа́луйста, Ми́ша, счита́й от одного́ до десяти́!
12. Ми́ша: оди́н, два, три, четы́ре, пять, шесть, семь, во́семь, де́вять, де́сять.
13. Но́чью мы спим на крова́ти.
14. О́сенью пого́да ча́сто неприя́тная.
15. Смотри́те на э́ту бе́лую ло́шадь!

16. У э́того челове́ка три ло́шади.
17. К о́сени мы приезжа́ем домо́й из дере́вни.
18. Что вы де́лаете с э́той ве́щью?
19. В на́шей ко́мнате интере́сные ве́щи.
20. Да́йте мне то́лько одну́ вещь.

21. Я никогда́ в жи́зни не был на Кра́сной пло́щади.
22. На́ша жизнь о́чень интере́сная.

23. Поэ́ты пи́шут о жи́зни челове́ка.
24. Мы гуля́ем по Пло́щади револю́ции.
25. Бе́лая ло́шадь стои́т на пло́щади.

26. Я хочу́ жить в Москве́.
27. Ле́том я живу́ в дере́вне.
28. Ма́ша, где ты живёшь?
29. Мы живём в Ленингра́де.
30. Лю́ди живу́т и в дере́вне и в го́роде.

VOCABULARY

входи́ть, IIB - enter
дверь, SFS - door
подходи́ть, IIB - go up to
хо́лодно - (it is) cold
ночь, SFS - night
  но́чью - at night
дли́нный - long
коро́ткий - short
пло́щадь, SFS - square, place
мавзоле́й - mausoleum
жить, ID - live (живу́, живёшь)
револю́ция - revolution
крова́ть, SFS - bed
произноси́ть, IIB - pronounce, make (a speech)
речь, SFS - speech
счита́ть, IA - count
пять, SFS - five
шесть, SFS - six
семь, SFS - seven
во́семь, восьми́, SFS - eight
де́вять, SFS - nine
де́сять, SFS - ten
о́сень, SFS - autumn
  о́сенью - in autumn
пого́да - weather
неприя́тный - unpleasant
ло́шадь, SFS - horse
приезжа́ть, IA - arrive, come
вещь, SFS - thing
никогда́...не - never
жизнь, SFS - life
поэ́т - poet

GRAMMAR

1. Special Feminine Soft Declension. A large number of nouns, including many abstract terms and most of the numerals, have a special declension which does not resemble the three basic declensions we have studied thus far. They are known as the Special Feminine Soft or the Ь declension.

   Note the unusual ending in the instrumental singular (ЬЮ) and note also that the accusative singular in this declension always resembles the nominative. These nouns will be known as "SFS" and will so be labeled.

SPECIAL FEMININE SOFT DECLENSION

Singular

Nom.	двéр ь (door)	пят ь (five)
Gen.	" и	" й
Dat.	" и	" й
Acc.	" ь	" ь
Instr.	" ью	" ью́
Prep.	" и	" й

Plural

Nom.	двéр и

All numerals are declined in Russian. Most of them end in ь and are then declined as пять above.

2. Note the instrumental forms нóчью and óсенью to express time of day or season.

3. The verb жить, ID inserts в before endings and has у and ут in the first person singular and third person plural respectively. It is conjugated as follows:

я жи в у́	мы жи в ём
ты жи в ёшь	вы жи в ёте
он жи в ёт	они́ жи в у́т

EXERCISES

I. Fill in the blanks where necessary:

1. Я ви́жу э́т___ вéщ__ (plur.).
2. В э́т___ кóмнат___ две__ двéр___.
3. В э́т___ дóм__ четы́ре двéр___.
4. Да́йте мне э́т___ вещ__ (sing.).
5. Я люб_´__ чёрн___ лóшад___.

6. Мы сп_´__ нóч____ и встаём у́тр___.
7. Зимóй нóч___ дли́нн____ и дн___ корóтк____ (plur.).
8. Лéт___ дн___ дли́нн___ и нóч___ корóтк____ (plur.).
9. Эт___ бéл___ лóшад___ стои́т на плóщад___.
10. Я не ви́ж__ э́т___ чёрн___ лóшад___ (sing.).

11. Мы покупа́ем ве́щ___ (plur.) в магази́не.
12. Три ве́щ___ на стол___́.
13. Я закрыва́ю две́р___ (plur.), когда́ хо́лодно.
14. Но́ч___ я сп___ на крова́т___.
15. Он никогда́ в жи́зн___ там не жи___ (past).

16. Я жи___́ в го́род___ о́сен___.
17. Я уме́ю счита́ть до десят___́.
18. Я счита́ю от одн___́ до сем___́.
19. Кто подхо́д___ к э́т___ две́р___?
20. Кто вхо́д___ в ко́мнат___ и закрыва́ет двер___?

21. Я люб___́ слу́шать реч___ (sing.).
22. Мы жи___̈ о́коло Кра́сн___ пло́щад___.
23. Ста́лин стоя́л на Кра́сной пло́щад___ и произноси́л реч___.
24. О́сен___ мы жи___̈ в дере́вн___.
25. Эти чёрн___ ло́шад___ стоя́т о́коло на́ш___ до́м___.

II. Translate into Russian:

1. in autumn
2. in summer
3. in the morning
4. at night
5. with the horse
6. with a thing
7. on the bed
8. on the Red Square
9. to the door
10. in his speech

Наш дом

В на́шем до́ме пять ко́мнат: ку́хня, столо́вая, две спа́льни и гости́ная. Наш дом нахо́дится на Пло́щади револю́ции.

В ку́хне на́шего до́ма нахо́дятся: бе́лая печь, ку́хонный стол и шкаф. В ку́хне две две́ри и два окна́. О́кна выхо́дят в сад. Одна́ дверь открыва́ется в столо́вую, а друга́я в кладову́ю.

В столо́вой стои́т большо́й стол. На столе́ бе́лая ска́терть. Вокру́г стола́ стоя́т четы́ре сту́ла и одно́ кре́сло. Кре́сло для моего́ отца́. На одно́м сту́ле обыкнове́нно сиди́т мать. Друго́й стул для на́шего дя́ди, кото́рый живёт у нас. На столе́ стоя́т таре́лки, стака́ны и ча́шки. Ножи́, ви́лки и ло́жки лежа́т на столе́.

У нас две спа́льни. В одно́й спа́льне две крова́ти. В э́той ко́мнате спят де́ти. В друго́й спа́льне одна́ крова́ть. На ка́ждой крова́ти две поду́шки и одно́ одея́ло. В ка́ждой спа́льне нахо́дятся два сту́ла, сто́лик с ла́мпой, и комо́д.

VOCABULARY

ку́хня - kitchen
столо́вая - dining room
спа́льня - bedroom
печь, SFS - stove, oven
ку́хонный - kitchen (adj.)
шкаф - cupboard
в шкафу́ - (irreg. prep.)
сад - garden
кладова́я - pantry, storeroom
ска́терть, SFS - tablecloth
вокру́г - around, about (with gen.)
обыкнове́нно - usually
таре́лка - plate
нож - knife
ви́лка - fork
ло́жка - spoon
поду́шка - pillow
одея́ло - cover
сто́лик - little table
комо́д - dresser

ДВА́ДЦАТЬ ПЕ́РВЫЙ УРО́К - LESSON XXI

ICa Verbs and петь

Read and translate:

1. Я хочу́ пить чай.
2. Я пью чай с молоко́м.
3. Почему́ ты не пьёшь молока́, Ве́ра?
4. Ива́н пьёт молоко́ за за́втраком.
5. За за́втраком мы пьём и́ли чай и́ли ко́фе.

6. Вы пьёте во́дку?
7. Нет, я во́дки не пью. Я пью во́ду.
8. Мой оте́ц и моя́ мать пьют, обыкнове́нно, ко́фе.
9. Я о́чень люблю́ шить.
10. Ма́ша шьёт но́вое пла́тье для Та́ни.

11. Что ты шьёшь, Та́ня? Я шью пла́тье для ку́клы.
12. Мы шьём но́вый костю́м для на́шей сестры́.
13. Как вы хорошо́ шьёте, гражда́нка Па́влова!
14. Обыкнове́нно шьют же́нщины а не мужчи́ны.
15. Смотри́те, как дождь льёт!

16. Мать бьёт ма́льчика, потому́ что он о́чень плохо́й.
17. Я никогда́ не бью мое́й до́чки.
18. Часы́ бьют: час, два часа́, три часа́.
19. Пти́чка вьёт гнездо́.
20. Смотри́те на э́ту доро́гу, кото́рая вьётся в го́ру!

21. Мы пьём вино́ и поём.
22. Я люблю́ петь ру́сские пе́сни.
23. Де́ти пою́т пе́сни в шко́ле.
24. Дождь льёт, как из ведра́.
25. Ма́ма нали́ла нам молока́.

VOCABULARY

пить, ICa - drink
чай - tea
и́ли...и́ли - either...or
за за́втраком - at breakfast
ко́фе - coffee (not declined)
во́дка - vodka
вода́ (acc. во́ду) - water
шить, ICa - sew
костю́м - suit
смотре́ть, IIA - look
как - how
дождь - rain
лить(ся), ICa - pour

бить, ICa - beat, hit
плохо́й - bad
час - one o'clock
пти́чка - bird, little bird
вить(ся), ICa - wind
гнездо́ - nest
доро́га - road
гора́ - hill, mountain (acc. го́ру)
вино́ - wine
петь, ICo - sing
ведро́ - bucket, pail
нали́ть, ICa - pour (perfec.)

GRAMMAR

1. IC verbs are characterized by the fact that they have ю and ют in their first person singular and third person plural respectively. However, they change in a variety of ways from their infinitive. The IC verbs are subdivided into four groups. In this lesson ICa verbs are presented. There are five ICa verbs:

   Пить, "drink"; лить, "pour"; шить, "sew"; вить, "wind"; and бить, "beat." They are all conjugated as follows:

я пь ю	мы пь ём
ты пь ёшь	вы пь ёте
он пь ёт	они́ пь ют

2. Петь, ICo, and жить, ID, resemble the ICa verbs in their infinitives, but are conjugated differently:

петь, ICo: я по ю́
ты по ёшь
etc.

жить, ID: я жив у́
ты жив ёшь
etc.

3. Встава́ть and дава́ть are ICb verbs which have been taken up in Lesson XVI.

EXERCISES

I. Fill blanks with proper forms of the verbs in brackets:

1. [пить]
Я ______ во́ду.
Он ______ ко́фе.
Мы ______ чай.
Де́ти ______ молоко́.
Вы ______ во́дку и́ли вино́?

2. [шить]
Я ______ си́нее пла́тье.
Вы ______ краси́вый костю́м.
Что ты ______, Ве́ра?
Она́ ______ но́вое пальто́.

3. [бить]
Мать не ______ ма́льчика.
Часы́ ______ три часа́.
Я никогда́ не ______ сестры́.
Почему́ вы ______ э́ту ло́шадь?

4. [петь]
Я ______ пе́сни.
Де́ти ______ пе́сни в шко́ле.
Ива́н ______ "Очи чёрные."
Мы лю́бим ______ пе́сни.

5. [лить]
Дождь ______.
Вино́ ______ся.
Ма́ма ______ во́ду на нас.

6. [дава́ть]
Что он вам ______?
Я ______ ма́льчику каранда́ш.
Мы ______ сестре́ бе́лое пла́тье.
Они́ ______ мне но́вую кни́гу.

7. [вить] Пти́чка ______ гнездо́.
Доро́га ______ся.

8. [жить] Где ты ________, Ма́ша?
Я ________ в го́роде.
Они́ ________ в дере́вне.
Мы ________ в большо́м до́ме.

9. [встава́ть] Я люблю́ ___________ по́здно.
Я ________ ра́но.
Когда́ вы _________?

10. [спать] Де́ти ________.
Я ча́сто не ______.
Мы ________ хорошо́.

II. Give the above sentences in the past tense.

III. Translate into Russian:

1. I drink, she sews, he lives, we give, you sing.
2. We shall pour, they will drink, we shall sing.
3. They live, we pour, she gets up, I sing.
4. You drink, he gives, they sew, it winds.
5. I live, you pour, she drinks, he beats.

6. When I live in the country, I drink milk.
7. When we live in the city, we drink wine.
8. Children do not drink wine.
9. They get up early in the summer.
10. She sews, but I do not know how to sew.

Наш дом (продолже́ние — Continuation)

Бо́льшую часть на́шей жи́зни мы прово́дим в гости́ной. Там мы пьём ко́фе, чай, и́ли вино́, чита́ем газе́ты и журна́лы, и принима́ем госте́й. Иногда́ сосе́ди, кото́рые живу́т во́зле на́шего до́ма, прихо́дят к нам в го́сти. Тогда́ мы разгова́риваем, поём пе́сни, и́ли игра́ем в ка́рты.

Па́па лю́бит сиде́ть в большо́м кре́сле и слу́шать ра́дио и́ли чита́ть газе́ту. Ма́ма сиди́т в друго́м кре́сле и шьёт, и́ли де́лает другу́ю дома́шнюю рабо́ту. Моя́ сестра́, Ли́за, лю́бит лежа́ть на дива́не. Она́ лежи́т, чита́ет рома́н и ку́шает конфе́ты.

Осенью, когда́ пого́да плоха́я и льёт дождь, прия́т сиде́ть у ками́на и разгова́ривать, петь пе́сни и́ли слу шать ра́дио.

В на́шей гости́ной нахо́дятся кни́ги, фотогра́фии, портре́ты, карти́ны, и т.д. На столе́ стоя́т цветы́.

* * * * * * *

Пе́сня: "Чи́жик-Пы́жик"*

"Чи́жик-Пы́жик,
где ты был?"

"За горо́ю,
во́дку пил.

Вы́пил рю́мку,
вы́пил две,

Закружи́лось
в голове́."

(* "Чи́жик—Пы́жик" means approximately "little piping, puffed-up bird" and is a favorite Russian children's song.)

VOCABULARY

бо́льший - larger (comparative)
часть, SFS - part
принима́ть, IA - receive
госте́й - guests (gen. plur.)
гость - (nom.)
иногда́ - sometimes
сосе́ди - neighbors
приходи́ть в го́сти - come visiting (id.)
тогда́ - then
игра́ть в ка́рты - play cards
рома́н - novel
конфе́ты - sweets, candies
ками́н - fireplace
фотогра́фия - photograph
портре́т - portrait
и т.д. - etc.
за горо́ю - behind the hill (alt. instr.)
вы́пить, ICa - drink (perfec.)
рю́мка - wine-, rum-glass
закружи́ться, IIA - get dizzy, go round (perfec.)

ДВА́ДЦАТЬ ВТОРО́Й УРОК - LESSON XXII

The Genitive Plural Masculine
Numbers 1 - 30
Telling Time

Read and translate:

1. В кото́ром часу́ вы обе́даете? Я обе́даю в час дня.
2. Почему́ вы встаёте в четы́ре часа́?
3. Потому́ что я хочу́ уе́хать в пять часо́в утра́.
4. Мы обыкнове́нно у́жинаем в шесть часо́в ве́чера.
5. Мы за́втракаем в семь часо́в утра́.

6. Де́ти иду́т спать в во́семь часо́в.
7. У э́того бога́того челове́ка де́вять домо́в.
8. В э́том кла́ссе де́сять ученико́в.
9. В на́шем университе́те два́дцать профессоро́в.
10. У меня́ четы́ре кни́ги и пять журна́лов.

11. В библиоте́ке оди́ннадцать словаре́й.
12. В э́том до́ме двена́дцать этаже́й.
13. На столе́ лежа́т трина́дцать чёрных карандаше́й.
14. Да́йте мне четы́рнадцать листо́в бума́ги, пожа́луйста.
15. Я хочу́ пятна́дцать килогра́ммов карто́феля.

16. Я заплати́ла шестна́дцать рубле́й за э́то пла́тье.
17. У нас вчера́ ве́чером бы́ло семна́дцать госте́й.
18. В э́том го́роде есть восемна́дцать трамва́ев.
19. К нам пришли́ девятна́дцать това́рищей.
20. Я э́тих ма́льчиков не ви́дел.

21. Вы зна́ете э́тих студе́нтов?
22. Нет, я э́тих студе́нтов не зна́ю.

23. В Сове́тском Сою́зе обе́дают обыкнове́нно в два часа́ дня, а в Аме́рике в шесть часо́в ве́чера.
24. Ско́лько у челове́ка зубо́в? Три́дцать два зу́ба.
25. У меня́ мно́го ключе́й.

VOCABULARY

в кото́ром часу́? - at what time?
обе́дать, IA - dine
в час дня - at one P.M. (of the day)
у́жинать, IA - have supper
за́втракать, IA - have breakfast
бога́тый - rich, wealthy
эта́ж - storey (of house), floor
лист - sheet, leaf
килогра́мм - kilogram
карто́фель - potatoes
рубль - rouble
това́рищ - comrade
ключ - key
пришли́ - came, arrived (perfec.)
оди́ннадцать, SFS - eleven
двена́дцать, SFS - twelve
трина́дцать, SFS - thirteen
четы́рнадцать, SFS - fourteen
пятна́дцать, SFS - fifteen
шестна́дцать, SFS - sixteen
семна́дцать, SFS - seventeen
восемна́дцать, SFS - eighteen
девятна́дцать, SFS - nineteen
два́дцать, SFS - twenty
три́дцать, SFS - thirty

GRAMMAR

1. The genitive plural of regular masculine nouns varies in quite a number of ways:

    1) The regular genitive plural of hard masculine nouns is: ов.
    2) Only the soft masculines in й like чай and трамва́й end in ев or ёв.
    3) Other soft masculines (those in ь) end in ей.
    4) Hard masculines ending in ж,ч,ш,щ also end in ей.

2. The rule for numerals should be recalled: Numbers 2, 3 and 4 are followed by the genitive singular. Others are followed by the genitive plural. "One": оди́н, -дно́, -дна́ is an adjective and has adjective endings. "Two": два has a special ending for the feminine, which is две.

3. The rule for the accusative of masculine animates holds for the plural as well.

4. Note the use of the genitive in stating the time of the day: В пять часо́в ве́чера, в час дня, в во́семь часо́в утра́.

EXERCISES

I. Count from 1 to 30.

II. Give the genitive plural of the following words:

> дом, ма́льчик, зуб, магази́н, медве́дь, учи́тель, трамва́й, това́рищ, эта́ж, гость.

III. Decline through the genitive plural:

> го́род, медве́дь, нож, трамва́й, слова́рь, ключ.

IV. Fill in the blanks where necessary:

1. В шко́л___ два́дцать ученик___ и три учи́тел___.
2. В университе́те (16)___ учител___.
3. В больш___ го́род___ мно́го дом___.
4. У нас мно́го това́рищ___.
5. У меня́ пять каранда́ш___.

6. Я заплати́ла (9)___ рубл___ за шля́п___.
7. У меня́ две кни́г___ и дв___ пер___.
8. На э́т___ у́лиц___ (12)___ трамва́___.
9. На э́т___ бульва́р___ (5)___ дом___.
10. В па́рк___ (7)___ автомоби́л___.

11. В библиоте́к___ (20)___ словар___.
12. Я вста___ в (6)___ час___ утр___.
13. Мы вста___ в (7)___ час___ утр___.
14. Мы обе́д___ в дв___ час___ дн___.
15. Мы у́жина___ в (8)___ час___ ве́чер___.

16. У меня́ три пер___ и (5)___ карандаш___.
17. В э́т___ больш___ до́м___ (16)___ этаж___.
18. В э́т___ больш___ го́род___ то́лько одн___ шко́ла.
19. В дере́вн___ то́лько од___ магази́н.
20. В Нью Йо́рк___ шесть университе́т___.

21. В Чика́го четы́ре университе́т___.
22. По э́т___ у́лиц___ хо́дят дв___ авто́бус___.
23. По па́рк___ хо́дят автомоби́л___ и авто́бус___.
24. Я ви́жу мно́го автомоби́л___ в го́род___.
25. Ско́лько рубл_́_ вы заплати́ли за три биле́т__?

V. Translate into Russian:

1. one o'clock
2. two o'clock
3. five o'clock
4. twelve o'clock
5. two guests
6. three students
7. four pens

8. five pupils
9. six street-cars
10. seven pencils
11. eight comrades
12. nine storeys
13. ten knives
14. eleven roubles
15. twelve dictionaries
16. thirteen keys
17. fourteen houses
18. fifteen cities
19. sixteen parks
20. seventeen (men) teachers
21. eighteen storeys

22. nineteen stores
23. twenty guests
24. thirty keys
25. thirty-five comrades
26. twenty-one comrades
27. two comrades
28. thirty-four glasses

Арифмети́ческие зада́чи

Реши́те э́ти зада́чи, пожа́луйста.

1. Де́ти ухо́дят в лес в 9 часо́в утра́, а домо́й прихо́дят в 5 часо́в ве́чера. Ско́лько часо́в де́ти гуля́ют?

2. На пра́вой стороне́ у́лицы - 7 домо́в, на ле́вой - 11. Ско́лько домо́в на э́той у́лице?

3. Когда́ в 5 стака́нов нали́ли чай, оста́лось ещё 7 пусты́х стака́нов. Ско́лько бы́ло всего́ стака́нов?

4. У колхо́зника бы́ло 16 килогра́ммов карто́феля. Когда́ он часть карто́феля про́дал, оста́лось 9 килогра́ммов. Ско́лько килогра́ммов карто́феля он про́дал?

5. Учи́тель принёс в класс 17 карандаше́й. Он вы́дал 11. Ско́лько оста́лось карандаше́й?

6. Учи́тель дал ка́ждому ученику́ в кла́ссе два карандаша́. В кла́ссе бы́ло 15 ученико́в. Ско́лько карандаше́й он вы́дал?

7. Серёжа купи́л одну́ кни́гу за 3 рубля́, а другу́ю за 4. Ско́лько он заплати́л за кни́ги?

8. Биле́т в го́род Н. сто́ит 15 рубле́й, а в го́род Л. сто́ит 13. Кото́рый го́род да́льше?

VOCABULARY

арифмети́ческий - arithmetic(al)
зада́ча - problem
реши́ть, IB - solve (perfec.)
сторона́ - side
оста́ться, ID - remain (perfec.)
ещё - still, yet
пусто́й - empty
колхо́зник - collective farmer
прода́ть, irreg. - sell (perfec.)
принёс - brought (perfec.)
вы́дать, irreg. - give, pass out (perfec.)
купи́ть, IIBл- buy (perfec.)
да́льше - further

ДВА́ДЦАТЬ ТРЕ́ТИЙ УРОК - LESSON XXIII

Genitive Plural of Feminine and Neuter Nouns
Genitive Plural of Adjectives

Read and translate:

1. У меня́ пять книг и одна́ грамма́тика.
2. Я зна́ю э́ту же́нщину. Он э́тих же́нщин не зна́ет.
3. Я чита́ю э́то сло́во. Я не понима́ю э́тих слов.
4. У меня́ шесть ру́сских газе́т.
5. Около каки́х школ нахо́дятся э́ти дома́?

6. В Чика́го есть семь библиоте́к.
7. В ме́сяце четы́ре неде́ли.

8. Сколько недель в году?
9. Мы будем жить в деревне десять недель.
10. Она знает двенадцать слов по-русски.

11. У нас нет русских газет.
12. У нас в школе пять новых учителей.
13. Вы любите этих учительниц?
14. Вы любите своих детей?
15. Вы видели этих чёрных лошадей?

16. В театре нет свободных мест.
17. Эти места свободные.
18. В неделе семь дней.
19. В этой комнате шесть окон и пять дверей.
20. У этих детей нет родителей.

21. Там нет окон - там только двери.
22. Сколько яблок на столе?
23. Сколько морей в Советском Союзе?
24. Мы покупаем много интересных вещей в магазине.
25. Я выпил пять чашек кофе.

26. Пожалуйста, закрывайте всегда эти двери и окна.
27. У меня нет молодых сестёр.
28. Почему там так много девочек?
29. Я заплатил пять копеек за это яблоко.
30. Это перо стоит тридцать две копейки.

VOCABULARY

месяц - month
неделя - week
год - year
  в году - in the year
свободный - free

место - place
выпить, ICa - drink (perfec.)
копейка - kopeck
  копеек - (gen. plur.)

GRAMMAR

1. The genitive plural of both neuter and feminine hard nouns has no ending in the regular hard declensions.

Neuter		Feminine	
Nom. Sing.	мест о	Nom. Sing.	книг а
Gen. Plur.	мест —	Gen. Plur.	книг —

In order to facilitate pronunciation, o or e are inserted in the genitive plural of neuters and feminines which have a double consonant before the ending: окнó, окóн; сестрá, сестёр. Most diminutives in -ка preceded by a consonant insert an o or e before the к in the genitive plural; i. e. дéвочка, дéвочек; чáшка, чáшек. Note копéйка, копéек. These insertions are indicated in the vocabularies.

2. Недéля is a regular feminine soft noun and is declined according to rule for soft nouns: недéля, недéли, etc. The genitive plural is: недéль.

3. The genitive plural of the Special Feminine Soft declension is ей like that of the masculine soft nouns ending in ь.

Special Feminine Soft		Masculine Soft in ь	
Nom. Sing.	двер ь	Nom. Sing.	словáр ь
Gen. Plur.	двер éй	Gen. Plur.	словар éй

The words дéти, люди, родúтели also take ей in the genitive plural. Some soft feminine animate nouns also take the genitive plural ending ей: тётя, тётей; дя́дя, дя́дей, etc.

4. The genitive plural of soft neuters is also ей.

Nom. Sing.	мóр е	Nom. Plur.	мор я́
		Gen. Plur.	мор éй

5. Summary of endings in genitive plural for all genders:

Regular Masculine Hard: ов
" Masculine Hard in ж, ч, ш, щ: ей
" Masculine Soft in ь: ей
" Masculine Soft in й: ев, ёв

" Neuter Hard: —
" Neuter Soft: ей

" Feminine Hard: —
" Feminine Soft: ь
Special " " : ей

(See Lesson XXX for feminine and neuter nouns in ия and ие)

6. In the plural the adjectives have one set of endings for all genders:

	Hard		Soft
Nom. Plur.	ые	or	ие
Gen. Plur.	ых	or	их

7. In the plural, feminine as well as masculine, animate nouns take the genitive ending to express the accusative. This applies to all types of feminine declensions.

EXERCISES

I. Give the genitive plural of the following words:

вещь, неде́ля, мо́ре, дверь, окно́,
ме́сто, тётя, сестра́, копе́йка, ло́шадь.

II. Give the genitive plurals of the following:

э́та больша́я дверь, э́та ру́сская же́нщина,
э́то ру́сское сло́во, э́тот большо́й трамва́й,
э́то си́нее мо́ре, э́та ма́ленькая де́вочка (insert e)

III. Translate into Russian:

1. of my Russian aunts
2. six English words
3. seven free places
4. nine English books
5. ten doors
6. eleven weeks
7. three boys
8. of these things
9. twenty Russian pupils
10. nineteen new schools
11. of the Russian newspapers
12. of the interesting things
13. of these Russian words
14. five boys and five girls
15. four books and five pencils
16. two books and four pens
17. five storeys and five rooms
18. seven difficult lessons
19. I do not know these women.
20. I do not see these comrades.

Арифметические зада́чи (продолже́ние)

1. В кла́ссе 25 де́вочек и 20 ма́льчиков. Ско́лько всего́ ученико́в в кла́ссе?

2. Оди́н каранда́ш сто́ит 3 копе́йки, а друго́й шесть. Ско́лько сто́ят карандаши́?

3. В библиоте́ке бы́ло не́сколько ма́льчиков и 5 де́вочек, всего́ 9 дете́й. Ско́лько ма́льчиков занима́лось в библиоте́ке?

4. У де́вочки бы́ло 20 копе́ек. Она́ купи́ла одно́ перо́. У неё оста́лось 12 копе́ек. Ско́лько сто́ило перо́?

5. В шкафу́ бы́ло 18 книг. Когда́ студе́нт взял не́сколько книг, оста́лось 14. Ско́лько книг взял студе́нт?

6. В трамва́е 35 мест. 20 мест свобо́дны. Ско́лько челове́к* в трамва́е?

7. Одно́ я́блоко сто́ит 5 копе́ек. Ма́льчик купи́л 5 я́блок. Ско́лько он заплати́л за я́блоки?**

8. В колхо́зе 15 лошаде́й. 4 ло́шади бе́лые, а други́е чёрные. Ско́лько чёрных лошаде́й в колхо́зе?

9. В до́ме 5 ко́мнат. В ка́ждой ко́мнате 2 две́ри. Ско́лько двере́й в до́ме?

10. В на́шей кварти́ре: 3 спа́льни, 1 ку́хня, 1 гости́ная и 1 столо́вая. Ско́лько ко́мнат в на́шей кварти́ре?

(*Irregular genitive plural. See Lesson XXXVII.)
(**Irregular nominative plural.)

VOCABULARY

взять, ID - take (perfec.)
не́сколько - several (fol. by gen. plur.)
колхо́з - collective farm
кварти́ра - apartment, quarters

ДВА́ДЦАТЬ ЧЕТВЁРТЫЙ УРО́К - LESSON XXIV

Review Lesson on Verbs

I. Give the proper forms of the following verbs in the present tense with the pronouns below:

	я	они́	она́	вы
1. жить				
2. пить				
3. спать				
4. люби́ть				
5. переводи́ть				
6. дава́ть				
7. бить				
8. ходи́ть				
9. ре́зать				
10. писа́ть				
11. встава́ть				
12. занима́ться				
13. шить				
14. петь				
15. находи́ться				
16. сиде́ть				
17. хоте́ть				
18. учи́ться				
19. иска́ть				
20. произноси́ть				

II. Give the same verbs in the past and future tense, using the same pronouns.

III. Give the two imperative forms of the following verbs:

1. плати́ть		
2. писа́ть		
3. держа́ть		
4. отвеча́ть		
5. спать		

6. носи́ть ____________ ____________
7. сиде́ть ____________ ____________
8. гуля́ть ____________ ____________
9. де́лать ____________ ____________
10. игра́ть ____________ ____________

IV. Vocabulary Study:

Use suitable word to fill the blank. Be sure it is correct grammatically:

1. Я встаю́ в __________ часо́в (a.m.) ________.
2. В ____________ __________ вы встаёте?
3. Я ________ в семь часо́в (p.m.) ________.
4. Мы _____________ в час (noon) ________.
5. Я _________ но́чью.

6. Мы ___________ в большо́м го́роде.
7. Где _________________ э́тот большо́й го́род?
8. Я открыва́ю ___________ и вхожу́ в _________.
9. У э́т___ ученика́ мно́го ________ и _________.
10. Де́ти _________ но́чью.

11. В году́ _________________________ ме́сяцев.
12. В ме́сяце ____________ неде́ли.
13. Мавзоле́й Ле́нина _________________ на ____________ _______________.
14. Я ношу́ ___________ пла́тье, ___________ пальто́, и ___________ перча́тки.
15. У меня́ оди́н рот, два _____________ и две _______________.

Три медве́дя
(По Толсто́му)

Одна́ де́вочка ушла́ из до́ма в лес. В лесу́ она́ заблуди́лась и ста́ла иска́ть доро́гу домо́й, но не нашла́, а пришла́ в лес к ма́ленькому до́мику. Дверь до́мика была́ откры́та: она́ посмотре́ла в дверь - ви́дит в до́мике никого́ нет и вошла́.

В до́мике э́том жи́ли три медве́дя. Оди́н медве́дь был оте́ц. Зва́ли его́ Миха́йл Ива́нович. Он был о́чень большо́й. Друго́й - была́ медве́дица. Она́ была́ поме́ньше и зва́ли её Наста́сья Петро́вна. Тре́тий был ма́ленький медвежо́нок и зва́ли его́ Мишу́тка. Медве́дей не́ было до́ма; они́ ушли́ гуля́ть по́ лесу.

В до́мике бы́ло две ко́мнаты: одна́ столо́вая; друга́я спа́льня. Де́вочка вошла́ в столо́вую и уви́дела на столе́ три ча́шки с ка́шей. Пе́рвая ча́шка - о́чень больша́я - была́ Миха́йла Ива́новича. Втора́я ча́шка - поме́ньше - была́ Наста́сьи Петро́вны; тре́тья, си́ненькая ча́шечка, была́ Мишу́тки.

VOCABULARY

заблуди́ться, IIB - get lost, go astray (perfec.)
стать, ID - begin, start, become (perfec.)
нашла́ - found (past perfec. of найти́)
до́мик - little house
откры́т - opened
посмотре́ть, IIA - look (perfec.)
никого́ нет - no one is there
вошла́ - entered (past perfec. of войти́)
медве́дица - lady bear
поме́ньше - smaller
медвежо́нок - baby bear
ка́ша - porridge, gruel
си́ненький - little blue
ча́шечка - little bowl, cup

ДВА́ДЦАТЬ ПЯ́ТЫЙ УРО́К - LESSON XXV

Review Lesson on Nouns, Adjectives, Possessive Adjectives and Numerals

I. Fill in the blanks:

1. Почему́ ты не лю́б_____ э́т____ ма́леньк____ ма́льчик___?
2. Мы идём в кино́ с на́ш____ бра́т___ и с ва́ш____ сестр_́___.
3. Да́йте э́т____ но́в___ карти́н__ ва́ш___ бра́т___.
4. В мо_̈___ до́м___ нахо́дится мно́го това́рищ____.
5. Я пишу́ письмо́ э́т___ но́в___ каранда́ш_́___.

6. Да́йте э́т____ хоро́ш____ ма́льчик___ стака́н молок___́.
7. Я э́т____ ру́сск___ журна́л___ не чита́ю.
8. Мы зна́ем э́т___ молод____́ челове́к___.
9. Мы сиди́м о́коло си́н____ мо́р___.
10. В шко́ле (10)__________ учител____́.

11. В больш____́ го́род___ (6)________ университе́т____.
12. Я э́т____ ве́щ___ не ви́жу.
13. В э́т____ больш____́ ко́мнат___ три две́р___.
14. У меня́ од____́ но́в___ кни́г___.
15. У мо____́ сестр___́ пять но́в____ книг___.

16. М___ дом в ста́р___ ча́ст___ го́рода.
17. На́ш___ перо́ чёрн____, а ваш каранда́ш кра́сн___.
18. (15)________________ ру́сск____ книг___ лежа́т на стол___́.
19. Эт___ но́в___ учени́к____́ сидя́т в ко́мнат___.
20. Кто сиди́т в э́т___ больш____́ кре́сле?

II. Translate the following phrases into Russian:

1. your (2 ways) red pencil
2. your (2 ways) good friend
3. of your new automobile
4. of his other comrade
5. near these big cities

6. to this big city
7. in this small room
8. at the interesting concert
9. in the fifth lesson
10. in this new dictionary

11. the new houses
12. the good girls
13. the blue pen
14. in my old house
15. of our black paper

16. of our houses
17. with this thing
18. in this part
19. every person has
20. these boys have

III. Give the corresponding plural forms of the following phrases:

1. э́та но́вая вещь______________________________
2. э́тот ру́сский слова́рь______________________________
3. э́то ру́сское сло́во______________________________
4. моя́ молода́я сестра́______________________________
5. мой си́ний каранда́ш______________________________

6. ваш хоро́ший учи́тель ______________________________
7. наш но́вый дом ______________________________
8. у моего́ това́рища ______________________________
9. у твое́й тёти ______________________________
10. без твоего́ карандаша́ ______________________________

11. без на́шей кни́ги ______________________________
12. до ва́шего до́ма ______________________________
13. для э́того ма́льчика ______________________________
14. до э́того окна́ ______________________________
15. по́сле э́того конце́рта ______________________________

IV. Count from 1 to 30.

V. Translate the following phrases:

1. one book
2. two eyes
3. one mouth
4. two hands
5. one nose

6. three pencils
7. four feet
8. three houses
9. five roubles
10. six automobiles

11. seven comrades
12. eight dictionaries
13. nine (men) teachers
14. ten (lady) teachers
15. eleven kopecks

16. twelve street-cars
17. thirteen doors
18. fourteen windows
19. fifteen horses
20. sixteen keys

VI. Отвеча́йте по-ру́сски, пожа́луйста:

1. В кото́ром часу́ вы встаёте?
2. В кото́ром часу́ вы за́втракаете?
3. Что вы лю́бите пить?
4. Вы лю́бите шить?
5. Когда́ вы спи́те - днём и́ли но́чью?

6. В кото́ром часу́ вы обе́даете?
7. Кото́рый уро́к вы тепе́рь изуча́ете?
8. В кото́ром часу́ вы у́жинаете?
9. Ско́лько ученико́в в ва́шем кла́ссе?
10. Когда́ вы хо́дите в класс - у́тром, днём и́ли ве́чером?

11. Где ваш класс нахо́дится?
12. Где вы живёте - в го́роде и́ли в дере́вне?
13. Ваш го́род - большо́й и́ли ма́ленький?
14. В ва́шем го́роде мно́го и́ли ма́ло люде́й?
15. Ско́лько этаже́й в ва́шем до́ме?
16. Ско́лько ко́мнат в ва́шем до́ме?

Три медве́дя - II
(Продолже́ние)

Во́зле ка́ждой ча́шки лежа́ли ло́жки: больша́я, сре́дняя и ма́ленькая.

Де́вочка взяла́ са́мую большу́ю ло́жку и ста́ла есть из са́мой большо́й ча́шки; пото́м взяла́ сре́днюю ло́жку и пое́ла из сре́дней ча́шки; пото́м взяла́ ма́ленькую ло́жечку и пое́ла из си́ней ча́шечки; и ка́ша в си́ней ча́шечке ей показа́лась лу́чше всех.

Де́вочка захоте́ла сесть и ви́дит у стола́ три сту́ла: оди́н, большо́й - Михаи́ла Ива́новича; друго́й, поме́ньше - Наста́сьи Петро́вны; а тре́тий, ма́ленький, с си́ненькой поду́шечкой - Мишу́тки. Она́ се́ла на большо́й стул и упа́ла; пото́м се́ла на сре́дний стул; на нём бы́ло нело́вко; пото́м се́ла на ма́ленький сту́льчик и засмея́лась - так бы́ло на нём хорошо́. Она́ взяла́ си́ненькую ча́шечку и ста́ла есть.

Съе́ла всю ка́шу и ста́ла кача́ться на сту́ле.

Сту́льчик слома́лся и она́ упа́ла на пол. Она́ вошла́ в другу́ю ко́мнату. Там стоя́ли три крова́ти: одна́ больша́я - Михаи́ла Ива́новича; друга́я сре́дняя - Наста́сьи Петро́вны; тре́тья ма́ленькая - Мишу́тки. Де́вочка легла́ спать на большу́ю, но она́ ей не понра́вилась - была́ сли́шком больша́я; легла́ на сре́днюю, но она́ была́ сли́шком высо́кая; легла́ на ма́ленькую - э́та крова́ть ей о́чень понра́вилась и она́ засну́ла.

VOCABULARY

са́мый большо́й - largest (superlative)
есть, irreg. - eat (пое́сть* - perfec.)
пое́ла* - ate (finished eating) (past perfec.)
показа́ться, IB - appear, seem (perfec.)

захоте́ть, irreg.* - feel like (perfec.)
поду́шечка - little pillow
нело́вко - uncomfortable
сту́льчик - little chair
засмея́ться, IA (irreg.)* - begin to laugh (perfec. of смея́ться)
съе́ла* - ate up (past perfec.)
кача́ться, IA - rock
слома́ть(ся), IA* - break (perfec.)
легла́, IBг* - lay down (past perfec. of лечь)
нра́виться, IIBл - please (with dative)
понра́виться*- (perfec.)
высо́кий - tall, high
засну́ть, ID* - fall asleep (perfec.)

(*These verbs are new perfective forms, which will be taken up in detail in the lessons on perfectives.)

ДВА́ДЦАТЬ ШЕСТО́Й УРО́К - LESSON XXVI

The Verb: есть • ICc and ICd Verbs
Imperatives of IC Verbs

Read and translate:

1. За за́втраком я пью стака́н молока́ и ем ка́шу.
2. Почему́ ты не ешь, Ми́ша?
3. Ми́ша ничего́ не ест, у него́ нет аппети́та.
4. Мы ча́сто еди́м в рестора́не. В кото́ром рестора́не вы обыкнове́нно еди́те?
5. Де́ти едя́т сли́шком мно́го я́блок.

6. Я вчера́ ве́чером ничего́ не ел.
7. Де́вочка пое́ла и ушла́ в другу́ю ко́мнату.
8. "Кто съел мою́ ка́шу?" закрича́л ма́ленький медве́дь.
9. По́сле того́ как мы пое́ли, мы помы́ли посу́ду.
10. Ма́ма гото́вит обе́д, а мы мо́ем посу́ду.

11. Дождь мо́ет у́лицы и дома́.
12. Я мо́юсь хоро́шим мы́лом.
13. Когда́ вы мо́етесь - у́тром и́ли ве́чером?
14. Ма́льчик не лю́бит мы́ться.
15. Эти де́ти мо́ются то́лько оди́н раз в день.

16. Анна телефони́рует подру́ге На́де.
17. Она́ говори́т: "Ты хо́чешь танцова́ть сего́дня ве́чером?"
18. "Нет," отвеча́ет На́дя. "Я не уме́ю танцова́ть."
19. "А я хочу́ тебе́ рекомендова́ть хоро́шего учи́теля."
20. "Я сове́тую тебе́ научи́ться танцова́ть."

21. "Этот учи́тель хорошо́ танцу́ет."
22. "Ну, е́сли ты сове́туешь, я бу́ду учи́ться," говори́т На́дя.
23. На́дя пошла́ в рестора́н встре́тить Анну и учи́теля.
24. Они́ танцова́ли, е́ли и пи́ли. Бы́ло ве́село.
25. "Ах, как он хорошо́ танцу́ет," говори́т На́дя.

26. "Пожа́луйста, танцу́йте со мной поча́ще," говори́т На́дя учи́телю.
27. Пожа́луйста, пе́йте чай.
28. Не бе́йте э́того ма́льчика.
29. Да́йте нам ещё стака́н вина́.
30. Ну, встава́йте, де́ти - уже́ поздно.

31. "Дава́йте, дава́йте!" они́ крича́т.
32. Де́вочка откры́ла дверь и вошла́ в ко́мнату.
33. Он нам сове́тует взять э́ту кни́гу.
34. Мы вы́пили стака́н вина́ и танцова́ли.
35. "Вы танцу́ете?" спроси́ла Анна.

VOCABULARY

есть, irreg. - eat
  ел - (past tense)
рестора́н - restaurant
съесть - consume, eat (perfec.)
  съел - (past tense)
пое́сть - eat, finish eating (perfec.)
  пое́л - (past tense)
крича́ть, IIA - cry out
  закрича́ть - (perfec.)
по́сле того́ как - after
мыть(ся), ICc - wash (self)
помы́ть, ICc - (perfec.)

посу́да - dishes
гото́вить, IIBл - prepare
мы́ло - soap
телефони́ровать, ICd - telephone
танцова́ть, ICd - dance
рекомендова́ть, ICd - recommend (with dative)
сове́товать, ICd - advise (with dative)
научи́ться, IIA - learn (perfec.)
ну - well

ве́село - gay
поча́ще - oftener
откры́ть, ICc - open (perfec.)
взять, ID - take (perfec.)
вы́пить, ICa - drink (perfec.)
спроси́ть, IIB - ask (perfec.)

GRAMMAR

1. IC verbs are distinguished from IA verbs in that they are formed irregularly from their infinitive. Once the stem of the present tense is determined, however, the final endings are just like those of IA verbs. For convenience, the IC verbs are divided into four sub-groups:

   ICa: the verbs like пить.
   ICb: the verbs like дава́ть and встава́ть.
   ICc: the verbs like мыть. Most ICc verbs are perfective.
   ICd: the verbs like танцова́ть. Most ICd verbs are formed from foreign words.

2. Since the IC verbs are vocalic in root, the imperative is usually formed like the IA verbs, i.e.:

   чита́ть, IA: чита́й, чита́йте
   танцова́ть, ICd: танцу́й, танцу́йте

   However, the ICa verbs are irregular in the imperative.

   пить: пей, пе́йте
   бить: бей, бе́йте

   Встава́ть and дава́ть also have an irregular imperative form: встава́й, дава́й. Дава́й has a rather special colloquial meaning: "Let's have it!" or "Come on there, give it to us!" The more usual form is дай, да́йте from the perfective form дать.

3. A completely irregular verb is: есть, "to eat." The singular does not belong to either conjugation, but the plural is like the second conjugation:

я ем	мы ед и́м
ты ешь	вы ед и́те
он ест	они́ ед я́т

Есть has approximately the same meaning as кýшать but is preferred by most Russians. The past tense of есть is ел. (See Lesson XXXII.) Note the two perfective forms:

поéсть	to finish eating
съесть	to consume

EXERCISES

I. Conjugate in the present, past and future the following verbs:

мыть, совéтовать, вставáть, телефонúровать, есть, хотéть, танцовáть, мы́ться, рекомендовáть.

II. Give the imperative (two forms) of the following verbs:

писáть, мыть, давáть, совéтовать, вставáть, лить, говорúть, шить.

III. Give the proper form of the verbs in brackets in the following sentences:

1. [лить] Дождь __________.
2. [давáть] Он _________ нам я́блоко.
3. [хотéть] Я не ______ говорúть по-рýсски.
4. [мыть] Моя́ мать _________ стакáны.
5. [шить] Ольга _________ нóвое плáтье.

6. [совéтовать] Что он вам ____________ дéлать?
7. [рекомендовáть] Учúтель _________________ нам э́ту книгу.
8. [мы́ться] Дéти _____________ мы́лом.
9. [вставáть] Ученикú __________ пóздно сегóдня.
10. [хотéть] Онú _____________ стакáн молокá.

11. [танцовáть] Утром мы не ________________.
12. [пить] Дéти ____________ молокó а я __________ чай.
13. [хотéть] Что вы _____________ пить?
14. [есть] Мы всегдá _________ фрýкты.
15. [телефонúровать] Он чáсто ___________________ моéй сестрé.

16. [нали́ть] (pour) ____________ мне стака́н молока́, пожа́луйста.
17. [есть] Что вы __________?
18. [сове́товать] Я вам _____________ научи́ться петь.
19. [есть] Почему́ вы так мно́го ___________?
20. [мы́ться] Мы _____________ и у́тром и ве́чером.

21. [танцова́ть] Пожа́луйста, ____________ с мои́м дру́гом.
22. [есть] Он ________ хлеб с ма́слом.
23. [сове́товать] Что вы мне ____________ де́лать?
24. [бить] Этот ма́льчик ________ своего́ това́рища.
25. [есть] [пить] Мы _________ и _________.

Три медве́дя - III
(Продолже́ние)

А медве́ди пришли́ домо́й, голо́дные, и хоте́ли обе́дать. Большо́й медве́дь взял свою́ ча́шку, посмотре́л и закрича́л стра́шным го́лосом:

"Кто ел из мое́й ча́шки?"

Наста́сья Петро́вна посмотре́ла в свою́ ча́шку и закрича́ла не так гро́мко:

"Кто ел из мое́й ча́шки?"

А Мишу́тка уви́дел свою́ пусту́ю ча́шечку и запища́л то́неньким го́лосом:

"Кто ел из мое́й ча́шки и всё съел?"

Михаи́л Ива́нович посмотре́л на свой стул и закрича́л стра́шным го́лосом:

"Кто сиде́л на моём сту́ле и сдви́нул его́ с ме́ста?"

Наста́сья Петро́вна посмотре́ла на свой стул и закрича́ла не так гро́мко:

"Кто сиде́л на моём сту́ле и сдви́нул его́ с ме́ста?"

А Мишу́тка посмотре́л на свой сло́манный сту́льчик и запища́л то́неньким го́лосом:

"Кто сиде́л на моём сту́ле и слома́л его́?"

VOCABULARY

голо́дный - hungry
стра́шный - terrible
го́лос - voice
запища́ть, IIA - squeak (perfec.)
то́ненький - thin, little
сдви́нуть, ID - move away (perfec.)
сло́манный - broken

ДВА́ДЦАТЬ СЕДЬМО́Й УРО́К - LESSON XXVII

ID Verbs and мочь, IВГ
Days of the Week
Nouns with Adjective Declensions

Read and translate:

1. "Мочь" и "уме́ть" зна́чат "to be able to."
2. Я не могу́ есть сего́дня.
3. Почему́ ты не мо́жешь есть? У меня́ нет аппети́та.
4. Он не уме́ет писа́ть по-ру́сски.
5. Он мо́жет э́то сде́лать для вас.

6. Мы мо́жем до́лго спать сего́дня.
7. Они́ э́того не мо́гут де́лать.
8. Вы мо́жете чита́ть э́то письмо́, е́сли вы хоти́те.
9. Я бу́ду всегда́ класть э́ти ве́щи на стол.
10. Я кладу́ кни́ги на стол, потому́ что я хочу́ их чита́ть.

11. Я хочу́ нести́ поку́пки сего́дня.
12. Же́нщины несу́т свои́ поку́пки домо́й.
13. Я стою́ на у́лице и жду отца́.
14. Он ждёт моего́ бра́та.
15. Де́ти стоя́т на у́лице и ждут нас.

16. Я всегда́ беру́ уро́ки по пя́тницам.
17. Мой друг берёт меня́ за́ руку.
18. Мы берём книги в библиоте́ке.
19. Како́й день сего́дня? Сего́дня четве́рг.
20. Пе́рвые дни неде́ли: понеде́льник, вто́рник и среда́.

21. Я таки́х дней не по́мню. Мы э́того дня не хоти́м по́мнить.
22. Мы ду́маем уе́хать к концу́ ма́я.
23. В воскресе́нье мы ждём госте́й в гости́ной.
24. Де́ти едя́т моро́женое в столо́вой.
25. На сла́дкое я не хочу́ моро́женого.

26. Я сла́дкого не хочу́. Да́йте мне то́лько я́блоко.
27. Столо́вая - ко́мната, где лю́ди едя́т.
28. На́ши отцы́ - рабо́чие.
29. Я э́тих рабо́чих не зна́ю.
30. Мы обе́даем в столо́вой с одни́м рабо́чим.

VOCABULARY

мочь, IВг (могу́, мо́жешь) - be able to
зна́чить, IIA - mean
сде́лать, IA - do (perfec.)
класть, ID (кладу́, кладёшь) - place, put
нести́, ID (несу́, несёшь) - carry
поку́пка - purchase
ждать, ID (жду, ждёшь) - (a)wait (with gen.)
брать, ID (беру́, берёшь) - take
пя́тница - Friday
по пя́тницам - on Fridays (dat. plur.)

коне́ц, -нца́ - end
четве́рг - Thursday
днём - in the day time
понеде́льник - Monday
вто́рник - Tuesday
среда́ - Wednesday
тако́й - such
воскресе́нье - Sunday
о́тдых - rest
май - May
моро́женое - ice cream
я́блоко - apple
столо́вая - dining room
сла́дкое - dessert, sweet
рабо́чий - worker

GRAMMAR

1. Мочь is known as a IВг verb. It changes twice: (1) from the infinitive to the first person and (2) from the first person to the second person:

я	мог у́	мы	мо́ж ем
ты	мо́ж ешь	вы	мо́ж ете
он	мо́ж ет	они́	мо́г ут

It is classed as a IB verb because the change of г to ж is a regular phonetic change.

2. ID verbs are those having у and ут in the first person singular and third person plural respectively, not for phonetic reasons. The infinitives give no indication as to what will happen to the verb. There are no rules for the changes in ID verbs. The final endings, however, are regular.

Some verbs of this type have been introduced earlier. Ждать "to wait," нести́ "to carry," and брать "to take" are new ID verbs. They are all conjugated similarly, once the first person singular is known, i.e.:

	ждать	нести́	брать
я	жд у	нес у́	бер у́
ты	жд ёшь	нес ёшь	бер ёшь
он	жд ёт	нес ёт	бер ёт
мы	жд ём	нес ём	бер ём
вы	жд ёте	нес ёте	бер ёте
они́	жд ут	нес у́т	бер у́т

Ждать is always followed by the genitive.

The necessary forms will be given for all ID verbs in the vocabularies and verb lists. (See Grammar Summary.)

3. Some nouns are declined like adjectives. They may occur in any of the three genders, and are declined exactly like adjectives of their respective type. Such words are: рабо́чий, столо́вая, моро́женое.

EXERCISES

I. Give classification of each verb in the text and conjugate.

II. Give the following verbs with: я, он, вы, они́.

класть	брать	хоте́ть
нести́	е́хать	есть
ждать	мыть	сове́товать
жить	итти́	учи́ться
стоя́ть	мочь	дава́ть

III. Decline in the singular and through the genitive plural:

мой оте́ц, большо́й кусо́к, э́та столо́вая,
э́тот день, э́то моро́женое, э́тот рабо́чий.

IV. Translate into Russian:

1. I wait	16. in the dining-room
2. he carries	17. near the dining-room
3. fathers wait	18. the pupils take
4. we advise	19. He will wait for a street-car.
5. she puts	20. he will eat
6. to carry	21. They want to wait.
7. I take	22. He wants to stand.
8. it costs	23. We can wait.
9. he stands	24. much ice-cream
10. they put	25. of this worker
11. they wait	26. Fathers are workers.
12. they place	27. Workers are in the dining-room.
13. you wait	28. Who can see this?
14. they carry	29. I cannot carry this.
15. you can take	30. Can you see this?

Три медве́дя - IV
(Продолже́ние)

Медве́ди пошли́ в другу́ю ко́мнату.

"Кто лежа́л на мое́й крова́ти?" закрича́л Михаи́л Ива́нович стра́шным го́лосом.

"Кто лежа́л на мое́й крова́ти?" закрича́ла Наста́сья Петро́вна не так гро́мко.

А Мишу́тка посмотре́л на свою́ крова́ть и запища́л то́неньким го́лосом: "Кто лежа́л в мое́й крова́ти?"

И вдруг он уви́дел де́вочку и закрича́л так, как бу́дто его́ ре́жут:

"Вот она́! Держи́! Вот она́! Держи́! Вот она́! Держи́!"

Он хоте́л её съесть. Де́вочка откры́ла глаза́, уви́дела медве́дей и бро́силась к окну́. Окно́ бы́ло откры́то, она́ вы́скочила в окно́ и убежа́ла. И медве́ди не догна́ли её.

Коне́ц

* *

VOCABULARY

как бу́дто - as though
бро́ситься, IIB - throw (self) (perfec.)
вы́скочить, IIA - jump out (perfec.)
убежа́ть, irreg. - run away (perfec.)
догна́ть - catch up with (perfec.)

ДВА́ДЦАТЬ ВОСЬМО́Й УРО́К - LESSON XXVIII

Complete Declension of Pronouns
Dative, Instrumental & Prepositional Plural of Nouns
Telling Age with Use of год and лет

Read and translate:

1. У меня́ мно́го но́вых шляп.
2. Почему́ у тебя́ так мно́го ста́рых книг?
3. У рабо́чего больша́я семья́ - у него́ мно́го дете́й.
4. У мое́й подру́ги три сестры́. У неё та́кже два бра́та.
5. У нас в клу́бе всегда́ о́чень ве́село.

6. Ско́лько у вас това́рищей?
7. У нас о́чень мно́го това́рищей, а у него́ то́лько оди́н това́рищ.

8. Он ви́дит меня́, а я ви́жу его́.
9. Ты зна́ешь её, но она́ тебя́ не зна́ет.
10. Мы ви́дим вас, а вы нас не ви́дите.

11. Мы их хорошо́ зна́ем. Мы зна́ем их дете́й.
12. Моя́ мать говори́т с его́ отцо́м. Она́ его́ хорошо́ зна́ет.
13. У её тёти мно́го интере́сных веще́й. У неё кни́ги, карти́ны, и т.д.
14. Вы зна́ете мою́ подру́гу? Я её о́чень люблю́.
15. Она́ мне ча́сто помога́ет, но я ей не помога́ю.

16. Ско́лько тебе́ лет? Мне де́сять лет.
17. Ско́лько лет ва́шему бра́ту? Ему́ два́дцать два го́да.
18. Ско́лько лет твое́й сестре́? Ей четы́ре го́да.
19. Ско́лько вам лет? Мне три́дцать шесть лет.
20. Мать нам помога́ет шить пла́тье.

21. Ма́ма говори́т де́тям: "Вот вам сли́вы."
22. Учи́тель говори́т ученика́м: "Не говори́те так гро́мко."
23. Мы помога́ем отца́м рабо́тать в по́ле.
24. По воскресе́ньям мы гуля́ем.
25. По среда́м мы хо́дим на конце́рт.

26. Я хожу́ ча́сто с това́рищами в лес. Я люблю́ ходи́ть с ни́ми.
27. Мы с подру́гами хо́дим в клуб. Они́ ча́сто хо́дят с на́ми.
28. Мы пи́шем карандаша́ми. Мы пи́шем и́ми.
29. В словаря́х нахо́дятся ру́сские и англи́йские слова́.
30. В них нахо́дится мно́го слов.

VOCABULARY

семья́ - family
та́кже - also, likewise
клуб - club
помога́ть, IA - help (with dative)
ле́т(о) - summer, year
год - year
сли́ва - plum
рабо́тать, IA - work
по́ле - field

1. The complete declension of personal pronouns follows:

я, I (Singular)		мы, we (Plural)
Nom.	я	мы
Gen.	меня́	нас
Dat.	мне	нам
Acc.	меня́	нас
Instr.	мной	на́ми
Prep.	мне	нас

ты, you (Singular)		вы, you (Plural)
Nom.	ты	вы
Gen.	тебя́	вас
Dat.	тебе́	вам
Acc.	тебя́	вас
Instr.	тобо́й	ва́ми
Prep.	тебе́	вас

он, he; оно́, it			она́, she	
Nom.	он оно́		она́	
Gen.	(н)его́		(н)её	
Dat.	(н)ему́		(н)ей	
Acc.	(н)его́		(н)её	
Instr.	(н)им		(н)ей	
Prep.	(н)ём	(нём)*	(н)ей	(ней)*

они́, they (Plural - all genders)		
Nom.	они́	
Gen.	(н)их	
Dat.	(н)им	
Acc.	(н)их	
Instr.	(н)и́ми	
Prep.	(н)их	(них)*

(*Since words in the prepositional case are never used without a preposition, these pronouns may be written also: нём, ней and них, which is actually the way they appear and are expressed.)

2. The dative, instrumental and prepositional plural endings of nouns are usually the same for all genders and all types of nouns. They are as follows:

	Hard	Soft
Dative	ам	ям
Instrumental	ами	ями
Prepositional	ах	ях

A few feminine soft declension nouns require the alternate form: ьми in the instrumental plural. Such words are: детьми́, людьми́, лошадьми́.

3. The dative case is used in expressing age. Instead of saying "I am five years old," the Russian says: "To me are five years."

4. Note the use of год and ле́то in telling age. The numbers which are followed by the genitive singular, that is, два, три and четы́ре are followed by the word го́да (year) and the others, those taking the genitive plural, are followed by the genitive plural of the word ле́то (лет). The same rule applies to numbers compounded with два, три, etc. Оди́н also takes год. Examples: Мне три го́да, а ему́ пять лет. Ольге два́дцать оди́н год.

EXERCISES

I. Translate the following phrases into Russian:

1. I have
2. you have (2 ways)
3. he has
4. she has
5. we have

6. they have
7. his house
8. her friend
9. their automobile
10. I like her.
11. She loves me.
12. He sees us.
13. We see him.
14. He is five years old.
15. She is 23 years old.

16. Are you 22 or 26 years old?
17. I am 30 years old.
18. Mother helps us.
19. We give her these plums.
20. What do you advise us to do?

21. Their daughter does not help them.
22. They are going with us to the concert.
23. We are speaking about them.
24. I am going with them to the city.
25. I advise you to study your lesson.

II. Change nouns into proper pronoun forms in the following sentences:

1. Мать помога́ет отцу́.
2. Отцы́ помога́ют де́тям.
3. Ива́н даёт Ма́ше оди́н до́ллар.
4. Де́ти у роди́телей.
5. Учителя́ ви́дят Ма́шу и Ива́на.

6. Мать даёт Ната́ше письмо́.
7. Где де́ти у́чатся?
8. Мать помога́ет Ма́ше учи́ться.
9. Ива́н живёт у бра́та.
10. Ната́ша живёт у сестры́.

III. Decline, singular and plural:

1. дом
2. сли́ва
3. ма́льчик
4. ме́сто
5. дверь
6. ло́шадь
7. учи́тель
8. мо́ре

IV. Complete the declension of:

1. я
2. ты
3. он
4. она́
5. мы
6. вы
7. они́

V. Translate into Russian:

1. on Mondays
2. on Wednesdays
3. on Sundays
4. with (our) comrades
5. about the houses
6. to the teachers
7. to the aunts
8. with the women
9. with the pupils
10. in the cities

Ко́сточка
(По Толсто́му)

Ва́ня ма́ленький ма́льчик. Ему́ семь лет. Одна́жды его́ мать купи́ла слив и хоте́ла их дать де́тям по́сле обе́да. Они́ ещё лежа́ли на таре́лке. Ва́ня никогда́ не ел слив и всё смотре́л на них. Они́ о́чень ему́ нра́вились. Ему́ хоте́лось съесть одну́. Он всё ходи́л ми́мо слив. Когда́ никого́ не бы́ло в столо́вой, он взял одну́ сли́ву и съел её. Пе́ред обе́дом мать сосчита́ла сли́вы и ви́дит - одно́й нет. Она́ рассказа́ла отцу́.

За обе́дом оте́ц и говори́т:
"--А что, де́ти, не съел ли кто́-нибудь одну́ сли́ву?"

Все сказа́ли: "Нет!"
Ва́ня покрасне́л, как рак, и сказа́л то́же:
"--Нет, я не ел."

Тогда́ оте́ц сказа́л:
"--Что съел кто́-нибудь из вас сли́ву, э́то нехорошо́; но не в том беда́. Беда́ в том, что в сли́вах есть ко́сточки, и е́сли кто не уме́ет их есть и проглоти́т ко́сточку, то через де́нь умрёт. Я э́того бою́сь."

Ва́ня побледне́л и сказа́л:
"Нет, я ко́сточку бро́сил за окно́."

И все засмея́лись, а Ва́ня запла́кал.

VOCABULARY

ко́сточка - stone (of fruit), little bone
дать, irreg. - give (perfec.)
всё - all the time (kept doing)
ми́мо - past (with gen.)
пе́ред - before (with instr.)
сосчита́ть, IA - count (perfec. of счита́ть)
рассказа́ть, IB - tell (perfec.)
кто́-нибудь - anyone, someone
покрасне́ть, IA - blush (perfec.)
беда́ - trouble
  в том беда́ - the trouble is that (id.)
кто - one, someone
проглоти́ть, IIB - swallow (perfec.)
через де́нь - in a day
умрёт - will die (perfec.)
побледне́ть, IA - grow pale (perfec.)

ДВА́ДЦАТЬ ДЕВЯ́ТЫЙ УРО́К - LESSON XXIX

Declension of мать and дочь
Use of до́лжен, ну́жен, мо́жно, нельзя́
Numbers up to 100

Read and translate:

1. Моя́ мать - жена́ моего́ отца́.
2. У мое́й ма́тери мно́го дочере́й.
3. Я иду́ к ма́тери.
4. Мой това́рищ ви́дит мою́ мать.
5. Мы с ма́терью идём в кино́.

6. Ната́ша говори́т о ма́тери.
7. Ма́тери должны́ нам шить пла́тья.
8. У дочере́й - ма́тери.
9. Оте́ц идёт с до́черью на конце́рт.
10. Мы не ви́дим матере́й.

11. Де́ти должны́ помога́ть матеря́м.
12. Мать должна́ люби́ть свои́х дете́й.
13. Сын до́лжен люби́ть мать.
14. Что вам ну́жно? Мне нужна́ ещё одна́ кни́га.
15. Мо́жно откры́ть окно́? Тут жа́рко.

16. Вы мо́жете петь э́ту пе́сню?
17. Мы должны́ петь э́ти пе́сни.
18. Пионе́ру ну́жно ходи́ть в шко́лу.
19. Мое́й до́чери нужна́ кни́га.
20. Мое́й ма́тери ну́жно но́вое пла́тье.

21. Эти ве́щи мне не нужны́.
22. Мать должна́ пойти́ с дочеря́ми на конце́рт.
23. Жена́ должна́ помога́ть му́жу.
24. Нам мо́жно посеща́ть э́тот клуб? Нет, нельзя́.
25. Со́рок матере́й посеща́ют э́тот клуб.

26. Пятьдеся́т словаре́й в библиоте́ке.
27. Шестьдеся́т ма́льчиков пою́т на конце́рте.
28. Се́мьдесят две де́вочки в э́той шко́ле.
29. Во́семьдесят три ма́льчика в клу́бе пионе́ров.
30. У нас девяно́сто пять книг.

31. Я купи́л сто одну́ кни́гу.
32. Мне со́рок три го́да.
33. Мое́й ма́тери шестьдеся́т пять лет.
34. Его́ отцу́ се́мьдесят четы́ре го́да.
35. Её до́чери шестна́дцать лет.

VOCABULARY

мать, ма́тери - mother (irreg. decl.)
жена́ - wife
дочь, до́чери - daughter (irreg. decl.)
до́лжен, -жно́, -жна́, -жны́ - must, is obliged to (with infin.)
ну́жен, -жно, -жна́, -жны́ - needed, is necessary
мо́жно - may, is permitted to (with infin.)
муж - husband
тут - here
жа́рко - hot
пионе́р - Pioneer
посеща́ть, IA - visit, attend
нельзя́ - not permitted, may not (with infin.)
со́рок - forty
пятьдеся́т - fifty
шестьдеся́т - sixty
се́мьдесят - seventy
во́семьдесят - eighty
девяно́сто - ninety
купи́ть, IIВл - buy (perfec. of покупа́ть)
сто - hundred

GRAMMAR

1. Мать and дочь are irregular in that they insert the syllable ер in inflected cases. They are otherwise declined exactly like the Special Feminine Soft declension:

	Singular		Plural	
Nom.	мат	ь	ма́тер	и
Gen.	ма́т	ери	матер	е́й
Dat.	"	ери	"	я́м
Acc.	"	ь	"	е́й
Instr.	"	ерью	"	я́ми (or ьми́)
Prep.	"	ери	"	я́х

2. Note expressions до́лжен and ну́жен. Both are used as predicate adjectives. However, до́лжен "must, be obliged" agrees with the subject in gender and number, but ну́жен "is necessary" agrees with what in English would be the object. In English we say: "I need a book," while in Russian we say: Мне нужна́ кни́га. До́лжен is often followed by an infinitive.

3. Мо́жно means "it is possible" and is followed by an infinitive. Нельзя́ means "it is not permitted," and is also followed by an infinitive.

4. See vocabulary for numbers from 40 to 100.

EXERCISES

I. Decline singular and plural: моя́ мать; на́ша дочь.

II. Count from 1 to 100.

III. Translate into Russian:

1. We have 56 pencils.
2. Children must sleep.
3. 100 books
4. 103 dictionaries
5. 104 girls
6. 105 boys
7. 107 comrades sing.
8. We cannot speak.
9. We need books.
10. We must study.
11. Mother is 42 years old.
12. Mother has 67 books.
13. 32 boys attend the club.
14. I can speak Russian.
15. May I speak Russian here?
16. No, it is not permitted.
17. We may not sing here.
18. The boys must study.
19. My daughters must sing.
20. I need a new dress.
21. Her husband is 45 years old.
22. My daughter is 16 years old.
23. The worker must help his comrade.
24. We are speaking about our mothers.
25. 44 girls are at the club.
26. Mother speaks with her daughters.
27. Father goes with mother to daughter's (house).
28. The teacher has 77 pupils.
29. She must prepare dinner.
30. Mother needs a new hat.

V. Use proper form of до́лжен or ну́жен in the following sentences:

1. Мой брат __________ учи́ться.
2. Мне __________ каранда́ш.
3. Нам __________ кни́ги.
4. Ма́тери __________ нам помога́ть.
5. Кто __________ занима́ться?

Пое́здка в Москву́

Семён и Пелаге́я колхо́зники. Они́ рабо́тают в колхо́зе. Они́ живу́т 186 киломе́тров от Москвы́. Они́ хотя́т пое́хать в Москву́ к ста́ршей до́чери, Ма́ше.

Ста́ршая дочь, Ма́ша, живёт в Москве́ с му́жем и с детьми́. У Ма́ши дво́е до́чек. Муж Ма́ши инжене́р. Он рабо́тает на электроста́нции, а Ма́ша рабо́тает на фа́брике. Когда́ она́ идёт на рабо́ту, она́ оставля́ет свои́х дете́й в я́слях. Её до́чки ма́ленькие - одно́й 3 го́да, а друго́й пять лет.

Семён и Пелаге́я о́чень хотя́т уви́деться с до́черью и с вну́чками. Они́ их ещё никогда́ не ви́дели.

Сын Семёна и Пелаге́и, Серге́й, пое́дет с отцо́м и с ма́терью в Москву́. Он никогда́ не был в Москве́ и ждёт с нетерпе́нием дня отъе́зда.

Наконе́ц пришёл день отъе́зда. Они́ прие́хали на ста́нцию, вошли́ в ваго́н по́езда и нашли́ свобо́дные места́. Серге́й смотре́л в окно́. Он ви́дел поля́, леса́, дере́вни. В по́езде бы́ло ве́село. Там была́ гру́ппа пионе́ров, кото́рые то́же е́хали в Москву́. Они́ пе́ли пионе́рские пе́сни. Серге́й пел с ни́ми.

VOCABULARY

пое́здка - trip
киломе́тр - kilometer
дво́е - (group of) two (fol. by gen. plur.)
электроста́нция - power plant
фа́брика - factory
оставля́ть, IA - leave
я́сли - crèche, nursery (plur. only)
уви́деться, IIB - meet with (perfec.)
вну́чка - grand-daughter

поéдет - will go (pres. perfec. with future meaning)
нетерпéние - impatience
отъéзд - departure
стáнция - station
вагóн - car (of train)
пóезд - train
грýппа - group
пионéрский - Pioneer (adj.)

ТРИДЦÁТЫЙ УРÓК - LESSON XXX

Adjectives in the Dative, Instrumental & Prepositional Plural

Neuters in -ие. Feminines in -ия Neuters Declined like и́мя

Read and translate:

1. На э́той у́лице есть большо́е зда́ние?
2. Нет, там нет большо́го зда́ния.
3. Солда́т подхо́дит к большо́му зда́нию.
4. Мы живём в э́том большо́м зда́нии.
5. В больши́х города́х нахо́дится мно́го зда́ний.

6. В Кра́сной а́рмии мно́го солда́т.
7. На ста́нции мно́го поездо́в.
8. Мы подхо́дим к ста́нции метро́.
9. Ста́нции метро́ о́чень краси́вые.
10. Эти зда́ния о́коло большо́й ста́нции желе́зной доро́ги.

11. Его́ и́мя Ми́ша, а фами́лия Петро́в.
12. Я ва́шего и́мени не по́мню, но по фами́лии ви́дно что вы ру́сский.
13. Я зна́ю ва́ше и́мя, а фами́лии не зна́ю.
14. Вот пионе́р, с кра́сным зна́менем в руке́.
15. На кра́сном зна́мени напи́сано: "Будь гото́в, всегда́ гото́в!"

16. Ах, каки́е тепе́рь интере́сные времена́!
17. Я таки́х интере́сных времён не по́мню.
18. Мы говори́м о таки́х интере́сных времена́х!
19. Мы подхо́дим к э́тим больши́м зда́ниям.
20. Вы ви́дите э́ти больши́е зда́ния?

21. Учи́тель говори́т но́вым ученика́м: "Сади́тесь, пожа́луйста!"
22. В э́тих зда́ниях живу́т ру́сские лю́ди.
23. Колхо́зник се́ет семена́.
24. В Африке нахо́дится мно́го ди́ких племён.
25. Ру́сская посло́вица: "От худо́го се́мени, не жди хоро́шего пле́мени."

VOCABULARY

зда́ние - building
солда́т - soldier (gen. plur.: солда́т)
а́рмия - army
ста́нция - station
по́езд - train (nom. plur. -а́)
метро́ - subway
желе́зная доро́га - railroad
и́мя, и́мени (neut.) - name
фами́лия - surname
ви́дно - evident
зна́мя, зна́мени (neut.) - banner (plur. знамёна, etc.)
напи́сано - written
будь гото́в, всегда́ гото́в! - be ready, always ready!
вре́мя, вре́мени (neut.) - time
сади́ться, IIB - sit down
се́ять, IA (irreg.) - sow (се́ю, се́ешь)
се́мя, се́мени (neut.) - seed
ди́кий - wild
пле́мя, пле́мени (neut.) - tribe, race, breed
худо́й - bad, thin

GRAMMAR

1. Adjectives, like nouns, have the same endings in the dative, instrumental and prepositional plural for all genders, and differ only in the vowel, which is either ы or и. The endings are: Dative: -ым (-им); Instrumental: -ыми (-ими); Prepositional: -ых (-их).

Examples of plural declension of nouns and adjectives:

	Hard				Soft			
N.	но́в	ые	ученик	и́	хоро́ш	ие	учител	я́
G.	"	ых	"	о́в	"	их	"	е́й
D.	"	ым	"	а́м	"	им	"	я́м
A.	"	ых	"	о́в	"	их	"	е́й
I.	"	ыми	"	а́ми	"	ими	"	я́ми
P.	"	ых	"	а́х	"	их	"	я́х

2. Feminine nouns in ия and neuter nouns in ие have some irregular endings. Feminines have the ending ии in the dative singular. Feminines and neuters both end in ии in the prepositional singular and in ий in the genitive plural.

Declension of nouns in ия and ие:

	ста́нция (fem.)		зда́ние (neut.)	
	Singular			
Nom.	ста́нц	ия	зда́н	ие
Gen.	"	ии	"	ия
Dat.	"	ии	"	ию
Acc.	"	ию	"	ие
Instr.	"	ией	"	ием
Prep.	"	ии	"	ии
	Plural			
Nom.	ста́нц	ии	зда́н	ия
Gen.	"	ий	"	ий
Dat.	"	иям	"	иям
Acc.	"	ии	"	ия
Instr.	"	иями	"	иями
Prep.	"	иях	"	иях

3. A group of neuter nouns ending in -мя has an entirely separate declension. The nouns in this lesson of this type are: вре́мя, и́мя, зна́мя, пле́мя, се́мя.

They are declined as follows:

	Singular		Plural	
Nom.	вре́м	я	врем	ена́
Gen.	"	ени	"	ён
Dat.	"	ени	"	ена́м
Acc.	"	я	"	ена́
Instr.	"	енем	"	ена́ми
Prep.	"	ени	"	ена́х

EXERCISES

I. Decline in full, singular and plural:

1. э́та ру́сская а́рмия
2. моя́ молода́я дочь
3. кра́сное зна́мя
4. ва́ше и́мя
5. э́то большо́е зда́ние

II. Fill in the blanks:

(a) Use singular forms.

1. Им___ мо_´__ сестр_´__ Ольга.
2. Я не зна́ю и́м___ ва́ш____ бра́т____.
3. Она́ зна́ет и́м___ мо_´___ до́ч_____.
4. На э́т___ зна́м____ ру́сские слова́.
5. Профе́ссор говор_´___ о ру́сск____ пле́м_____.

6. Он пришёл на ста́нц____ с ма́т_____.
7. Мы живём в э́т___ зда́н___.
8. По и́м____ ви́дно, что вы ру́сский.
9. Мы подхо́дим к зда́н____.
10. Он подхо́дит к две́р____ ста́нц____.

(b) Use plural forms.

1. Мы не зна́ем им_¨__ ва́ш____ но́в____ това́рищ____.
2. Я чита́л о но́в____ зда́н____ в кни́ге.
3. В го́роде мно́го зда́н____.
4. Орке́стр игра́ет мно́го ру́сск_____ симфо́н____.
5. Мы говори́м об интере́сн____ врем____´__ с учител_´___.

6. В э́т____ кни́г____ мно́го интере́сн____ вещ_´___.
7. На кра́сн____ зна́мен___ - э́т___ слова́.
8. Колхо́зник___ се́____ сем__´__.
9. В го́роде мно́го ста́нц____ желе́зн____ доро́г____.
10. На́ши ма́т____ говоря́т об им____´__ доч__´__.

III. Translate into Russian: (1. in singular, 2. in plural)

1. this Russian army
2. this beautiful building
3. of this interesting time
4. in this large building
5. near this station
6. about his name
7. in the Russian army
8. on the red banner

Как Серге́й провёл вре́мя в Москве́

Че́рез 3 часа́ они́ прие́хали в Москву́. Из окна́ ваго́на Серге́й ви́дел мно́го краси́вых домо́в, высо́ких зда́ний и больши́х заво́дов. Наконе́ц по́езд останови́лся. На платфо́рме стоя́ла Ма́ша с му́жем и с детьми́. Де́вочки бро́сились к Серге́ю, обня́ли и поце́ловали его́.

На друго́й день Серге́й встал ра́но. Был краси́вый день. Со́лнце све́тило я́рко. Сего́дня Пе́рвое ма́я. На Кра́сной пло́щади бу́дет пара́д.

Серге́й пошёл пешко́м на ста́нцию метро́. Како́й чуде́сный го́род Москва́! Каки́е высо́кие зда́ния, каки́е краси́вые пло́щади и па́рки! Как мно́го трамва́ев, авто́бусов и автомоби́лей!

Он вхо́дит в ста́нцию и берёт биле́т. Вот чуде́сная ле́стница. Лю́ди стоя́т на ней, а ле́стница сама́ несёт их вверх и вниз.

Внизу́ он ви́дит краси́вый све́тлый зал. Он ждёт мину́ты две. Из тонне́ля выхо́дит по́езд. Он вхо́дит в ваго́н, две́ри закрыва́ются и по́езд сно́ва вхо́дит в тонне́ль. Он сиди́т на мя́гком дива́не. В ваго́не чи́сто и светло́. Че́рез не́сколько мину́т он прие́хал на друго́й коне́ц го́рода и выхо́дит на Кра́сную пло́щадь.

VOCABULARY

провёл - spent
заво́д - factory
останови́ться, IIB л - stop (perfec.)
платфо́рма - platform
обня́ть, ID - embrace (perfec.)
целова́ть, ICd - kiss
свети́ть, IIB - shine
на друго́й день - next day
пара́д - parade
пешко́м - on foot
све́тлый - bright

чуде́сный - wonderful, splendid
ле́стница - stairway
вверх - up
вниз - down
внизу́ - downstairs
тонне́ль - tunnel
мину́ты две - about two minutes
сно́ва - again
мя́гкий - soft
светло́ - light
чи́сто - clean

ТРИ́ДЦАТЬ ПЕ́РВЫЙ УРО́К - LESSON XXXI

Review Lesson on
Pronouns, Nouns and Adjectives

I. Put proper pronoun in blank spaces to replace nouns:

1. (Де́ти) ____ говоря́т с (роди́телями) ____.
2. (Пе́тя) ___ идёт с (това́рищем) ____ в кино́.
3. (Ольга)____ хо́чет итти́ с (ма́терью) ____.
4. У (Ми́ши и Ольги) ____ мно́го книг.
5. (Това́рищи)____ у (Ми́ши и у Ольги) _____.
6. (Граждани́н Петро́в) ___ даёт (каранда́ш) ____ (ученику́) ____.
7. (Мы с до́черью) ____ говори́м о (Ната́ше) ____ и о (Ми́ше) ____.
8. У (мое́й ма́тери) ____ живу́т (учи́тель и учи́тельница) ____.
9. (Мой това́рищ)____ говори́т о (времена́х) ____ с (пионе́рами) ____.
10. (Роди́тели) _____ лю́бят (свои́х дете́й) ____.

II. Translate into Russian:

1. with us
2. to him
3. to them
4. about us
5. about them
6. to you (formal)
7. with me
8. with you (formal)
9. with you (fam.)
10. at their house
11. near us
12. for him

13. in it
14. with it
15. we have
16. to us
17. of us
18. with her
19. about him
20. in them
21. in you
22. in us
23. I go with them.
24. You go with him.
25. She speaks about them.

III. Give the following nouns in the required cases:

(Note: Nouns marked with [*] contract throughout declension; nouns marked [о] or [е] insert these vowels in the genitive plural. Nouns marked with [´] indicate change of accent in plural.)

A. Nominative plural:

1. и́мя ________
2. а́рмия ________
3. дочь ________
4. ме́сто [´] ________
5. день [*] ________
6. по́езд [´] ________
7. гость ________
8. дверь ________
9. мо́ре ________
10. зда́ние ________

B. Genitive plural:

1. окно́ [о́] ________
2. жизнь ________
3. трамва́й ________
4. това́рищ ________
5. ме́сто [´] ________
6. вре́мя [´] ________
7. зда́ние ________
8. мо́ре ________
9. дочь [´] ________
10. ста́нция ________

C. Dative plural:

1. дверь ________
2. тётя ________
3. и́мя [´] ________
4. мать ________
5. де́ти ________
6. учи́тель [´] ________

D. Accusative plural:

1. учи́тель ________
2. солда́т ________
3. ча́шка ________
4. мать ________
5. се́мя [´] ________
6. же́нщина ________
7. дере́вня ________
8. вре́мя ________

E. Instrumental plural:

1. дом ___________
2. вещь ___________
3. мо́ре ___________
4. зна́мя ___________
5. ло́шадь ___________
6. зда́ние ___________
7. дверь ___________
8. ме́сто ___________
9. мать ___________
10. де́ти ___________

F. Prepositional plural:

1. дере́вня ___________
2. пле́мя ___________
3. мо́ре ___________
4. а́рмия ___________
5. вещь ___________
6. вре́мя ___________

IV. Give appropriate adjective endings for:

A. 1. но́в___ дом
2. хоро́ш___ ма́льчик
3. втор___́ уро́к
4. си́н___ перо́
5. э́т___ се́мя
6. си́н___ каранда́ш
7. кра́сн___ зна́мя
8. откры́т___ дверь
9. хоро́ш___ учи́тельница
10. ру́сск___ рабо́чий

B. 1. ста́р___ учи́теля
2. хоро́ш___ рабо́чего
3. си́н___ пера́
4. си́н___ зна́мени
5. хоро́ш___ де́вочки
6. но́в___ шко́лы

C. 1. но́в___ до́му
2. э́т___ перу́
3. си́н___ мо́рю
4. холо́дн___ воде́
5. кото́р___ же́нщине
6. хоро́ш___ колхо́знику

D. 1. в но́в___ дом
2. в ста́р___ кни́гу
3. на интере́сн___ конце́рт
4. за э́т___ пальто́
5. Я ви́жу э́т___ учи́теля.
6. Я зна́ю ма́леньк___ де́вочку.

E. 1. хоро́ш___ перо́м
2. бе́л___ ме́лом
3. откры́т___ две́рью
4. си́н___ перо́м
5. с до́бр___ отцо́м
6. с до́бр___ ма́терью
7. со ста́р___ учи́телем
8. с хоро́ш___ до́черью
9. ру́сск___ сло́вом
10. с больш___́ ве́щью

F. 1. о но́в___ зда́нии
2. о но́в___ това́рище
3. об интере́сн___ времена́х
4. во втор___́ уро́ке

5. о до́бр___ ма́тери
6. на си́н___ мо́ре
7. в откры́т__ две́ри
8. в больш__́ столо́вой
9. о ру́сск___ рабо́чем
10. на больш___ столе́

G. 1. ста́р___ племена́
2. хоро́ш___ отцо́в
3. хоро́ш___ ученика́м
4. до́бр___ учителе́й
5. у ру́сск___ дам
6. к друг___ дочеря́м
7. ру́сск___ города́
8. о ста́р___ времена́х
9. с э́т___ же́нщинами
10. для э́т___ сестёр
11. в откры́т___ две́ри
12. на бе́л___ сте́нах
13. э́т____ пе́рьями
14. о́коло ру́сск___ школ

VOCABULARY REVIEW

I. List all words you can recall which deal with the school room.

II. List words which deal with the city.

III. List words which deal with articles of clothing.

IV. List words which deal with parts of the body.

V. List all the words you know which deal with members of the family.

VI. Write an essay on one of these topics:

The City
My School
My Class in Russian
How I Spend My Day

* *

Стихи́

1.) Метро́

Есть така́я ле́стница
Плывёт и не кача́ется
Течёт и не конча́ется

Есть таки́е две́ри
Лишь по́езд отправля́ется
Са́ми закрыва́ются

Где ж тако́е чу́до?
- На метро́!

* * *

2.) Апре́льский дождь

До́ждик, до́ждик,
Что ты льёшь,
Погуля́ть нам не даёшь?

Я водо́ю дождево́ю
Зе́млю мо́ю
мо́ю, мо́ю.

Мо́ю о́кна
Мо́ю кры́шу
Мо́ю у́лицу
и двор.

И наш до́мик умыва́ю
и дере́вья
и цветы́.

Что́бы бы́ли
к первома́ю
Все умы́ты
и чисты́.

VOCABULARY

плывёт - floats
  плыть, ID - (infin.)
  (плыву́, плывёшь)
течёт - flows
  течь, IBк - (infin.)
  (теку́, течёшь)
лишь - scarcely
отправля́ться, IA - start off
чу́до - miracle
до́ждик - little rain
дождево́й - rain (adj.)
  дождево́ю - (alt. instr. case)
земля́ - earth, land
кры́ша - roof
двор - yard, court-yard
умыва́ть, IA - wash
первома́й - first of May
умы́т - washed (adj.)
чисты́ - clean (adj.)

ТРИ́ДЦАТЬ ВТОРО́Й УРО́К - LESSON XXXII

Some Double Imperfective Verbs
Verbs with Irregularities in the Past Tense

Read and translate:

1. Сего́дня у́тром Ми́ша шёл пешко́м на рабо́ту.
2. Всё шло хорошо́ на фа́брике.
3. Де́ти шли в шко́лу, когда́ я их ви́дела.
4. Я хочу́ пойти́ в шко́лу с ва́ми.
5. Мы хоти́м пое́хать в Сове́тский Сою́з.

6. Я пое́хал в Сове́тский Сою́з парохо́дом.
7. Мы е́здили ка́ждое ле́то в дере́вню.
8. Я е́зжу ка́ждое у́тро на рабо́ту.
9. Я всегда́ несу́ поку́пки домо́й.
10. Гражда́нка Но́викова но́сит но́вую шля́пу.

11. Я принёс поку́пки домо́й.
12. Гражда́нка Но́викова носи́ла но́вую шля́пу.
13. Мы везём ве́щи на ста́нцию.
14. Мы во́зим това́рищей ка́ждый день на рабо́ту.
15. Де́душка привёз мне ку́клу из Пари́жа.

16. Мы вози́ли дете́й на автомоби́ле.
17. Я хочу́ носи́ть бе́лое пла́тье.
18. Он хо́чет сам нести́ свои́ поку́пки.
19. Ба́бушка нам принесла́ конфе́ты.
20. Ба́бушка прие́хала к нам в го́сти.

21. Все должны́ умере́ть.
22. Мой де́душка у́мер год тому́ наза́д.
23. Моя́ ба́бушка ещё не умерла́.
24. Ми́ша съел сли́шком мно́го конфе́т.
25. Мы все пое́ли и пошли́ в кино́.

26. Нельзя́ класть э́ти ве́щи на по́л.
27. Ма́льчик всегда́ клал де́ньги в карма́н.
28. Я не хочу́ упа́сть; помоги́те мне, пожа́луйста.
29. Ма́льчик упа́л со сту́ла и запла́кал.
30. Я рад, что мог сде́лать э́то для вас.

31. Я уста́ла; мне хо́чется лечь.
32. Вчера́ мы легли́ ра́но спать.
33. Где мои́ де́ньги? Они́ исче́зли.
34. Стари́к исче́з. Я не могу́ его́ найти́.
35. Же́нщина исче́зла на не́сколько дней.

VOCABULARY

пешко́м - on foot
фа́брика - factory
пойти́ - go (perfec.)
парохо́дом - by steamship
принести́ - bring (perfec.)
везти́ - bring on a vehicle
привезти́ - (perfec.)
вози́ть - bring on a vehicle
де́душка - grandfather
умере́ть, ID - die (perfec.)
умру́, умрёшь - (pres. tense)
год тому́ наза́д - a year ago

де́ньги - money (plur. only) (gen. plur.: де́нег)
карма́н - pocket
конфе́ты - sweets, candy
в го́сти - visiting (id. with гость)
упа́сть, ID - fall (perfec.)
упаду́, упадёшь - (pres. tense)
запла́кать, IB - begin to cry

помоги́те - help (impera. of помо́чь)
лечь, ID - lie down (perfec.)
ля́гу, ля́жешь -(present tense)
лёг, легла́, легли́ - (past tense)
исче́знуть, ID - disappear (perfec.)
исче́з - (past tense)

GRAMMAR

1. There are other verbs besides итти́ and ходи́ть which indicate two ways or degrees of going. One is е́хать, which has a form е́здить to indicate "continuing to ride." These forms, indicating repeated action, are sometimes called "iteratives," whereas imperfective verbs meaning "going once" may be called "duratives."

   Another verb of this type is везти́ which means "to convey by a vehicle," and which has a corresponding form, вози́ть, which is an iterative.

2. The verbs нести́ and носи́ть have a similar relationship.

3. There are similarities in the types of conjugations in these two types of verbs:

Durative	Iterative
1. итти́ (go) ID	ходи́ть (keep going) IIB
я иду́ ты идёшь etc.	хожу́ хо́дишь etc.
2. е́хать (ride) ID	е́здить (keep riding) IIB
я е́ду ты е́дешь etc.	е́зжу е́здишь etc.

3. везти́ (convey) ID — вози́ть (keep conveying) IIB

я везу́ — вожу́
ты везёшь — во́зишь
etc. — etc.

4. нести́ (carry) ID — носи́ть (keep carrying, wear) IIB

я несу́ — ношу́
ты несёшь — но́сишь
etc. — etc.

These verbs can be compounded with prefixes. The duratives then become perfectives. (See Lesson XXXVII.)

4. Though the past tense of most verbs is formed regularly, a few important verbs have irregularities:

a. The past tense of итти́ is шёл, шла, etc.

b. Verbs with an infinitive ending in стъ or ти́ lose these infinitive endings in the past tense. Those in стъ cut off the ending and add л, ло, ла, ли to the root. Those ending in ти́ have no ending in the masculine but add ло, ла, ли for the other genders.

Thus, класть becomes клал and есть becomes ел, whereas нести́ becomes нёс and везти́ becomes вёз.

c. One group of verbs with р in the stem, like умере́ть, drop the infinitive ending in the past tense, i.e.: умере́ть becomes у́мер, умерла́, у́мерли.

d. In IBГ verbs the г is retained in the past tense. Thus the verb мочь becomes мог, могло́, могла́, могли́; and лечь becomes лёг, легло́, легла́, легли́.

e. Some verbs with infinitives in нуть lose this suffix in the past tense: исче́знуть "disappear" becomes исче́з, исче́зло, исче́зла, исче́зли. Verbs of this type are perfective.

EXERCISES

I. Conjugate the following verbs in the present, past and future:

есть, класть, нести́, везти́, вози́ть,
итти́, мочь, носи́ть, е́хать, е́здить.

II. Use the proper forms of the verbs in brackets in the past tense:

1. [итти́] Я ______ на рабо́ту.
2. ["] Де́ти ______ в шко́лу.
3. [есть] Моя́ мать ______ о́чень ма́ло.
4. ["] Мой оте́ц ______ мно́го.
5. [класть] Ма́ма ______ ве́щи в шкаф.

6. [находи́ться] Она́ ______ ча́сто в го́роде.
7. [принести́] Почему́ ма́льчик нам не ______ газе́ты?
8. [носи́ть] Почему́ граждани́н К. не ______ перча́ток?
9. [быть] Всё ______ хорошо́.
10. [мочь] Де́душка не ______ шить.

11. ["] Они́ не ______ писа́ть без карандаша́.
12. [е́хать] Мы ______ на трамва́е.
13. [е́здить] Ба́бушка ______ ча́сто к до́чери.
14. ["] Де́душка ______ ка́ждый день на рабо́ту.
15. [привезти́] Кто ______ вам э́ти фру́кты?

16. [лечь] Со́ня ______ на дива́н.
17. [привезти́] Они́ ______ нам но́вые кни́ги.
18. [вози́ть] Де́душка ______ его́ на автомоби́ле.
19. ["] Ба́бушка ______ де́вочку домо́й.
20. ["] Мы их всегда́ ______ домо́й.

21. [умере́ть] Когда́ ваш оте́ц ______?
22. [упа́сть] Де́вочка ______ со сту́ла.
23. [пойти́] Мы ______ в го́сти.
24. [съесть] Медве́дь ______ я́блоко.
25. [принести́] Ба́бушка ______ нам конфе́т.

III. Give required forms of the following verbs in the present:

	я	они́	вы	он
1. [итти́]	______	______	______	______
2. [е́хать]	______	______	______	______
3. [е́здить]	______	______	______	______
4. [есть]	______	______	______	______
5. [мочь]	______	______	______	______

	я	они́	вы	он
6. [вози́ть]	________	________	________	________
7. [везти́]	________	________	________	________
8. [нести́]	________	________	________	________
9. [носи́ть]	________	________	________	________
10. [класть]	________	________	________	________

Два това́рища

Два това́рища шли по́ лесу и встре́тили большо́го медве́дя.

Оди́н из това́рищей убежа́л и бы́стро влез на де́рево. А друго́й оста́лся на доро́ге. Медве́дь шёл пря́мо на него́. Ему́ оста́лось одно́: упа́сть на доро́гу и лежа́ть как мёртвый. Он и сде́лал.

Медве́дь подошёл и стал обню́хивать челове́ка. А челове́к всё лежи́т, как мёртвый. Поню́хал-поню́хал медве́дь его́ лицо́ и наконе́ц ушёл. Он ду́мал, что челове́к действи́тельно у́мер.

Когда́ медве́дь ушёл, пе́рвый това́рищ слез с де́рева, засмея́лся и спроси́л:
"Что медве́дь говори́л тебе́ на́ ухо?"

Второ́й отве́тил:
"Медве́дь сказа́л мне, что плохи́ те лю́ди, кото́рые в беде́ броса́ют свои́х това́рищей."

* * *

Пу́дель

Стару́шка и пу́дель
Смотре́ли в окно́,
Но ско́ро на у́лице
Ста́ло темно́.

Стару́шка спроси́ла:
"Что де́лать, мой пёс?"
А пу́дель поду́мал--
И спи́чки принёс.

Одна́жды стару́шка
Отпра́вилась в лес,
Прихо́дит обра́тно--
А пу́дель исче́з.

Иска́ла стару́шка
Четы́рнадцать дней,
А пу́дель по ко́мнате
Бе́гал за ней.

VOCABULARY

влезть, ID - climb up (perfec.)
пря́мо - directly
мёртвый - dead
подойти́, ID - go up to (perfec.)
обню́хивать, IA - smell around, sniff at
лицо́ - face
поню́хать, IA - smell, sniff at (perfec.)
действи́тельно - really
слезть, ID - climb down (perfec.)

броса́ть, IA - throw, abandon, leave
те - those
стару́шка - little old lady
пу́дель - poodle
ско́ро - soon
темно́ - dark
пёс - dog
спи́чка - match
отпра́виться, IIВл - depart, leave (perfec.)
обра́тно - back (adv.)
бе́гать, IA - run (iterative form)

ТРИ́ДЦАТЬ ТРЕ́ТИЙ УРОК - LESSON XXXIII

Review of the Past Perfective

Read and translate sentences below, showing by your translation why the verbs, with only two exceptions, are perfective:

1. Я купи́л всё, что мне ну́жно бы́ло.
2. Сего́дня я встре́тил това́рища.
3. Ната́ша изучи́ла пе́сню и спе́ла её в шко́ле.
4. Я почита́ла немно́го.
5. Серге́й прочёл письмо́ и положи́л его́ на стол.

6. Вчера́ у́тром я встал ра́но.
7. Мы вы́пили стака́н молока́.
8. Я уви́дел своего́ това́рища в па́рке.
9. Ольга посмотре́ла на него́ и засмея́лась.
10. Мы погуля́ли в лесу́.

11. Ско́лько вы заплати́ли за дом?
12. Ма́льчик взял ша́пку и ушёл.
13. Учи́тель объясни́л нам уро́к.
14. Ната́ша сде́лала э́то для меня́.
15. Она́ помогла́ ма́тери помы́ть посу́ду.

16. Та́ня поза́втракала, и уе́хала в институ́т.
17. Де́вочка съе́ла всю ка́шу.
18. Мне о́чень захоте́лось есть.
19. Вдруг они́ нашли́сь о́коло реки́.
20. Я нашёл рубль на у́лице.

21. Па́па закры́л дверь, потому́ что шёл дождь.
22. Челове́к дал ма́льчику три копе́йки.
23. Де́вочка се́ла на стул. Пото́м она́ легла́ на крова́ть.
24. Мы постоя́ли не́сколько мину́т о́коло до́ма.
25. Мы бы́стро пое́ли, и пое́хали в теа́тр.

VOCABULARY

(Note: Only verbs differing so radically from the imperfective that they are difficult to recognize, will be given as new words in this lesson. For the present tense of ID verbs, see Lesson XXXV.)

изучи́ть, IIA - learn (perfec.)
спеть, ICo - sing (perfec.)
почита́ть, IA - read a little (perfec.)
немно́го - a little
проче́сть, ID - read through (perfec.)
положи́ть, IIA - place (perfec. of класть)
встать, ID - get up (perfec. of встава́ть)
посмотре́ть, IIA - look (perfec.)
засмея́ться, IA (irreg.) - (begin to) laugh (perfec.)
взять, ID - take (perfec. of брать)
найти(сь) - find (perfec. of находи́ть[ся])
вдруг - suddenly
закры́ть, ID - close (perfec. of закрыва́ть)
дать, irreg. - give (perfec. of дава́ть)
сесть, ID - sit down (perfec. of сади́ться)
постоя́ть, IIA - stand (perfec.)
не́сколько - a few (with gen.)
мину́та - minute

GRAMMAR

1. Reread discussion of the perfective in Lesson XIV. This lesson is a review of Lesson XIV and merely introduces more perfective verbs in the past. With the exception of the verbs listed in the vocabulary above, they are all verbs that have already occurred in the grammar.

EXERCISES

I. List the corresponding imperfective verbs for the perfectives appearing in the Reading Section.

II. Analyze the ways in which the perfectives are made from the imperfectives.

III. Translate the sentences below into Russian, indicating that you know which aspect is called for.

1. The girl sang the song very well.
2. She told me that she had seen him.
3. I went to the theatre last evening.
4. I was sitting and reading a book when he came.
5. I learned the fifth lesson very well.

6. We ate our breakfast and went to school.
7. About what were you talking with your comrade?
8. I bought some books for (my) brother.
9. He read the whole book through.
10. I got up very early yesterday, but usually I get up late.

11. The man met a bear in the woods.
12. I often pay one rouble for tickets, but yesterday I paid two.
13. The little girl (started to) laugh.
14. Did you help your mother yesterday, Natasha?
15. Why did you eat all the candy, Peter?

16. Grandfather sat down in the armchair.
17. The children drank all the milk.
18. I left for the university at 9 o'clock.
19. I often looked at him.
20. Yesterday, when I looked at him, he saw me.

Снегу́рочка
(Наро́дная ска́зка)

Жил-был стари́к со стару́хой. У них не бы́ло ни сы́на, ни до́чери. Им бы́ло ску́чно.

Пришла́ зима́. На у́лице па́дал снег. Де́ти вы́бежали на у́лицу игра́ть; бе́гали, крича́ли и ста́ли де́лать снегову́ю ба́бу.

"--Пойти́ бы и нам, жена́, да сде́лать себе́ ба́бу," говори́т стари́к.

"Что же, пойдём. То́лько на что нам нужна́ ба́ба? Сде́лаем лу́чше де́вочку из сне́га, так как Бог живо́й до́чери не дал."

"--Ну что же, пойдём," отве́тил стари́к.

Вы́шли они́ на у́лицу и ста́ли де́лать де́вочку из сне́га. Сде́лали те́ло с рука́ми и с нога́ми. Приде́лали го́лову. Сде́лали нос, сде́лали вме́сто глаз две я́мочки. Но когда́ стари́к стал де́лать рот, ему́ вдруг показа́лось, что де́вочка смо́трит на него́. Из я́мочек смо́трят чёрные глаза́. Гу́бы улыба́ются.

"Ах, стари́к, смотри́, смотри́," говори́т стару́ха. "Бог присла́л нам дочь - Снегу́рочку." Она́, в са́мом де́ле, жива́я де́вочка. Они́ бро́сились обнима́ть и целова́ть до́чку, Снегу́рочку.

VOCABULARY

Снегу́рочка - Snow maiden
наро́дный - folk
ска́зка - tale
стару́ха - old woman
па́дать, IA - fall
вы́бежать, irreg. - run out (perfec.)
снегова́я ба́ба - snow man (woman)
пойти́ бы и нам - let's go too (id.)
да - and
себе́ - oneself
что же - why not
пойдём - let's go
лу́чше - better
так как - since, as
Бог - God
живо́й - living, alive
те́ло - body
приде́лать, IA - add to, join to (perfec.)
вме́сто - in place of (with gen.)
я́мочка - little hole, pit, dimple
улыба́ться, IA - smile
присла́ть, IB (irreg.) - send (perfec.) пришлю́, пришлёшь
в са́мом де́ле - in fact
обнима́ть, IA - embrace

ТРИ́ДЦАТЬ ЧЕТВЁРТЫЙ УРО́К - LESSON XXXIV

The Perfective Present (Future Perfective)

Read and analyze verbs:

1. Я иду́ в шко́лу.

   За́втра я пойду́ в шко́лу.
   I shall go to school tomorrow.

2. Я говорю́: "До́брый ве́чер."

   Я скажу́: "До́брый ве́чер."
   I shall say: "Good evening."

3. Я говорю́ с ним.

   Я поговорю́ с ним.
   I shall have a talk with him.

4. Мы бу́дем покупа́ть мно́го веще́й в магази́не.

   Мы ку́пим мно́го веще́й в магази́не.
   We shall buy many things in the store.

5. Он спра́шивает учи́теля: "Кото́рый час?"

   Он спро́сит учи́теля: "Кото́рый час?"
   He will ask the teacher: "What time is it?"

6. Я пишу́ письмо́ ка́ждый день.
   Я бу́ду писа́ть пи́сьма ка́ждый день.

   Я напишу́ письмо́ за́втра.
   I shall write a letter tomorrow.

7. Он открыва́ет окно́.

   Он откро́ет окно́.
   He will open the window.

8. Она́ де́лает э́то для вас.
Она́ бу́дет де́лать э́то ча́сто.

Она́ сде́лает э́то для вас.
She will do this for you.

9. Они́ мо́гут э́то де́лать.

Они́ смо́гут э́то сде́лать.
They will be able to do this (accomplish this).

10. Они́ смо́трят на нас.

Они́ посмо́трят на нас.
They will look at us.

11. Сего́дня я е́ду в го́род на трамва́е.

За́втра у́тром я пое́ду в го́род.
Tomorrow morning I shall go (ride) to the city.

12. Мы пьём ко́фе.
Мы бу́дем пить ко́фе.

Мы вы́пьем ча́шку ко́фе и уйдём на рабо́ту.
We shall drink a cup of coffee and leave for work.

13. Моя́ подру́га сиди́т у нас в до́ме.
Она́ бу́дет сиде́ть у нас весь день.

Моя́ подру́га посиди́т у нас полчаса́.
My friend will sit at our house for a half-hour.

14. Я стою́ на у́лице и жду бра́та.
Я бу́ду стоя́ть на у́лице и ждать бра́та.

Я постою́ на у́лице и подожду́ бра́та.
I shall stand in the street a while and wait for my brother (till he comes).

15. Де́ти едя́т ка́шу.
Де́ти бу́дут есть ка́шу.

Де́ти съедя́т ка́шу.
The children will eat (and finish) their cereal.

16. Мать мо́ет посу́ду.

Мать вы́моет посу́ду и пойдёт в кино́.
Mother will wash the dishes and go to the movies.

17. Я ви́жу това́рищей в кино́.

Я уви́жу това́рищей в кино́.
I shall see my comrades at the movies.

18. Я чита́ю журна́л.

Я почита́ю журна́л.
I shall read the magazine (a little).

Я прочту́ письмо́.
I shall read the letter (through).

19. Я покупа́ю перча́тки в магази́не.

Я куплю́ перча́тки в магази́не.
I shall buy gloves in the store.

20. Мы встреча́ем това́рища в клу́бе.

Мы встре́тим това́рища в клу́бе за́втра.
We shall meet our comrade at the club tomorrow.

VOCABULARY

(Note: Perfectives formed by adding prefixes to imperfective forms already known will not be included as new vocabulary. Verbs not marked (perfec.) are imperfective.)

спроси́ть, IIB - ask (perfec.)
быва́ть, IA - be often, frequent
уви́деть, IIB - see (perfec.)

проче́сть, ID - read through (perfec.) (прочту́, прочтёшь, etc.) (past tense: прочёл, прочла́, прочли́)

GRAMMAR

Verbs in the perfective present look like any other verbs in the present tense. However, the present tense of perfective verbs has future meaning. In fact, Russian grammarians call this the "future perfective" or "simple future." The perfective future differs from the imperfective future in that it anticipates the end of the action. If we say: я бу́ду писа́ть we mean "I shall be (in the process of) writing." If we say: я напишу́ we mean "I shall write (and complete whatever I am writing)."

To the Russian, a perfective verb cannot have present meaning, because whatever is going on in the present is not complete and hence not perfective.

We have learned the infinitives and past tense of many perfective verbs in preceding lessons. These same verbs, when they appear with present tense endings, have future meaning. A few imperfective verbs have no corresponding perfective verb.

EXERCISES

I. Analyze the ways in which the perfectives are formed in the reading exercise.

II. Conjugate and translate the following verbs in the present perfective:

откры́ть, смочь, постоя́ть, купи́ть, пое́хать,
спроси́ть, спеть, посиде́ть, вы́пить, съесть.

III. Translate the following phrases into Russian:

1. I shall buy
2. she bought
3. they were buying
4. Why did he ask?
5. He will wait for us.
6. I'll be there tomorrow.
7. I shall be able to buy.
8. She looked at us and left.
9. He will meet you tomorrow.
10. I'll write you a letter.
11. When did you do this?
12. We shall drink a glass of water.
13. Mother will open the window.
14. They will go (ride) to the country tomorrow.
15. Mother drank her tea quickly.
16. We shall see you at the movies.
17. I have been (was) writing three hours.
18. When will you go to the park?
19. Who will wash the dishes?
20. Who will buy the tickets?

21. I'll read the book tomorrow.
22. She will tell us when she will go.
23. We shall not be able to do it.
24. She will wash the dishes for mother.
25. We frequently are at concerts.

Снегу́рочка
(Продолже́ние)

Растёт Снегу́рочка, не по дням, а по часа́м. И всё стано́вится краси́вее. Така́я она́ у́мница и така́я она́ до́брая!

Стари́к и стару́ха жи́ли всю зи́му с до́черью. Но прошла́ зима́. Ста́ло тепле́е. Снегу́рочка ста́ла скучна́ и всё пря́талась от со́лнца.

Раз собрали́сь де́вушки гуля́ть, и говоря́т Снегу́рочке: "Снегу́рочка, иди́ с на́ми гуля́ть."

Пошли́ они́ в лес, там собира́ли цветы́, грибы́, пе́ли пе́сни, танцова́ли. А ве́чером разложи́ли костёр и взду́мали игру́ - ка́ждая должна́ пры́гнуть че́рез ого́нь.

"Смотри́ же," говоря́т де́вушки Снегу́рочке. "Ты должна́ пры́гать с на́ми." Ка́ждая де́вушка спе́ла пе́сню и пры́гнула че́рез ого́нь.

Пры́гнула и Снегу́рочка. Вдруг послы́шался ужа́сный крик. Смо́трят, - Снегу́рочки нет. А на ме́сте Снегу́рочки ви́дят то́лько лёгкий пар, кото́рый поднима́ется в не́бо.

VOCABULARY

расти́, ID - grow
  расту́, -ёшь - (pres.)
станови́ться, IIBл - become
краси́вее - prettier (compar. of краси́вый)
у́мница - wise, clever person
тепле́е - warmer (compar. of тепло́)
пря́таться, IB - hide
де́вушка - young girl, maiden
собра́ться, ID - get together, get ready to go (perfec.)
разложи́ть костёр - build a campfire
пры́гать, IA - jump
  пры́гнуть, ID - (perfec.)
че́рез - over, across (with acc.)
ого́нь, огня́ - fire

послы́шаться, IIA - be heard
ужа́сный - terrible
крик - cry
пар - steam

ТРИ́ДЦАТЬ ПЯ́ТЫЙ УРО́К - LESSON XXXV

Unusual Verb Forms in the Perfective Present
Perfective Infinitives and Imperatives

Read and translate:

1. Я вам дам но́вые перча́тки и шля́пу.
2. Де́душка мне даст но́вую ку́клу.
3. Мы вам дади́м пое́сть.
4. Ма́ша и Ольга даду́т нам мно́го веще́й.
5. Я зна́ю, что вы мне всё дади́те.

6. Я беру́ э́ти кни́ги с собо́й.
7. Куда́ ты берёшь э́ти ве́щи, Ка́тя?
8. "Я их не беру́," отве́тила Ка́тя.
9. Я хочу́ взять э́ти кни́ги домо́й.
10. Я их возьму́ в шко́лу.

11. Ма́льчик возьмёт э́ти газе́ты.
12. Мы возьмём их к учи́телю.
13. Дай мне э́ти карандаши́, Ка́тя!
14. "Я не дам, возьми́ их сама́! сказа́ла Ка́тя.
15. Они́ возьму́т всё, что мы им дади́м.

16. Пожа́луйста, возьми́те всё!
17. Я за́втра хочу́ встать ра́но.
18. Я вста́ну ра́но, потому́ что я до́лжен рабо́тать.
19. Мы все вста́нем ра́но в пя́тницу, а в суббо́ту мы вста́нем по́здно.
20. Его́ невозмо́жно поня́ть.

21. Я не зна́ю, пойму́ ли я всё и́ли нет.
22. Если вы меня́ не поймёте, я повторю́.
23. Мы их не по́няли.
24. Он всё поймёт, е́сли вы всё напи́шете.
25. Я хочу́ купи́ть э́ту кни́гу.

26. Она́ всегда́ хо́чет покупа́ть но́вые пла́тья.
27. Я до́лжен поня́ть уро́к сего́дня, потому́ что за́втра бу́дет экза́мен.
28. Бери́те кни́ги ча́сто в библиоте́ке!
29. Возьми́те, пожа́луйста, э́ту кни́гу.
30. Откро́йте окно́, пожа́луйста!

VOCABULARY

(See Grammar #1 for forms of ID and irregular verbs)

встать, ID - get up (perfec.)
поня́ть, ID - understand (perfec.)
собо́й - with oneself (instr. of себя́)
суббо́та - Saturday
сам, сама́, са́ми - self (emphatic pronoun)
невозмо́жно - it is impossible
повтори́ть, IIA - repeat (perfec.)

GRAMMAR

1. Many of the perfective verbs belong to class ID, that is, they have <u>у</u> and <u>ут</u> in the first person singular and third person plural respectively, not for phonetic reasons, and are formed unpredictably from the infinitive. In this lesson the following are either irregular or ID:

1) дать, irreg. - give (perfec.)

я дам	мы дади́м
ты дашь	вы дади́те
он даст	они́ даду́т

2) встать, ID - get up (perfec.)

я вста́ну, ты вста́нешь, он вста́нет, etc.

3) взять, ID - take (perfec.)

я возьму́, ты возьмёшь, он возьмёт, etc.

4) проче́сть, ID - read through (perfec.)

я прочту́, ты прочтёшь, он прочтёт, etc.

5) поня́ть, ID - understand (perfec.)

я пойму́, ты поймёшь, он поймёт, etc.

2. Встать is one of a group of perfective verbs, all of which are conjugated alike. Others are: стать, "stop, begin, become"; перестáть, "cease"; устáть, "get tired"; отстáть, "lag behind," etc.

3. There are other perfective verbs like поня́ть. Some are: заня́ть, "occupy"; приня́ть (при́му, при́мешь) "receive"; наня́ть, "rent, hire"; and отня́ть (отни́му, отни́мешь), "take away."

4. Perfective verbs may be used in the imperative or infinitive to express a single act. Thus: я хочу́ писáть means "I want to keep on writing;" but я хочу́ написáть means "I want to write (once)." Пиши́те means "keep writing," but напиши́те means "write (and finish)."

EXERCISES

I. Translate into English, give aspect of each verb and reason for its use:

1. Зáвтра мы поéдем к бáбушке.
2. Вчерá они́ поéхали в гóрод.
3. Скажи́те, смóжете ли вы э́то сдéлать.
4. Я э́то сдéлал для вас.
5. Мы поговори́м с учи́телем, когдá он придёт.

6. Дéдушка дал нам мнóго конфéт.
7. Кто даст мне э́ти фру́кты?
8. Мы вам дади́м всё, что вы хоти́те.
9. Он взял всё, что мáльчик ему́ дал.
10. Моя́ мать сказáла: "Возьми́ э́ти сли́вы к бáбушке."

11. "Мы вам всё дади́м зáвтра," сказáла учи́тельница.
12. Я кáждый день даю́ урóки, но зáвтра я урóков не дам.
13. Я всегдá беру́ кни́ги в библиотéке, но вчерá я их не взял.
14. Дя́дя мне написáл письмó, но я ему́ не отвéчу.
15. Зáвтра я встáну рáно. Я не люблю́ вставáть рáно.

16. По́сле того́, как пое́м, я пойду́ с ва́ми в парк.
17. Со́ня лю́бит петь. Она́ хо́чет спеть то́лько одну́ пе́сню.
18. Когда́ я бу́ду в кни́жном магази́не, я куплю́ газе́ту.
19. Когда́ я уйду́, я закро́ю дверь.
20. Я поняла́ всё, что он сказа́л.

21. Если я не пойму́ его́ ре́чи, я вам дам знать.
22. Занима́йте, пожа́луйста, всегда́ э́то ме́сто.
23. Откро́йте окно́, пожа́луйста; мне жа́рко.
24. Вчера́ он за́нял э́то ме́сто; а сего́дня займёт друго́е.
25. Мы пое́ли и пошли́ гуля́ть.

26. Я посижу́ с ба́бушкой сего́дня.
27. "Возьми́ э́ту книгу," сказа́л мой това́рищ.
28. Что сего́дня даду́т к за́втраку?
29. До́ктор при́нял граждани́на Ива́нова.
30. Я куплю́ пла́тье и перча́тки в магази́не.

II. Conjugate and give meanings of the following verbs:

1. дать
2. откры́ть
3. взять
4. сказа́ть
5. пое́сть
6. поня́ть
7. встать
8. приня́ть
9. купи́ть
10. заня́ть
11. стать
12. проче́сть
13. съесть
14. переста́ть
15. наня́ть

III. Translate into Russian:

1. Write me a letter.
2. Always write slowly.
3. They gave me a present.
4. I read the letter through.
5. Tell (me) what you want.
6. He will give me a present.
7. I got up late yesterday.
8. Take this book, please.
9. I never understand him.
10. I often write letters.
11. I did not understand that lesson.
12. At what time did you get up this morning?
13. We bought the tickets at the station.
14. They always buy magazines and newspapers in the book-store.
15. I rode for half an hour yesterday.

16. What will you buy in the store?
17. We shall always get up late in the summer.
18. I shall ride on the street-car to the theatre.
19. I want to take this newspaper to my father.
20. They will give this apple to us.

Бага́ж
(-Маршак-)

Да́ма сдала́ в бага́ж:
Дива́н
Чемода́н
Саквоя́ж
Карти́ну
Корзи́ну
Карто́нку
И ма́ленькую собачо́нку.

Вы́дали да́ме на ста́нции
Четы́ре зелёных квита́нции
О том, что полу́чен бага́ж:
Дива́н
Чемода́н
Саквоя́ж
Карти́на
Корзи́на
Карто́нка
И ма́ленькая собачо́нка.

Ве́щи везу́т на перро́н
Кида́ют в откры́тый ваго́н
Гото́во: уло́жен бага́ж--
Дива́н
Чемода́н
Саквоя́ж
Карти́на
Корзи́на
Карто́нка
И ма́ленькая собачо́нка.

Но то́лько разда́лся звоно́к
Удра́л из ваго́на щено́к.

Схватились на станции Дно:
Потеряно место одно!
В испуге считают багаж:

Диван
Чемодан
Саквояж
Картина
Корзина
Картонка

--Товарищи. Где собачонка?

VOCABULARY

дама - lady
сдать, irreg. - give, check (baggage) (perfec.)
багаж - baggage
чемодан - suit case
саквояж - travelling case
корзина - basket
картонка - carton
собачонка - little dog
зелёный - green
квитанция - receipt
получен - received
перрон - platform (of a railroad station)
кидать, IA - throw, heave
уложен - put away
раздаться, irreg. - be heard (perfec.)
звонок - bell
удрать, ID - run away (perfec.)
щенок - pup
схватиться, IIB - realize, catch on
Дно - Dno (a town)
потеряно - lost
место - place, piece of baggage
испуг - fright

ТРИДЦАТЬ ШЕСТОЙ УРОК - LESSON XXXVI

The Perfective of Verbs with Two Imperfective Forms
Imperfectives Formed from Verbs with Prefixes

Read and translate:

1. Я хожу в город. Я иду в город.
2. Я прихожу в город. Я приду в город.
3. Город находится около реки.
4. Мы найдём улицу, где он живёт.
5. Мы находились часто в городе.

6. Я э́то нашёл. Он там нашёлся.
7. Она́ но́сит но́вое пла́тье. Она́ несёт кни́ги домо́й.
8. Он всегда́ прино́сит нам конфе́ты.
9. Па́па нам всё принесёт.
10. Он всегда́ произно́сит ре́чи. Де́душка произнесёт речь.

11. Он произноси́л э́ти слова́. Он произнёс э́то сло́во.
12. Де́ти лю́бят е́здить ча́сто в парк.
13. Я не е́зжу на рабо́ту - я хожу́.
14. Ма́ма везёт меня́ домо́й. Она́ меня́ привезёт за́втра.
15. Она́ приезжа́ет ча́сто в го́род. Она́ прие́дет за́втра.

16. Мы уезжа́ем ка́ждое ле́то в дере́вню. Я уе́ду за́втра.
17. Това́рищ к нам прихо́дит ка́ждое воскресе́нье.
18. Я их всегда́ привожу́ на ста́нцию автомоби́лем.
19. Я веду́ слепо́го челове́ка до его́ до́ма; я всегда́ его́ вожу́.
20. Я до́лжен вести́ его́ сего́дня, потому́ что его́ мать больна́.

21. Она́ его́ всегда́ приво́дит домо́й.
22. Тепе́рь я перевожу́ свой ру́сский уро́к.
23. Пото́м я переведу́ уро́к для вас.
24. Сперва́ я хочу́ перевести́ э́тот расска́з, а пото́м я переведу́ уро́к.
25. Я люблю́ переводи́ть с ру́сского на англи́йский.

26. Мой оте́ц подписа́л чек. Он всегда́ подпи́сывает че́ки для нас.
27. Я всегда́ перепи́сываю свои́ уро́ки, пе́ред тем как я их передаю́ учи́телю.
28. Он перепи́шет э́тот уро́к, и переда́ст его́ учи́телю.
29. Он вам прода́ст всё, что вам ну́жно.
30. Я хочу́ прода́ть то́лько э́тот дом. Я други́х домо́в не прода́м.

VOCABULARY

приноси́ть, IIB - bring
произнести́, ID - pronounce, make (a speech) (perfec.)
уезжа́ть, IA - ride away
привози́ть, IIB - convey, bring on vehicle
приводи́ть, IIB - lead
вести́, ID - lead (веду́, ведёшь) (past: вёл)
слепо́й - blind
перевести́, ID - translate (perfec.) (past: перевёл)
сперва́ - at first
расска́з - story
подпи́сывать, IA - sign
подписа́ть, IB - sign (pfc.)
чек - check
перепи́сывать, IA - write over, copy
перепи́сываться с - correspond with
переписа́ть, IB - write over, copy (perfec.)
передава́ть, ICb - hand over
переда́ть, irreg. - hand over (perfec.)
продава́ть, ICb - sell
прода́ть, irreg. - sell (perfec.)

GRAMMAR

1. We often have imperfective verbs in Russian with a prefix, to modify the meaning, such as: приходи́ть, "to arrive"; переводи́ть, "to translate"; произноси́ть, "to pronounce." In order to make perfectives of such verbs, various devices are used.

   A. Verbs having two imperfective forms, such as: ходи́ть, итти́; носи́ть, нести́; вози́ть, везти́; води́ть, вести́; use the iterative form in each series to form the imperfective and the durative to form the perfective. Thus я прихожу́ means "I am coming," and я приду́ means "I shall come." (Note irregular past of вести́: вёл).
   Note that the first person singular of води́ть, IIB and вози́ть, IIB is the same: вожу́.

   B. Some verbs, such as писа́ть, become perfective when a prefix is added. In order to retain the modified meaning and keep them imperfective, the syllable <u>ыва</u> (called "infix") is inserted before the ending of the verb. Thus: я подпишу́ is "I shall sign," but я подпи́сываю is "I am signing."

   C. Other verbs have new meanings when a prefix is added. But to change the aspect of such verbs, the original perfective or imperfective form is used with the prefix. Thus: я продаю is "I am selling"; but я прода́м is "I shall sell." (What are the original infinitives?)

EXERCISES

I. Go through the reading material, pick out each verb, give its aspect, the infinitive and the present tense.

II. Change the tense and aspect of each verb to its corresponding form.

III. Give the required forms of the verbs below with the pronouns: я, он, они́, вы.

1. приходи́ть
2. притти́
3. переводи́ть
4. подписа́ть
5. привезти́

6. продава́ть
7. перепи́сывать
8. перевести́
9. произнести́
10. приноси́ть

11. прода́ть
12. привози́ть
13. брать
14. встать
15. поня́ть

16. взять
17. откры́ть
18. сказа́ть
19. быть
20. хоте́ть

21. смочь
22. сесть
23. встре́тить
24. произноси́ть
25. найти́сь

26. купи́ть
27. вы́пить
28. спеть
29. мыть
30. положи́ть

IV. Indicate aspect of each verb and give the same forms in the opposite aspect.

V. Give the past tense of these verbs. (See Lesson XXXII on irregular past tense formation.)

Бага́ж
(Продолже́ние)

Вдруг ви́дят: стои́т у колёс
Огро́мный взъеро́шенный пёс.

Пойма́ли его́ -- и в бага́ж,
Туда́, где лежа́л саквоя́ж,
Карти́на
Корзи́на
Карто́нка
Где пре́жде была́ собачо́нка.

Как то́лько прие́хали в Тверь,
Откры́ли бага́жную дверь
И ста́ли носи́ть в экипа́ж
Прие́хавшей да́мы бага́ж:
Дива́н
Чемода́н
Саквоя́ж
Карти́ну
Корзи́ну
Карто́нку
А сза́ди вели́ собачо́нку.

Соба́ка-то как зарычи́т
А ба́рыня -- как закричи́т:
--Разбо́йники! Во́ры! Уро́ды!
Соба́ка -- не той поро́ды!--
Швырну́ла она́ чемода́н
Ного́й отпихну́ла дива́н,
Карти́ну
Корзи́ну
Карто́нку
--Отда́йте мою́ собачо́нку!

--Позво́льте, гражда́нка, на ста́нции,
Согла́сно бага́жной квита́нции,
От вас получи́ли бага́ж:
Дива́н
Чемода́н
Саквоя́ж
Карти́ну
Корзи́ну
Карто́нку
И ма́ленькую собачо́нку...

Одна́ко
За вре́мя пути́
Соба́ка
Могла́ подрасти́!

колесо́ - wheel
огро́мный - huge
взъеро́шенный - touseled, shaggy
туда́ - thither, there
пре́жде - before
как то́лько - as soon as
Тверь - Tver (a town)
экипа́ж - carriage
прие́хавший - arrived (past active participle)
сза́ди - from behind
зарыча́ть, IA - begin to growl (perfec.)
ба́рыня - lady, madame
разбо́йник - bandit
вор - thief
у́род - monster
поро́да - species
швырну́ть, ID - fling (perfec.)
отпи́хнуть, ID - push aside (perfec.)
отда́ть, irreg. - give back (perfec.)
позво́льте - permit us
согла́сно - according (to) (with dat.)
одна́ко - however
путь - road, trip
подрасти́, ID - grow up (perfec.)

ТРИ́ДЦАТЬ СЕДЬМО́Й УРО́К - LESSON XXXVII

Irregular Plurals of Nouns
Special Prepositional in у

Read and translate:

1. Мои́ бра́тья - сыновья́ мое́й ма́тери.
2. Ско́лько у вас бра́тьев? У меня́ три бра́та.
3. У э́той же́нщины пять сынове́й, а у мое́й тёти два сы́на.
4. Пожа́луйста, друзья́ - пе́йте чай!
5. У меня́ нет друзе́й - мне о́чень ску́чно!

6. Где вы купи́ли э́ти пе́рья?
7. У меня́ нет пе́рьев. Я пишу́ не пе́рьями, а карандаша́ми.
8. Да́йте мне оди́н лист бума́ги, пожа́луйста.
9. На столе́ лежа́т не́сколько листо́в и пе́рьев.
10. На дере́вьях расту́т зелёные ли́стья.

11. В лесу́ расту́т дере́вья.
12. Сту́лья стоя́т на полу́.
13. В саду́ стои́т мно́го сту́льев.
14. К нам придёт мно́го друзе́й.
15. Друзья́ се́ли на сту́лья.

16. Мать дала́ сыновья́м и дочеря́м но́вые пе́рья.
17. Оте́ц дал мои́м бра́тьям но́вые кни́ги.
18. Я встре́тил бра́тьев и сестёр в саду́.
19. У птиц бе́лые кры́лья.
20. Это зда́ние стои́т на углу́.

21. Мы погуля́ем в саду́ с друзья́ми и с това́рищами.
22. Почему́ вы купи́ли так мно́го пе́рьев и карандаше́й?
23. Граждани́н Смирно́в говори́т: "Пожа́луйста, гра́ждане, сади́тесь!"
24. Гра́ждане Смирно́в и Миха́йлов - мои́ друзья́.
25. Ива́н и Пётр - крестья́не, они́ гра́ждане Сове́тского Сою́за.

26. Я э́тих гра́ждан не зна́ю. Мне ка́жется, что они́ крестья́не.
27. Что зна́чит крестья́нин? Это челове́к, кото́рый рабо́тает в колхо́зе. Тако́го крестья́нина называ́ют "колхо́зник."
28. У э́тих крестья́н но́вый тра́ктор.
29. Ско́лько раз в неде́лю вы хо́дите в кино́?
30. Вы зна́ете ско́лько солда́т в Кра́сной а́рмии?

31. Ско́лько у вас глаз? Коне́чно, то́лько два гла́за.
32. В кото́ром часу́ вы встаёте?
33. В кото́ром году́ вы бы́ли в Сове́тском Сою́зе?
34. В саду́ гуля́ло пять челове́к.
35. В э́том году́ мы бу́дем жить в лесу́.

VOCABULARY

ску́чно - lonely, boring (with dative)
лес - woods (prep.: лесу́) (plur.: леса́)
расти́, ID - grow
расту́, -ёшь - (pres.)
зелёный - green
лист - leaf (plur.: ли́стья)
пол - floor (prep.: на полу́)
сад - garden (prep.: в саду́)

кры́ло - wing (plur.: кры́лья)
крестья́нин - peasant (plur.: крестья́не)
каза́ться, IB - seem (with dative)
колхо́з - collective farm
колхо́зник - collective farmer
тра́ктор - tractor
иногда́ - sometimes
коне́чно - of course

GRAMMAR

1. Some very common nouns have irregular plurals. Some of these nouns are:

Nom. Sing.	бра́т	сын	друг
Nom. Plur.	" ья	" овья́	" з ья́
Gen. Plur.	" ьев	" ове́й	" з е́й

Nom. Sing.	пер о́	сту́л	ли́ст
Nom. Plur.	´" ья	" ья	" ья
Gen. Plur.	´" ьев	" ьев	" ьев

Nom. Sing.	де́рев о	кры́л о
Nom. Plur.	"´ ья	" ья
Gen. Plur.	"´ ьев	" ьев

The remaining plural forms continue as soft nouns retaining the ь before the final endings, i. e. ьям, etc.

Лист has two plurals. Листы́ means "sheets (of paper)." Ли́стья means "leaves (on a tree)."

2. Some masculine nouns have a special prepositional ending: у́ when indicating location. Nouns of this kind in this lesson are:

Nom. Sing.	лес	сад	у́гол	час	год	пол
Prep. Sing.	" у́	" у́	углу́	" у́	" у́	" у́

3. Some masculine nouns ending in ин in the singular have an irregular plural. They drop the syllable ин and add е for the nominative plural and have no ending in the genitive plural. Two such nouns are:

Nom. Sing.	крестья́н ин	граждан и́н
Nom. Plur.	" е	´" е
Gen. Plur.	" —	´" —

4. Some masculine nouns, declined regularly otherwise, have no genitive plural ending. Such nouns in this lesson are:

Nom. Sing.	солда́т	раз	челове́к*	глаз
Gen. Plur.	"	"	"	"
			Nom. Plur.	" а́

(*Never used in plural except with numbers taking the genitive plural. Thus: мно́го люде́й but пять челове́к.)

EXERCISES

I. Give the following nouns in cases called for:

	Prep. Sing.	Nom. Plur.	Gen. Plur.
1. сад	________	________	________
2. крестья́нин	________	________	________
3. а́рмия	________	________	________
4. брат	________	________	________
5. перо́	________	________	________
6. сын	________	________	________
7. солда́т	________	________	________
8. год	________	________	________
9. лист (leaf)	________	________	________
10. час	________	________	________
11. зда́ние	________	________	________
12. граждани́н	________	________	________
13. у́гол	________	________	________
14. глаз	________	________	________
15. зна́мя	________	________	________
16. ста́нция	________	________	________
17. де́рево	________	________	________
18. неде́ля	________	________	________
19. друг	________	________	________
20. челове́к	________	________	________

II. Translate into Russian:

1. 5 pens
2. 7 friends
3. 8 chairs
4. 9 eyes
5. 10 peasants

6. 11 people
7. 12 citizens
8. 13 soldiers
9. 14 keys
10. 15 stations

11. 16 buildings
12. 17 brothers
13. 3 families
14. 2 times
15. 18 times

16. 6 sisters
17. in the Red Army
18. in Russia
19. in this building
20. in this garden

21. on the corner
22. in the woods
23. about the wings
24. on the floor
25. to my brothers

26. to the citizens
27. with my sons
28. about my brothers
29. about our friends
30. about peasants

III. Translate into Russian:

1. My brothers were walking in the woods.
2. Her sons come often to this school.
3. Mothers love their sons and brothers.
4. She brought her mother many pens.
5. That building stands on the corner.

6. I did not see my brothers who were sitting on chairs.
7. In Russia (Россия), many soldiers are in the Red Army.
8. They will bring the peasants and their sons a dozen chairs.
9. The mother brought her sons books and pens.
10. I often come into the building with my friends.

11. They found several chairs in the garden.
12. Trees grow in the garden.
13. She will leave for the country with her brothers and sisters.
14. The mother will tell her sons that she will go away.
15. This bird has black wings.

Как мужи́к гу́ся дели́л
(По Толсто́му)

У одного́ бе́дного мужика́ не бы́ло хле́ба. Вот он и заду́мал попроси́ть хле́ба у ба́рина. Что́бы бы́ло с чем итти́ к ба́рину, он пойма́л гу́ся, изжа́рил его́ и понёс. Ба́рин при́нял гу́ся, и говори́т мужику́: "Спаси́бо, мужи́к, тебе́ за гу́ся; то́лько не зна́ю, как мы твоего́ гу́ся дели́ть бу́дем. Вот у меня́ жена́, два сы́на, да две до́чери. Как бы нам раздели́ть гу́ся без оби́ды?"

Мужи́к говори́т: "Я разделю́." Взял нож, отре́зал го́лову и говори́т ба́рину: "Ты всему́ до́му голова́, тебе́ го́лову."

Пото́м отре́зал задо́к и пода́л ба́рыне: "Тебе́," говори́т, "до́ма сиде́ть, за до́мом смотре́ть, тебе́ задо́к."

Пото́м отре́зал ла́пки и подаёт сыновья́м: "Вам," говори́т, "но́жки, топта́ть отцо́вские доро́жки."

А дочеря́м дал кры́лья: "Вы," говори́т, "ско́ро из до́ма улети́те, вот вам кры́лья даю́. А оста́тки себе́ возьму́."

Ба́рин засмея́лся, дал мужику́ хле́ба и де́нег.

VOCABULARY

мужи́к - peasant
гусь - goose
дели́ть, IIA - divide
заду́мать, IA - think up, get idea (perfec.)
попроси́ть, IIB - ask (perfec.) (with gen.)
ба́рин - master, lord
изжа́рить, IIA - fry, roast (perfec.)
понести́, ID - take (to)
приня́ть, ID - receive, accept (perfec.)
оби́да - injury
  без оби́ды - without insult
раздели́ть, IIA - divide (perfec.)
отре́зать, IB - cut off (perfec.)
ты всему́ до́му голова́ - you are the head of the whole house
задо́к - rump, back
пода́ть, irreg. - serve, give (perfec.)
ла́пки - paws, feet (of birds or animals)
топта́ть отцо́вские доро́жки - tread in father's foot-steps
улете́ть, IIB - fly away (perfec.)
оста́ток, -тка - remainder remains

ТРИ́ДЦАТЬ ВОСЬМО́Й УРО́К - LESSON XXXVIII

Predicate Adjectives
Unaccented O after Ж, Ч, Ш, Щ and Ц
Verbs Using Dative Case

Read and translate:

1. Этот писа́тель о́чень интере́сный челове́к.
2. Он о́чень интере́сен.
3. Сове́тский Союз интере́сная страна́.
4. Эта страна́ интере́сна.
5. Он написа́л интере́сное письмо́.

6. Это письмо́ о́чень интере́сно.
7. В дере́вне интере́сно жить ле́том.
8. Америка́нцы о́чень интере́сные лю́ди.
9. Зимо́й дни ко́ротки. Мне не нра́вится, когда́ дни коро́ткие.
10. Да́йте мне, пожа́луйста, стака́н холо́дной воды́.

11. Эта вода́ сли́шком холодна́.
12. Я хочу́ холо́дного пи́ва.
13. На се́вере хо́лодно, а на ю́ге жа́рко.
14. Этот дом стар. Мне нра́вится э́тот ста́рый дом.
15. Эта ста́рая карти́на о́чень дорога́.

16. Тепе́рь о́чень до́рого жить в го́роде.
17. Эти ве́щи стары́. Я люблю́ ста́рые ве́щи.
18. Этот ма́льчик похо́ж на своего́ отца́.
19. Де́вочка похо́жа на мать. Де́ти похо́жи на роди́телей.
20. Этот уче́бник мне не ну́жен, но э́та кни́га мне нужна́.

21. Я яи́ц не покупа́ю; я́йца тепе́рь сли́шком до́роги.
22. Я о́чень рад вас ви́деть. Вы ра́ды меня́ ви́деть?
23. Мне ка́жется, что вы должны́ серьёзно учи́ться.
24. Чему́ вы у́читесь? Я учу́сь ру́сскому языку́.
25. Если вы хоти́те, я вам помогу́ гото́вить обе́д.

26. Мой знако́мый мне не ве́рит.
27. Вы зна́ете мои́х знако́мых? Она́ мне знако́ма, но он мне не знако́м.
28. Я вам сове́тую пое́хать с отцо́м, а не с това́рищем.
29. Мы говори́м с э́той писа́тельницей, а не с учени́цей.
30. Я пое́хал в Росси́ю с одни́м америка́нцем.

31. Моя́ тётя с му́жем пошли́ на конце́рт.
32. Я пробу́ду в Сове́тском Сою́зе пять ме́сяцев.
33. Он про́был в Ленингра́де год с ме́сяцем.
34. Моя́ дочь у́чится ру́сскому языку́ три ме́сяца.
35. Если я вам не меша́ю, я бу́ду здесь разгова́ривать с това́рищем.

36. Ру́сские похо́жи на америка́нцев.
37. Америка́нцы похо́жи на ру́сских.
38. Если я ему́ понра́влюсь, он мне помо́жет учи́ться пе́нию.
39. Я про́был не́сколько ме́сяцев с това́рищем в Англии.
40. Я пробу́ду всё ле́то в Москве́.

VOCABULARY

писа́тель - writer (masc.)
америка́нец, -нца - American (masc.)
нра́виться, IIВл - please (with dat.)
понра́виться - (perfec.)
холо́дный - cold
пи́во - beer
се́вер - North
юг - South
жа́рко - hot
похо́ж, -а, -о, -и, (на) - resembles
яйцо́ - egg (gen. plur.: яи́ц)
ра́д, -а, -ы - glad
серьёзно - seriously
знако́мый - acquaintance
ве́рить, IIА - believe (with dat.)
писа́тельница - writer (fem.)
пробы́ть, ID - spend time, be (perfec.) (conjugated like быть)
пе́ние - singing

GRAMMAR

1. In addition to the fully inflected forms of the adjectives known as "attributive" adjectives, there are short forms,

or predicate adjectives. They occur only in the nominative case, as they are used after the verb быть. The endings are approximately like those of hard nouns: — for masculine, а for feminine. and о for neuter. In the plural, the ending is ы or и for all genders. Vowels are often inserted between the final consonants of the masculine to facilitate pronunciation.

Such words as до́лжен, ну́жен, etc. are predicate adjectives. In this lesson, we have additional words of this type. Not all attributive adjectives can be used as predicate adjectives, and some predicate adjectives cannot be used as attributives. Рад is used only as a predicate adjective.

2. A phonetic rule of some importance is the rule that after the consonants ж, ч, ш, щ and ц unaccented о becomes е. Thus: отцо́м, but америка́нцем. Both nouns are hard.

3. Note that in the phrase похо́ж на "resembles," the object of на, if it is animate, follows the usual rule for animates.

4. Note irregular genitive plural of яйцо́ "egg": яиц.

5. A good many verbs are followed by the dative case, whereas in English they are followed by the accusative case. Some verbs of this type occur in this lesson. They are:

   ве́рить, IIA
   сове́товать, ICd
   учи́ться, IIA
   меша́ть, IA
   нра́виться, IIBл
   каза́ться, IB
   помога́ть, IA

   The perfectives of these verbs are also followed by the dative.

EXERCISE

Translate into Russian:

1. I need a pencil.
2. They need these things.
3. He needs (some) pens.
4. She needs a new house.
5. I do not please him.
6. She must dance with me.

7. In America there are many Americans.
8. This country is not interesting.
9. I am very glad to see you.
10. Russian people are interesting.

11. It seems to me that she went to the movies with her husband.
12. Olga looks like her father.
13. Americans look like Russians.
14. It is warm in the south.
15. Where are you going with your comrade?

16. I met (with) my husband on the corner near the theatre.
17. I need four (eggs) or six eggs.
18. Mischa went to the country with his father.
19. I was speaking with that (female) pupil.
20. Fourteen comrades went to the woods.

21. What did you do with that egg?
22. It is warm and pleasant to sit under the sun.
23. We often meet with this lady writer in the library.
24. That building is very old. I do not like it.
25. It is interesting to speak with the lady writer.

26. I don't believe you.
27. Does she please him?
28. The boy is disturbing his father.
29. I advise you to study the Russian language.
30. I'll help her study singing.

Пелагéя
(По Зóщенко)

Пелагéя былá жéнщина негрáмотная. Дáже своéй фамúлии онá не умéла подпúсывать.

А муж у Пелагéи был серьёзный совéтский рабóтник. И хотя́ он был человéк простóй, из дерéвни, он сам научúлся читáть и писáть; и стал грáмотным. И не тóлько фамúлию подпúсывать умéл, а всемý научúлся.

И óчень емý бы́ло сты́дно, что женá егó былá негрáмотной.

"Ты бы, Пелаге́юшка, хоть фами́лию подпи́сывать научи́лась," говори́л он Пелаге́е. "Лёгкая така́я у меня́ фами́лия--Ку́ч-кин--а ты не мо́жешь.. Сты́дно."

А Пелаге́я отвеча́ла:
"К чему́ мне чте́нию учи́ться, Ива́н Никола́евич? Я уже́ стара́. Лу́чше чтоб молоды́е пионе́ры учи́лись, а я и так до ста́рости доживу́."

Муж у Пелаге́и был о́чень за́нято́й челове́к, и на жену́ мно́го вре́мени тра́тить не мог. Покача́ет он голово́й. "Эх ты Пелаге́я, Пелаге́я," ска́жет...и замолчи́т. И обо всём забу́дет.

VOCABULARY

негра́мотный - illiterate
рабо́тник - worker
просто́й - simple, plain
гра́мотный - literate
сты́дно - shameful
хоть бы - at least if, if only
чте́ние - reading
ста́рость, SFS - old age
дожи́ть, ID - live (perfec.)
занято́й - busy
покача́ть, IA - shake (perfec.)
замолча́ть, IIA - be still (perfec.)
забы́ть, ID - forget (perfec.)

ТРИ́ДЦАТЬ ДЕВЯ́ТЫЙ УРО́К - LESSON XXXIX

Uses of the Instrumental - Idioms with за
Use of что́бы

Read and translate:

1. Она́ поговори́ла с му́жем.
2. Они́ писа́ли э́тими но́выми пе́рьями.
3. Ле́том мы е́здим парохо́дом в дере́вню.
4. Зимо́й я е́зжу и́ли по́ездом и́ли трамва́ем в го́род.
5. У́тром лю́ди е́здят на рабо́ту.

6. Ве́чером мы е́здим в теа́тр.
7. Мы всегда́ хо́дим в шко́лу пешко́м.
8. Пе́ред Кремлём нахо́дится мавзоле́й Ле́нина.
9. Ученики́ стоя́т пе́ред учителя́ми.
10. Пе́ред на́шим до́мом есть сад.

11. Над э́тими сту́льями вися́т карти́ны.
12. Над э́тими дома́ми лета́ют аэропла́ны.
13. Под землёй нахо́дится метро́.
14. Мы сошли́ под зе́млю, что́бы посмотре́ть метро́.
15. Под кни́гой лежи́т газе́та.

16. Она́ положи́ла бума́гу под кни́гу.
17. Ле́нин сказа́л: "Пе́ред на́ми стоя́т три зада́чи: учи́ться, учи́ться и учи́ться."
18. Ме́жду э́тими зда́ниями стои́т стари́нная це́рковь.
19. Како́й го́род нахо́дится ме́жду Ленингра́дом и Москво́й?
20. Го́сти сидя́т за столо́м.

21. Он пошёл за газе́тами.
22. Ма́тери смо́трят за детьми́.
23. Они́ пришли́ за на́ми.
24. Я заплати́л два до́ллара за э́ту кни́гу.
25. Он сел за сто́л. Он сиди́т за столо́м.

26. Она́ взяла́ меня́ за́ руку.
27. Ка́ждый москви́ч горди́тся моско́вским метро́.
28. Ру́сские горди́тся э́тими города́ми.
29. Кто управля́ет Сове́тским Сою́зом?
30. Его́ зову́т Ива́ном, а меня́ зову́т Ольгой.

31. Он хорошо́ владе́ет ру́сским языко́м.
32. Ле́нин был вождём Сове́тского Сою́за.
33. Мне ка́жется, что он бу́дет профе́ссором.
34. Она́ ста́ла учи́тельницей год тому́ наза́д.
35. Ру́сские хотя́т, что́бы Москва́ была́ са́мым краси́вым го́родом в ми́ре.

36. Мать хо́чет, что́бы сын был до́ктором.
37. Чем он хо́чет быть - до́ктором, адвока́том и́ли учи́телем?
38. Когда́ он был ма́леньким, он хоте́л быть до́ктором.

39. Мы должны́ учи́ться, что́бы стро́ить но́вую **жизнь.**
40. Он у́чится ру́сскому языку́, что́бы пое́хать в Сове́тский Сою́з и там стать учи́телем.

VOCABULARY

пе́ред - before (with instr.)
Кремль - Kremlin
над - over (with instr.)
лета́ть, IA - fly
аэропла́н - airplane
земля́ - earth
  зе́млю - (acc.)
  землёй - (instr.)
  земе́ль - (gen. plur.)
сойти́, ID - go down (perfec.)
ме́жду - among (with instr.)
зада́ча - problem
стари́нный - ancient
це́рковь, це́ркви, SFS - church
за - for, by, etc. (with acc. or instr.)
  за́ руку - by the hand
  за столо́м - at the table
  за детьми́ - after the children
москви́ч - Moscow citizen
горди́ться, IIB - be proud of (with instr.)
управля́ть, IA - direct, rule (with instr.)
звать, ID - call, name (with instr. meaning "name")
  зову́, -ёшь - (pres.)
вождь - ruler, leader
владе́ть, IA - rule, have command of, have mastery of (with instr.)
стать, ID - become (with instr.)
что́бы - that, in order that
са́мый краси́вый - the most beautiful (superlative)
мир - world, peace
адвока́т - lawyer
стро́ить, IIA - build
  постро́ить - (perfec.)

GRAMMAR

1. Next to the genitive, the instrumental has the most uses. We have already studied its use:

   a. To express means or instrument: писа́ть карандашо́м
   b. To express accompaniment: говори́ть с дру́гом
   c. To express time of day or season: днём, ле́том
   d. To express means of conveyance: автомоби́лем

2. Below are prepositions used with the instrumental. Note that all but <u>с</u> express locative ideas. One must therefore not confuse them with prepositions taking the prepositional case.

Prepositions using Instrumental

за	in search of, behind, after (with acc. meaning "for") (See vocabulary for some idioms with за)
мéжду	among, between
над	over, above
под	under (with acc. to indicate motion)
пéред	in front of
с	with (but with gen. meaning "from")

3. Some prepositions take both the instrumental and accusative cases. On the other hand, с meaning "away from, from," is used with the genitive case, but when it means "with," it is used with the instrumental. Под "under," and за "behind, at, for," take the instrumental to indicate location or fixed position, and the accusative to indicate motion. За is used in many idiomatic expressions. Note the following:

Он пошёл за газéтами	He went to get the newspapers
Он взял меня́ зá руку	He took me by the hand
Мáтери смóтрят за детьми́	Mothers look after the children

4. Some verbs are followed by the instrumental where in English one would expect the accusative. Such verbs are: владéть "have command of," and управля́ть "direct, rule." Some reflexives, like горди́ться "be proud of" and занимáться "to occupy oneself," also take the instrumental.

5. The predicate is sometimes expressed by the instrumental. The predicate instrumental may be used with the verb быть in the past and future, but never in the present tense where быть is understood. The predicate instrumental is used especially when indicating a profession or trade, or a transitory condition.

Он был (бýдет) дóктором	He was (will be) a doctor
Он был мáленьким мáльчиком	He was a little boy.

6. Certain other verbs besides быть are followed by a predicate instrumental:

Меня́ зовýт Ивáном	They call me John
Он слýжит генерáлом	He serves as a general
Он стал дóктором	He became a doctor.

7. Что "that" may be used as a conjunction and may be followed by any tense:

Я зна́ю, что он там
Я зна́л, что он там бу́дет

8. Чтобы "that, in order to, so that...might" may be used with the infinitive to express "in order to" when the subject of the "чтобы" clause is the same as the subject of the main clause:

Мы должны́ учи́ться, что́бы
стро́ить но́вую ру́сскую жизнь

In order to express the idea of "should be," the past tense is used. It thus introduces what in other languages is known as the subjunctive, and is used after verbs of wishing, fearing, ordering, etc.

Я хочу́, что́бы он пришёл	I wish that he would come (Or: I want him to come)
Он сказа́л, что́бы я пошла́	He said that I should go

EXERCISES

I. Translate the following phrases into Russian:

1. on the table
2. over the table
3. under the table
4. at the table
5. near the table

6. onto the table
7. between the table and the chair
8. from the table
9. in winter
10. on foot

11. by street-car
12. over the chairs
13. over the houses
14. in front of us
15. for you (2 ways)

16. by means of pens
17. with our friends
18. under the ground
19. for our teachers
20. in front of the houses

21. for (in search of) pens
22. He takes her by the hand
23. I paid one rouble for this pencil
24. in order to learn
25. that she should speak

26. when she was little
27. They were old people
28. to be proud of a book
29. to rule the country
30. to become a doctor

II. Translate into Russian:

1. The book lay under the table.
2. The pens lie between the book and the newspaper.
3. The second floor is over the first floor.
4. A large wall is in front of the Kremlin.
5. The little girl stood behind the door.

6. We all sat at the table and ate what was before us.
7. Mother went (to get) for some meat.
8. How much did you pay for this house?
9. When he was little, he wanted to be a teacher, and now he wants to be a doctor.
10. Who rules this country?

11. Mr. Smirnov is our teacher; he used to be (был) a writer.
12. We must study in order to understand Russian.
13. To have command of the Russian language, it is necessary to read much.
14. He is going to the city to see his friends.
15. I want him to come (that he should come).

Пелаге́я
(Продолже́ние)

Но одна́жды всё-таки принёс Ива́н Никола́евич жене́ специа́льную кни́жку - буква́рь.

"Вот," говори́т--"Пелаге́я, принёс тебе́ но́вый буква́рь; напи́сан по после́дним ме́тодам. Я сам бу́ду тебя́ учи́ть."

А Пелаге́я взяла́ буква́рь в ру́ки, посмотре́ла на него́ и положи́ла в комо́д. "Пусть лежи́т," говори́т она́ "Мо́жет де́тям пригоди́тся."

Но вот одна́жды се́ла Пелаге́я за рабо́ту. Пиджа́к Ива́на Никола́евича на́до бы́ло почини́ть. Она́ се́ла за стол и на́чала шить. Взяла́ пиджа́к в ру́ку, и слы́шит: в карма́не пиджака́ шурши́т что́-то.

"Не де́ньги ли?" поду́мала Пелаге́я.

Посмотрéла-- письмó! Такóй чúстый, аккурáтный конвéрт, тóненькие бýквы на нём, и бумáга пáхнет духáми úли одеколóном! Забúлось у Пелагéи сéрдце.

"Неужéли же" дýмает, "Ивáн Николáевич меня́ обмáнывает? Неужéли же он перепúсывается с какóй-то дáмой и надо мнóй, безгрáмотной бáбой, смеётся?"

VOCABULARY

однáжды - once upon a time
специáльный - special
букварь - primer
напúсан - written
послéдний - last, latest
мéтод - method
пусть - let
пригодúться, IIB - be useful (perfec.) (with dat.)
пиджáк - jacket, coat
починúть, IIA - fix (perfec.)
слышать, IIA - hear
шуршáть, IIA - rustle
чтó-то - something
аккурáтный - accurate
конвéрт - envelope
бýква - letter (of alphabet)
пáхнуть, ID - smell
духú - perfume (plur. only)
одеколóн - eau de cologne
забúться, ICa - begin to pound (perfec.)
сéрдце - heart
неужéли же - is it really so?
обмáнывать, IA - fool
какóй-то - some sort of
безгрáмотный - illiterate

СОРОКОВÓЙ УРÓК - LESSON XL

Declension of весь, всё, вся
Declension of тот, то, та
Idioms with то and всё
Special Genitive in у Denoting Amount

Read and translate:

1. Мне нрáвится весь гóрод.
2. Вся кнúга интерéсна.
3. Он прочитáл всё письмó.
4. Он дýмает, что он всё знáет.
5. Онá прочитáла всю кнúгу.

6. Мы осмотре́ли весь го́род.
7. Бо́льше всего́ мне нра́вится э́тот дом.
8. Мы всего́ го́рода не осмотре́ли.
9. Мы всей кни́ги не прочита́ли.
10. Това́рищ Ку́чкин всему́ научи́лся.

11. Мы е́здили по всей стране́.
12. Он стои́т пе́ред всем кла́ссом.
13. Я э́того совсе́м не зна́ю.
14. Мы пошли́ в лес со всей компа́нией.
15. Он говори́т обо всём.

16. Не всё то зо́лото, что блести́т.
17. Из всего́, что я чита́ла, я по́мню то́лько пе́рвую страни́цу.
18. Все лю́ди бы́ли в це́ркви, потому́ что был пра́здник.
19. Я всех учителе́й люблю́.
20. Де́душка даёт всем де́тям конфе́ты.

21. Она́ лю́бит разгова́ривать со все́ми.
22. Во всех города́х нахо́дятся шко́лы, дома́, и зда́ния.
23. Тот дом на той у́лице, а э́тот дом на э́той.
24. Он пи́шет э́тим перо́м, а не тем.
25. Те, кото́рые живу́т в Москве́, горд́ятся свои́м го́родом.

26. Эти рабо́чие рабо́тают на э́тих фа́бриках, а не на тех.
27. Я зна́ю э́тих люде́й, а не тех.
28. Он всё ещё спит.
29. А всё-таки Ива́н принёс ей кни́гу.
30. В э́той дере́вне всего́ 35 домо́в.

31. Я купи́ла фунт ча́ю и килогра́мм ко́фе.
32. Я вы́пил стака́н ча́ю, а Ольга вы́пила ча́шку ко́фе.
33. Пожа́луйста, да́йте мне фунт са́хару и буты́лку молока́.
34. Я ча́я не пью; я пью вино́ и́ли молоко́.
35. В го́роде бы́ло мно́го наро́ду.

VOCABULARY

осмотре́ть, IIA - look over (pfc.)
прочита́ть, IA - read thru (pfc.)
бо́льше всего́ - most of all
совсе́м - entirely
компа́ния - company
обо - about (same as о[б] - used before double consonant)
зо́лото - gold
блесте́ть, IIB - shine
тот, то, та; те - that (one)
страни́ца - page
пра́здник - holiday
всё ещё - still (id.)
что́-то - something
всего́ - all in all (id.)
фунт - pound
са́хар - sugar
буты́лка - bottle
наро́д - people, nation (spec. partitive gen. -у)

GRAMMAR

1. **Весь** "all" can be used as a pronoun or adjective. It is declined as follows:

	Singular			Plural
	M.	N.	F.	(all genders)
Nom.	весь	вс ё	вс я	вс е
Gen.	вс его́		" ей	" ех
Dat.	" ему́		" ей	" ем
Acc.	весь, всё, всего́		" ю	все, ех
Instr.	вс ем		" ей	вс е́ми
Prep.	" ём		" ей	" ех

The singular means "all of, whole," and the plural "all."

2. **Тот**, meaning "that one," is declined like э́тот in the singular except for the instrumental of the masculine and neuter (тем). In the plural it is declined like все:

	Singular			Plural
	M.	N.	F.	(all genders)
Nom.	т от	т о	т а	т е
Gen.	-ого́-		" ой	" ех
Dat.	-ому́-		" ой	" ем
Acc.	тот, то, того́		" у	те, тех
Instr.	-ем-		" ой	т е́ми
Prep.	-ом-		" ой	" ех

3. Some masculine nouns have a special genitive form in <u>у</u> or <u>ю</u> to denote amount or part of a whole:

стака́н ча́ю	a glass of tea (otherwise ча́я is used)
фунт са́хару	a pound of sugar
мно́го наро́ду	"many people" is used in the same way

4. Note the many idiomatic expressions with всё and то. (See vocabulary.)

EXERCISES

I. Translate into Russian:

1. the whole house
2. of that city
3. to that lady
4. to this pupil
5. for that book (за)

6. for all the people
7. about all that book
8. with all that sugar
9. on this wall
10. all those things

11. over all those houses
12. among all those books
13. a pound of tea
14. a pound of coffee
15. many people

16. just the same
17. all the time
18. I don't drink tea.
19. the whole nation (наро́д)
20. on all those banners

21. through all those streets
22. along the whole world (по)
23. near all these schools
24. along all these streets
25. about all those people

II. Decline in full:

1. то перо́
2. весь дом
3. та пло́щадь
4. всё ме́сто
5. э́та а́рмия
6. вся це́рковь
7. тот граждани́н
8. э́тот челове́к
9. всё вре́мя
10. э́тот крестья́нин

Distinguish difference in meaning in plurals with все.

III. Give the plural forms of the following:

1. всего́ до́ма
2. э́того това́рища
3. всём ме́сте
4. э́тот дом
5. тем сту́лом
6. тот сын
7. э́тим бра́том
8. тому́ учи́телю
9. того́ зда́ния
10. той а́рмии (3 forms)
11. э́тим дру́гом
12. э́тим яйцо́м
13. того́ яйца́
14. вся страни́ца
15. всё письмо́
16. весь ме́сяц
17. по всему́ до́му
18. во всей а́рмии
19. вся дере́вня
20. та гора́

Пелаге́я
(Продолже́ние)

Посмотре́ла Пелаге́я на конве́рт, вы́нула письмо́, хоте́ла чита́ть, но по негра́мотности не могла́.

Пе́рвый раз в жи́зни пожале́ла Пелаге́я, что чита́ть она́ не мо́жет, что негра́мотная.

"Хотя́," ду́мает, "э́то чужо́е письмо́, а всё-таки я должна́ знать, что в нём пи́шут. Мо́жет, от э́того вся моя́ жизнь переме́нится, и мне лу́чше в дере́вню е́хать на колхо́зную рабо́ту."

Запла́кала Пелаге́я и ста́ла вспомина́ть, что Ива́н Никола́евич перемени́лся в после́днее вре́мя--каза́лось ей, что он стал об уса́х бо́льше забо́титься и ру́ки ча́ще мыть.

Сиди́т Пелаге́я, смо́трит на письмо́ и пла́чет. А проче́сть письмо́ не мо́жет. А чужо́му челове́ку показа́ть - сты́дно.

Наконе́ц, Пелаге́я положи́ла письмо́ в комо́д и ста́ла ждать Ива́на Никола́евича. И когда́ он пришёл, Пелаге́я о письме́ не говори́ла, а разгова́ривала с му́жем споко́йным то́ном и да́же сказа́ла ему́, что она́ хо́чет с ним занима́ться, что ей сты́дно быть тёмной и негра́мотной ба́бой.

Ива́н Никола́евич был о́чень рад. "Ну, и отли́чно," сказа́л он. "Я тебе́ сам бу́ду пока́зывать."

"Что ж, пока́зывай," сказа́ла Пелаге́я.
И посмотре́ла в глаза́ Ива́на Никола́евича.

VOCABULARY

вы́нуть, ID - take out (perfec.)
пожале́ть, IA - be sorry (perfec.)
чужо́й - strange, unknown
перемени́ться, IIA - change (perfec.)
вспомина́ть, IA - recall
в после́днее вре́мя - recently
усы́ - moustache
забо́титься, IIB - worry, care for, busy oneself
ча́ще - more frequently
споко́йный - quiet
тон - tone
тёмный - dark
отли́чно - very well, excellent
пока́зывать, IA - show

СО́РОК ПЕ́РВЫЙ УРО́К - LESSON XLI

Review Lesson on Possessive and Pronoun Adjectives, and Irregularities in Noun Declensions

I. Decline singular and plural:

1. мой глаз
2. ваш брат
3. всё мо́ре
4. та вещь
5. ва́ше и́мя
6. твоя́ дочь
7. на́ше перо́
8. вся неде́ля
9. весь го́род
10. на́ша мать
11. моё зда́ние
12. э́тот граждани́н
13. тот крестья́нин
14. Кра́сная а́рмия
15. то кра́сное зна́мя

II. Give the required forms of the following (singular and plural):

Singular	Plural
1. с мо___ дру́г___	________________
2. с (gen.) то___ вре́м___	________________
3. без ва́ш___ до́ч___	________________
4. пе́ред на́ш___ до́м___	________________
5. об э́т___ челове́к___	________________

6. к э́т___ челове́к__
7. над т___ зда́н____
8. за э́т__ биле́т__ (acc.)
9. за э́т__ но́в__ газе́т__
10. по вс___ го́род___

11. для э́т__ граждани́н__
12. в т__ ста́нц___ (2 cases)
13. в э́т__ ме́ст___ (2 cases)
14. к э́т___ до́м___
15. по т___ у́лиц___

16. похо́ж на мо___ бра́т___
17. к ва́ш___ дру́г___
18. т___ перо́м
19. Во вс___ ми́ре
20. э́т___ сы́ну

21. ва́ш___ до́черью
22. на́ших им_____
23. об э́т___ вре́м____
24. о на́ш___ до́чер___
25. на кра́сн___ зна́м____

III. Translate into Russian:

1. We are proud of the Soviet Union.
2. These young peasants have good command of the Russian language.
3. Those chairs stand in this corner of the garden.
4. I like to walk in the woods with the whole company.
5. Give that young man a cup of fresh tea.
6. We go with our brothers and your friends to that concert.
7. In front of that building stand automobiles.
8. In that building are many large rooms.
9. On holidays all the churches are open.
10. We talked about everything with our brothers and sisters.

Пелаге́я
(Продолже́ние)

Два ме́сяца Пелаге́я изо дня́ в де́нь учи́лась чита́ть. Она́ терпели́во составля́ла слова́, писа́ла бу́квы и зау́-

чивала фра́зы. И ка́ждый ве́чер вынима́ла из комо́да письмо́ с духа́ми и стара́лась проче́сть его́.

Одна́ко, э́то бы́ло о́чень тру́дно. То́лько на тре́тий ме́сяц, Пелаге́я, наконе́ц, научи́лась чита́ть.

Утром, когда́ муж ушёл на рабо́ту, она́ вы́нула из комо́да письмо́ и приняла́сь чита́ть его́.

Она́ с трудо́м разбира́ла то́нкий по́черк. Письмо́ всё ещё па́хло духа́ми. Оно́ бы́ло адресо́вано Ива́ну Никола́евичу. Пелаге́я чита́ла:

"Уважа́емый това́рищ Ку́чкин!

Посыла́ю вам буква́рь, кото́рый обеща́ла вам. Я ду́маю, что ва́ша жена́ в два три ме́сяца вполне́ смо́жет писа́ть и чита́ть. Обеща́йте, голу́бчик, заста́вить её э́то сде́лать. Объясни́те, как сты́дно быть тепе́рь негра́мотной ба́бой.

Сейча́с, к э́той годовщи́не, мы ликвиди́руем негра́мотность по всей респу́блике все́ми сре́дствами, а о свои́х бли́зких почему́-то забыва́ем.

Обяза́тельно э́то сде́лайте, Ива́н Никола́евич.

С това́рищеским приве́том,

Ма́рья Бло́хина"

Пелаге́я два́жды перечла́ э́то письмо́. Зате́м, чу́вствуя каку́ю-то та́йную оби́ду, запла́кала.

VOCABULARY

изо дня́ в де́нь - from day to day
терпели́во - patiently
составля́ть, IA - put together, spell
зау́чивать, IA - learn by heart
фра́за - phrase, sentence
вынима́ть, IA - take out
вы́нуть, ID - (perfec.)
стара́ться, IA - try
приня́ться, ID - undertake, set about (pfc)

труд - difficulty, labor
разбира́ть, IA - spell out, take apart
то́нкий - fine, thin
по́черк - handwriting
адресо́вано - addressed
уважа́емый - respected (form of salutation in letters)
посыла́ть, IA - send
обеща́ть, IA - promise
вполне́ - entirely, completely
голу́бчик - my dear (little dove)
заста́вить, IIBл - force (perfec.)
сейча́с - recently, now, soon
годовщи́на - anniversary
ликвиди́ровать, ICd - liquidate
респу́блика - republic
сре́дство - means
бли́зкий - near (one)
почему́-то - for some reason or other
забыва́ть, IA - forget
обяза́тельно - without fail
това́рищеский - comradely
приве́т - greeting
перече́сть, ID - read through (perfec.)
зате́м - after which, whereupon, then
чу́вствовать, ICd - feel
та́йный - secret

СО́РОК ВТОРО́Й УРО́К - LESSON XLII

Comparison of Adjectives

Read and translate:

1. Этот дом - нов, э́та кни́га - но́ва, э́то перо́ - но́во; э́ти ве́щи - новы́.
2. Эти кни́ги нове́е ва́ших книг.
3. Эти пе́рья нове́е тех. Это перо́ нове́е того́.
4. Я чита́ю интере́сную кни́гу. Я чита́ю бо́лее интере́сную кни́гу, чем та.
5. Мы пое́хали в краси́вый го́род. Мы живём в бо́лее краси́вом го́роде, чем вы.
6. Ленингра́д о́чень краси́в. Он краси́вее Москвы́.
7. Это о́чень краси́вое зда́ние. Это бо́лее краси́вое зда́ние. Это зда́ние краси́вее того́.
8. Я говорю́ с краси́вой да́мой. Я говорю́ с бо́лее краси́вой да́мой.
9. Ру́сский язы́к тру́ден. Он трудне́е англи́йского.
10. Кита́йский язы́к са́мый тру́дный.

11. Трудно говорить по-русски, но труднее говорить по-китайски. Труднее всего говорить по-японски.
12. Соня поёт очень красиво. Она поёт красивее Ольги. Она поёт красивее всех.
13. Этот человек очень стар. Он старше моего отца.
14. Сергей самый старший сын в семье.
15. Миша - старший брат, а Пётр - самый старший.

16. Наташа молодая девочка. Она моложе Ольги.
17. Эти фрукты очень хороши. Они лучше тех. Они самые лучшие.
18. Это хорошая грамматика. Это лучшая грамматика.
19. Это самая лучшая грамматика в библиотеке.
20. Ольга поёт лучше Маши. Она поёт лучше всех.

21. Нам легко говорить по-русски.
22. Нам легче говорить по-русски, чем по-английски.
23. Нам легче всего говорить по-русски.
24. Первый урок легче третьего. Это самый лёгкий урок в книге.
25. Саша большой мальчик, но Миша больше его.

26. Миша самый большой мальчик в классе.
27. Моя мать встаёт очень рано. Она встаёт раньше отца.
28. Она встаёт раньше всех.
29. Мы живём очень далеко от города. Мы живём дальше вас.
30. Пословица: Тише едешь, дальше будешь!

VOCABULARY

(For comparative adjectives, see Grammar #5)

более - more
по-японски - Japanese
китайский - Chinese

GRAMMAR

1. Adjectives and adverbs usually have comparative and superlative forms.

2. Just as there are two types of adjectives in the positive degree (predicate and attributive), so in the comparative

degree there are also two types - the predicate and the attributive.

3. The comparative attributive of regular adjectives is formed by the use of бо́лее "more" plus the proper positive adjective form:

Я чита́ю но́вую кни́гу	I read a new book
Я чита́ю бо́лее но́вую кни́гу	I read a newer book

4. The comparative predicate of regular adjectives is formed by adding ее to the root of the adjective: нов, но́ва, etc. become но́вее. It remains the same for all genders and is the same in the plural.

Эта кни́га нове́е той   This book is newer than that one

5. Many important adjectives have irregular predicate comparative forms. The most common are as follows:

Positive			Comparative	
Adjective		Adverb	Adjective & Adverb	
бли́зкий	near	бли́зко	бли́же	nearer
большо́й	big	мно́го (much)	*бо́льше	bigger (more)
высо́кий	high	высоко́	*вы́ше	higher
гро́мкий	loud	гро́мко	гро́мче	louder
далёкий	far	далеко́	да́льше	further
дешёвый	cheap	дёшево	деше́вле	cheaper
дорого́й	dear	до́рого	доро́же	dearer
коро́ткий	short	коротко́	коро́че	shorter
лёгкий	easy, light	легко́	ле́гче	easier, lighter
ма́ленький	little	ма́ло	*ме́ньше	smaller (less)
молодо́й	young	(no adv.)	*моло́же	younger
ни́зкий	low	ни́зко	*ни́же	lower
плохо́й	bad, poor	пло́хо	*ху́же	worse
ра́нний	early	ра́но	ра́ньше	earlier
ста́рый	old	(no adv.)	*ста́рше	older
ти́хий	quiet	ти́хо	ти́ше	quieter
хоро́ший	good	хорошо́	*лу́чше	better
ча́стый	frequent	ча́сто	ча́ще	more frequent(ly)
широ́кий	wide	широко́	ши́ре	wider

*Adjectives starred above have special attributive forms:

больший, высший, меньший, младший,
низший, старший, худший, лучший.

6. Adverbs which are like the neuter predicate adjectives in the positive have the same form as the predicate adjectives in the comparative.

Эта книга лучше той — This book is better than that one
Ольга поёт лучше Маши — Olga sings better than Masha

7. The superlative of most adjectives is formed by using the positive form with самый. Some of the adjectives having irregular comparatives (старый, хороший, молодой) form the superlative by самый plus the comparative (самый старший, самый лучший, самый младший).

8. There is no real superlative adverbial form. One usually uses an idiomatic expression such as:

Он поёт лучше всех — He sings best of all (better than all)

9. One may express a comparison either by using the conjunction чем "than" followed by the nominative:

Мой отец старше чем моя мать

or by putting the object of comparison into the genitive following the comparative:

Мой отец старше моей матери

EXERCISES

I. Give adjectives below in the following forms:

Positive	Attrib.Compar.	Pred.Compar.	Superlative
1. новый	________	________	________
2. красивый	________	________	________
3. трудный	________	________	________
4. интересный	________	________	________
5. лёгкий	________	________	________

6. до́брый			
7. хоро́ший			
8. плохо́й			
9. большо́й			
10. дорого́й			
11. высо́кий			
12. ни́зкий			
13. коро́ткий			
14. молодо́й			
15. ста́рый			
16. ма́ленький			
17. ти́хий			
18. шу́мный			
19. вку́сный			
20. дли́нный			
21. бе́лый			
22. больно́й			
23. кра́сный			
24. прия́тный			
25. гро́мкий			

II. Give the following adverbs in the comparative and superlative:

Positive	Comparative	Superlative
1. ра́но		
2. далеко́		
3. легко́		
4. ти́хо		
5. шу́мно		
6. гро́мко		
7. тру́дно		
8. хорошо́		
9. пло́хо		
10. прия́тно		

III. Decline, singular and plural:

ста́рший брат, ста́ршая дочь, са́мое но́вое перо́,
мла́дший сын, бо́льшее зда́ние.

IV. Translate into Russian:

1. Father is old, but grandfather is older.
2. Mother is young, but I am younger.
3. Olga speaks Russian better than Masha, but my teacher speaks the best of all.
4. The older boy goes to school, but the oldest one goes to the university.
5. We live in a bigger building than you do.

6. Sonya is the younger daughter. She is younger than Natasha.
7. We live in the most beautiful city in the world.
8. My mother is more beautiful than my grandmother.
9. It is easier to write Russian than to speak. But it is easiest to read.
10. This dictionary is larger than that one, but my dictionary is the largest.

11. This is the most interesting house in the city.
12. Literature is more interesting than music.
13. Our house is further from the park than from our school.
14. I want to read a newer book than that one.
15. This is the newest book in the library.

Де́вочка и грибы́
(По Толсто́му)

Две де́вочки шли домо́й с гриба́ми. Им на́до бы́ло переходи́ть че́рез желе́зную доро́гу. Они́ ду́мали, что по́езд далеко́ и пошли́ че́рез ре́льсы.

Вдруг зашуме́л по́езд. Ста́ршая де́вочка побежа́ла наза́д, а мла́дшая перебежа́ла че́рез желе́зную доро́гу.

Ста́ршая де́вочка закрича́ла сестре́: "Иди́ да́льше, не ходи́ наза́д!"

Но по́езд был так бли́зко и так гро́мко шуме́л, что ме́ньшая де́вочка не слы́шала и поду́мала, что сестра́ ей вели́т бежа́ть наза́д.

Она́ побежа́ла наза́д че́рез ре́льсы, упа́ла, вы́ронила грибы́ и ста́ла собира́ть их.

А по́езд всё бли́же и бли́же подхо́дит и шуми́т всё гро́мче и гро́мче.

Он уже́ был так бли́зко, что машини́ст свисте́л и́зо всех сил.

Ста́ршая де́вочка крича́ла:
"Брось грибы́!" а ме́ньшая ду́мала, что ей веля́т собира́ть грибы́.

VOCABULARY

переходи́ть, IIB - cross over
далеко́ - far away
рельс - rail
зашуме́ть, IIBл - get noisy, be heard (perfec.)
побежа́ть, irreg. - run (perfec.)
наза́д - back
перебежа́ть, irreg. - run over, across (perfec.)
шуме́ть, IIBл - make noise, roar
ме́ньший - smaller
веле́ть, IA - order, command
вы́ронить - drop, lose, IIA, pfc
машини́ст - engineer
свисте́ть, IIB - whistle
си́ла - power
  и́зо всех сил - with all his might
брось - drop! (impera. of бро́сить)

СО́РОК ТРЕ́ТИЙ УРО́К - LESSON XLIII

Some Irregularities in the Imperative
Expression of: Let Us
The Conditional
Numerals: сто, ты́сяча, миллио́н

Read and translate:

1. Пе́тя поре́зал себе́ па́лец и запла́кал.
2. Ма́ма сказа́ла: "Пе́тя, не плачь!"
3. Де́ти, не ре́жьте таки́м о́стрым ножо́м!

4. Мой знако́мый сказа́л: "Не ве́рьте э́тим лю́дям; они́ говоря́т непра́вду."
5. Пионе́ры говоря́т: "Будь гото́в, всегда́ гото́в !"

6. Пожа́луйста, бу́дьте добры́, откро́йте нам дверь!
7. Если вы го́лодны, е́шьте; е́сли вам хо́чется пить, пе́йте.
8. Не пла́чьте. Если он здоро́в, он придёт.
9. Бу́дьте здоро́вы! До свида́ния! Всего́ хоро́шего!
10. Де́вочка сказа́ла сестре́: "Брось грибы́!

11. Ма́ша, наде́нь си́нее пла́тье! Гото́вь уро́ки!
12. Вста́ньте, пожа́луйста. Гото́вьте за́втрак!
13. Возьмём э́ти кни́ги домо́й!
14. Пойдём сего́дня в кино́!
15. Сего́дня хоро́шая пого́да. Пое́дем в дере́вню!

16. Сперва́ поза́втракаем, пото́м пое́дем.
17. Посмо́трим карти́ны в музе́е.
18. Если за́втра бу́дет хо́лодно, я не пое́ду.
19. Если он сего́дня придёт, я вам позвоню́ по телефо́ну.
20. Если бы он пришёл, я бы вам позвони́ла по телефо́ну.

21. Если бы вы мне написа́ли, я бы ожида́ла вас.
22. "Если за́втра война́, будь сего́дня к похо́ду гото́в."
23. Если вы не оде́нетесь тепле́е, вам бу́дет хо́лодно.
24. Если бы у меня́ бы́ло сто рубле́й, я бы пое́хал в Москву́.
25. Если бы у меня́ бы́ло две́сти рубле́й, я бы не рабо́тал.

26. Это ра́дио сто́ит три́ста долла́ров.
27. У меня́ нет ста рубле́й.
28. У э́того челове́ка пятьсо́т рубле́й.
29. Я заплати́л ты́сячу долла́ров за мой но́вый автомоби́ль.
30. Он зараба́тывает две ты́сячи долла́ров в год.

31. Я зараба́тываю три ты́сячи пятьсо́т долла́ров.
32. Этот челове́к о́чень бога́т; у него́ два миллио́на долла́ров.

33. Прави́тельство тра́тит миллио́ны долла́ров в год.
34. В библиоте́ке пять ты́сяч две́сти пятьдеся́т одна́ кни́га.
35. В э́том го́роде два миллио́на пятьсо́т два́дцать три ты́сячи три́ста со́рок семь жи́телей.

VOCABULARY

поре́зать, IB - cut (perfec.)
па́лец, па́льца - finger
о́стрый - sharp
непра́вда - untruth, lie
бу́дьте добры́ ! - be so kind
голо́дный - hungry
здоро́вый - healthy, well
бу́дьте здоро́вы! - be well, farewell (form of leave taking)
до свида́ния! - good bye (form of leave taking)
всего́ хоро́шего! - best of everything (form of leave taking)
бро́сить, IIB - drop
грибы́ - mushrooms
наде́ть, ID - put on (perfec.)
позвони́ть по телефо́ну - call up on phone
е́сли - if
е́сли бы - if
бы - would
ожида́ть, IA - await (with gen.)
война́ - war
похо́д - campaign
оде́ться, ID - get dressed (pfc.) (оде́нусь, -нешься)
две́сти - 200
ты́сяча - thousand
зараба́тывать, IA - earn
прави́тельство - government
тра́тить, IIB - spend
миллио́н - million
жи́тель - inhabitant

GRAMMAR

1. A small group of otherwise regular verbs has an irregular imperative:

   A. ICa verbs change ь to е: пьёшь: пей, пе́йте.

   B. IB, ID, IIA and IIB verbs which do not have the accent on the ending of the first person singular take ь instead of и: ре́зать, IB: режь, ре́жьте; быть, ID: будь, бу́дьте; слы́шать, IIA: слышь, слы́шьте; бро́сить, IIB: брось, бро́сьте; гото́вить, IIBл: гото́вь, гото́вьте.

   If, however, the verb ending is preceded by two consonants, the regular ending is used, i. e. по́мни, по́мните.

2. The irregular verb есть has ешь, ешьте in the imperative.

3. In order to express the phrase "let us," sometimes called the first person imperative, the Russian uses the first person plural of the verb without the pronoun:

Пойдём в кинó	Let's go to the movies
Почитáем	Let's read a little

4. In Russian there is little difficulty in expressing the conditional. If the condition is actual, one uses éсли "if" and any tense or aspect desired. If the condition is contrary to fact, éсли is either followed by бы or it is directly attached to it: éслиб(ы) and the conclusion also contains бы. The verbs in the condition and conclusion are in the past tense.

Если зáвтра бýдет хóлодно, мы бýдем сидéть дóма.
If it is cold tomorrow, we'll stay home.

Если бы вчерá бы́ло хóлодно, мы бы сидéли дóма.
If it had been cold yesterday, we should have stayed at home.

5. The numbers сто, 100; ты́сяча, 1,000; and миллиóн, 1,000,000 are declined on the whole like nouns of their respective genders. However, сто in the singular usually takes only one ending (а) in all cases but the nominative and accusative.

Nom.	сто	Acc.	сто
Gen.	ста	Instr.	ста
Dat.	ста	Prep.	ста

The same is also true of сóрок, 40, which has only а in the declined cases: сóрок, сорокá, сорокá, etc.

Note the special form двéсти for 200. It must be remembered that два, две, три and четы́ре must be followed by the genitive singular. Hence 300 is три́ста. But from пять on, the genitive plural is used; i.e. 500 is пятьсóт.

Ты́сяча is a feminine hard noun affected by the consonant ч; and миллиóн is declined regularly like a masculine hard noun.

EXERCISES

I. Identify the verbs from which the irregular imperatives were formed in the reading selection.

II. Give imperative forms of the following verbs:

	Singular	Plural
1. сказа́ть	________	________
2. ре́зать	________	________
3. держа́ть	________	________
4. пла́кать	________	________
5. встать	________	________
6. встава́ть	________	________
7. дава́ть	________	________
8. купи́ть	________	________
9. взять	________	________
10. слы́шать	________	________
11. шить	________	________
12. есть (eat)	________	________
13. бить	________	________
14. сове́товать	________	________
15. петь	________	________

III. Translate the following expressions into Russian:

1. Let's go.
2. Let's read.
3. Look!
4. Let's look.
5. Remember this.
6. Let's tell him.
7. Bring me this.
8. Let's buy her this book.
9. Be ready.
10. Be kind enough.

IV. Translate the following into Russian:

1. 51 books
2. 63 houses
3. 75 inhabitants
4. 86 trees
5. 99 boys
6. 104 books
7. 203 knives
8. 306 pencils
9. 527 soldiers
10. 1,248 women

V. Translate into Russian:

1. If he comes, I'll go with him.
2. If he had come, I should have gone with him.
3. Don't cry, children.
4. "Be well, good-bye," said mother.
5. If he had been there, I should have seen him.

6. Let's go to the country tomorrow.
7. If there is an examination tomorrow, we shall be ready.
8. Two million dollars is too much.
9. Five thousand dollars is also too much.
10. In this city are 6,459 inhabitants.

Де́вочка и грибы́
(Продолже́ние)

Машини́ст не мог удержа́ть по́езда. Он свисте́л и́зо всех сил и нае́хал на ме́ньшую де́вочку.

Ста́ршая сестра́ крича́ла и пла́кала. Все пассажи́ры смотре́ли из око́н ваго́нов, а конду́ктор побежа́л на коне́ц по́езда, что́бы ви́деть, что случи́лось с мла́дшей де́вочкой.

Когда́ по́езд прошёл, все уви́дели, что де́вочка лежи́т неподви́жно ме́жду ре́льсами, лицо́м вниз.

Пото́м, когда́ по́езд уже́ пошёл да́льше, де́вочка подняла́ го́лову, собрала́ грибы́ и побежа́ла к ста́ршей сестре́.

* * * *

Посло́вица: Не верь чужи́м реча́м, а верь свои́м оча́м.

* * * *

Припе́в из сове́тской пе́сни: "Если за́втра война́"

Если за́втра война́,
Если́ за́втра в похо́д,
Будь сего́дня к похо́ду гото́в.

* * * *

Замеча́тельное число́

Число́ 37 о́чень замеча́тельное. Если его́ умножи́ть на чи́сла: 3, 6, 9, 12, 15, 18, 21, 24, и т. д., то полу́чится ряд: 111, 222, 333, 444, 555, 666, 777, 888 и т. д.

VOCABULARY

удержа́ть, IIA - hold back
нае́хать, ID - run onto (pfc.)
пассажи́р - passenger, rider
конду́ктор - conductor
случи́ться, IIA - happen
неподви́жно - motionless
вниз - down
подня́ть, ID - lift up (pfc.)
припе́в - refrain
замеча́тельный - remarkable
число́ - number
умно́жить, IIA - multiply (perfec.)
получи́ться, IIA - get, be obtained (perfec.)
ряд - series, row (prep.: в ряду́)

СО́РОК ЧЕТВЁРТЫЙ УРОК - LESSON XLIV

Ordinal Numerals
Review of Days of the Week
Months; Dates

Read and translate:

1. Понеде́льник пе́рвый день неде́ли.
2. Сле́дующий день вто́рник. Вто́рник второ́й день неде́ли.
3. По́сле вто́рника среда́. Среда́ тре́тий день неде́ли.
4. Четве́рг четвёртый день, а пя́тница пя́тый день.
5. Де́ти лю́бят суббо́ту, потому́ что они́ обыкнове́нно не хо́дят в шко́лу по суббо́там.

6. Мы все лю́бим воскресе́нье, потому́ что воскресе́нье день о́тдыха.
7. В году́ двена́дцать ме́сяцев.
8. Пе́рвый ме́сяц го́да янва́рь.
9. В ме́сяце феврале́ 28 и́ли 29 дней.
10. В ма́рте нача́ло весны́.

11. В апре́ле 30 дней.
12. Ру́сские пра́зднуют пе́рвое ма́я - э́то рабо́чий пра́здник.

13. В ию́не начина́ется ле́то.
14. В ию́ле три́дцать оди́н день.
15. В а́вгусте обыкнове́нно жа́рко.

16. В сентябре́ в колхо́зе собира́ют фру́кты.
17. Два́дцать пе́рвого и́ли второ́го сентября́ нача́ло о́сени.
18. В октябре́ уже́ прохла́дно; дни стано́вятся коро́че.
19. В ноябре́ хо́лодно; на поля́х снег.
20. В декабре́ са́мые коро́ткие дни. Ча́сто быва́ют моро́зы.

21. Ле́то начина́ется два́дцать пе́рвого ию́ня.
22. Это бы́ло в ты́сяча девятьсо́т со́рок седьмо́м году́.
23. Мы тепе́рь изуча́ем со́рок четвёртый уро́к.
24. Мы чита́ем две́сти пе́рвую страни́цу.
25. На три́ста три́дцать тре́тьей страни́це - интере́сный расска́з.

26. Алекса́ндр Серге́евич Пу́шкин родился́ в ты́сяча семьсо́т девяно́сто девя́том году́.
27. Пе́рвая мирова́я война́ начала́сь в ты́сяча девятьсо́т четы́рнадцатом году́.
28. Влади́мир Ильи́ч Ле́нин родился́ два́дцать тре́тьего апре́ля, ты́сяча восемьсо́т семи́деся́того го́да.
29. Президе́нт Ру́звельт у́мер двена́дцатого апре́ля, ты́сяча девятьсо́т со́рок пя́того го́да.
30. Чи́сла на пи́сьмах обыкнове́нно пи́шутся так: "Ленингра́д, два́дцать второ́го ма́я, ты́сяча девятьсо́т три́дцать пя́того го́да." Или: "Ленингра́д, 23го ма́я, 1935 г."

VOCABULARY

сле́дующий - next, following
янва́рь - January
февра́ль - February
март - March
нача́ло - beginning
весна́ - spring
апре́ль - April
пра́здновать, ICd - celebrate
ию́нь - June
начина́ть(ся) - begin
ию́ль - July
а́вгуст - August
сентя́брь - September

окта́брь - October
прохла́дно - cool
станови́ться, IIВл - become
ноя́брь - November
дека́брь - December
моро́з - frost
роди́ться, IIВ - be born (pfc)
мирово́й - world (adj.)
число́ - date (plur.: чи́сла)

GRAMMAR

1. Ordinal numbers are adjectives and declined like adjectives. With the exception of тре́тий "third," they are hard adjectives. Some end in ый and others in о́й, depending on where the accent falls. With a few exceptions, ordinal numbers are formed by dropping the final ending ь of the cardinal and adding the adjective ending ый or о́й. Below are the ordinal numerals from 1 to 100. Note that in compound numbers, only the last number of the series is changed.

Ordinal Numerals

пе́рвый, -ое, -ая	first
второ́й, -о́е, -а́я	second
тре́тий, -ье, -ья	third
четвёртый, -ое, -ая	fourth
пя́тый, ое, -ая	fifth
шесто́й, -о́е, -а́я	sixth
седьмо́й, -о́е, -а́я	seventh
восьмо́й, -о́е, -а́я	eighth
девя́тый, -ое, -ая	ninth
деся́тый, -ое, -ая	tenth
оди́ннадцатый, etc.	11th
двена́дцатый, "	12th
трина́дцатый, "	13th
четы́рнадцатый, "	14th
пятна́дцатый, "	15th
шестна́дцатый, "	16th
семна́дцатый, "	17th
восемна́дцатый, "	18th
девятна́дцатый, "	19th
двадца́тый, "	20th
два́дцать пе́рвый "	21st
два́дцать второ́й "	22nd
тридца́тый "	30th
три́дцать пе́рвый "	31st
три́дцать пя́тый "	35th

сороковóй, -óе, -áя		40th
пятидесятый, -ое, -ая		50th
пятьдесят четвёртый, etc.		54th
шестидесятый,	"	60th
шестьдесят шестóй,	"	66th
семидесятый,	"	70th
восьмидесятый,	"	80th
девянóстый,	"	90th
сóтый,	"	100th
сто пéрвый,	"	101st
сто пятый,	"	105th

etc.

2. Note irregular forms:

first	пéрвый	fourth	четвёртый
second	вторóй	seventh	седьмóй
third	трéтий	eighth	восьмóй

3. Трéтий "third" is somewhat irregular in its declension:

<u>Singular</u>

	M.	N.	F.
Nom.	трéт ий	трéт ье	трéт ья
Gen.	-ьего-		" ьей
Dat.	-ьему-		" ьей
Acc.	-ий, -ьего, -ье		" ью
Instr.	-ьим-		" ьей
Prep.	-ьем-		" ьей

4. Note that и is inserted between the parts of numbers пятидесятый, шестидесятый, etc., but that it does not occur when these numbers are compounded. In compound numerals, only the last element is ordinal and preceding elements are cardinal.

5. To express dates and years in Russian, one uses the ordinal numerals.

The year 1947 — тысяча девятьсóт сóрок седьмóй год
In the year 1947 — в тысяча девятьсóт сóрок седьмóм году́

"In the year" is expressed "в году́."

6. To express a date in answer to a question such as: "What date is it?" one uses the nominative case: Како́е сего́дня число́? Сего́дня пе́рвое ма́рта. But to express a date in a letter or some other specific date, one uses the genitive:

Москва́, деся́того а́вгуста, ты́сяча девятьсо́т со́рок седьмо́го го́да
(usually written: Москва́, 10-го а́вгуста, 1947 г.)

He was born on March 3rd, 1916.
Он роди́лся тре́тьего (3-го) ма́рта, 1916 г. (го́да)

EXERCISES

I. Count from 1 to 100, giving first cardinal numbers and then ordinal numbers.

II. Decline (singular):

пе́рвый уро́к	тре́тье ме́сто
тре́тий учени́к	восьмо́й день
тре́тья страни́ца	четвёртый раз

III. Translate into Russian:

1. April 20, 1697
2. December 15, 1918
3. January 21, 1898
4. May 3, 1923
5. July 4, 1776

6. In the year 1936
7. Today is the 20th of June.
8. Today is Tuesday, March 4, 1914.
9. What date is today? Today is February 12.
10. Today is the 25th of November.

IV. Отвеча́йте по-ру́сски, пожа́луйста:

1. Како́й день сего́дня?
2. Како́й ме́сяц тепе́рь?
3. Како́й год тепе́рь?
4. Како́е сего́дня число́?
5. В кото́ром году́ вы роди́лись?

6. В каки́х уро́ках мы изуча́ли ви́ды (aspects)?
7. Каку́ю страни́цу вы тепе́рь чита́ете?
8. Како́й уро́к вы изуча́ете?
9. В кото́ром году́ роди́лся Пу́шкин?
10. Когда́ начала́сь втора́я мирова́я война́?

V. List the days of the week and the months of the year.

Колу́мб и Магелла́н (Read all the dates aloud)

Христофо́р Колу́мб (1446 - 1506) реши́л переплы́ть Атланти́ческий океа́н, чтоб добра́ться до Индии.

Колу́мб в свое́й мо́лодости чита́л кни́гу италья́нского геогра́фа Тоскане́лли (1397 - 1492). В э́той кни́ге, ме́жду про́чим, говори́лось о морско́м пути́* в Индию, кото́рая тогда́ счита́лась о́чень бога́той страно́й.

По́сле восемна́дцати лет ра́зных препя́тствий, Колу́мб, 3 а́вгуста 1492 го́да, пое́хал в Индию на па́русных корабля́х по совсе́м но́вому пути́. На пути́ он встре́тился с но́вым препя́тствием. Это был пани́ческий страх матро́сов. Но эне́ргия Колу́мба и его́ авторите́т среди́ матро́сов победи́ли и наконе́ц, 12 октября́ 1492, корабли́ Колу́мба переплы́ли океа́н и дое́хали до но́вой земли́. Это был ряд острово́в, кото́рые нахо́дятся ме́жду Се́верной и Южной Аме́рикой. Но Колу́мб ду́мал, что э́ти острова́ нахо́дятся недалеко́ от Азии.

Вско́ре по́сле Колу́мба, Фердина́ндо Магелла́н (1480 - 1521) впервы́е соверши́л путеше́ствие вокру́г све́та. Путеше́ствие продолжа́лось о́коло трёх лет - с 20 сентября́ 1519 го́да до 6 сентября́ 1522 го́да. Из пяти́ корабле́й зако́нчил пое́здку то́лько оди́н. Сам Магелла́н у́мер в пути́: он был уби́т дикаря́ми на одно́м из острово́в.

VOCABULARY

переплы́ть, ID - sail across
Атланти́ческий океа́н - Atlantic Ocean
добра́ться, ID - reach, get to (perfec.)
мо́лодость, SFS - youth
италья́нский - Italian
геогра́ф - geographer
ме́жду про́чим - incidentally, by the way

морско́й - sea, maritime (adj.)
счита́ться, IA - be considered, counted
препя́тствие - obstacle
па́русный - sail (adj.)
кора́бль - boat, ship
пани́ческий - panicky, fearful
страх - fear, terror
эне́ргия - energy
авторите́т - authority
сред(и́) - among (with gen.)
победи́ть, IIB - conquer (pfc.)
путь, (m.declined like SFS) - road

о́стров - island
острова́ - (nom. plur.)
Азия - Asia
вско́ре - soon
впервы́е - first
соверши́ть, IIA - accomplish
путеше́ствие - travel
свет - world, light
продолжа́ться, IA - continue
уби́т - killed (participle)
дика́рь - savage

*путь is a masculine noun declined like SFS nouns, except for the instrumental which is путём.

СО́РОК ПЯ́ТЫЙ УРО́К - LESSON XLV

Use of Numbers in Declined Cases
Declension of два, три, четы́ре
Adjectives with Numerals два, три, четы́ре
Telling Time
The Verbs бежа́ть, бе́гать

Read and translate:

1. Год состои́т из двена́дцати ме́сяцев.
2. Ме́сяц состои́т из тридцати́ дней и́ли тридцати́ одного́ дня.
3. День состои́т из двадцати́ четырёх часо́в.
4. Час состои́т из шести́десяти́ мину́т.
5. Мину́та состои́т из шести́десяти́ секу́нд.

6. Я чита́л э́то в пяти́ ра́зных газе́тах.
7. Мы говори́м с двумя́ знако́мыми о четырёх това́рищах.
8. Он пое́хал в го́род с шестью́ това́рищами.
9. Кни́га состои́т из двухсо́т тридцати́ шести́ страни́ц.
10. В го́роде - о́коло трёх ты́сяч жи́телей; ро́вно три ты́сячи четыреста́ со́рок семь.

11. Я разгова́риваю с тремя́ друзья́ми.
12. Я э́то сказа́л четырём друзья́м.
13. Вы зна́ете мои́х четырёх подру́г?
14. Что мне де́лать с девятью́ пе́рьями?
15. У э́того челове́ка пятьсо́т со́рок одна́ кни́га.

16. В библиоте́ке две́сти со́рок две но́вых кни́ги.
17. У нас со́рок но́вых книг.
18. В теа́тре ты́сяча семьсо́т шестьдеся́т четы́ре свобо́дных ме́ста.
19. Я дал э́тим двум ма́льчикам два биле́та на конце́рт.
20. У нас во́семь но́вых домо́в, а у на́шей ма́тери три но́вых до́ма.

21. Кото́рый тепе́рь час? Тепе́рь полови́на шесто́го. Тепе́рь шесть мину́т пя́того.
22. Тепе́рь без двадцати́ двух мину́т де́вять.
23. По́езд ушёл в два́дцать три мину́ты оди́ннадцатого.
24. Я вста́ла без двадцати́ пяти́ мину́т во́семь.
25. По воскресе́ньям мы встаём в полови́не деся́того.

26. По понеде́льникам я встаю́ в без че́тверти семь, и́ли в без двадцати́ пяти́ семь.
27. Наш по́езд прихо́дит в пять часо́в пятна́дцать - э́то зна́чит че́тверть шесто́го.
28. Мы начина́ем обе́дать в че́тверть седьмо́го и конча́ем в без че́тверти семь.
29. Кото́рый тепе́рь час по ва́шим часа́м? Два́дцать мину́т девя́того.
30. Из ско́льких мину́т состои́т день? День состои́т из ты́сячи четырёх сот сорока́ мину́т.

31. Де́ти лю́бят бе́гать, но Ми́ша никогда́ не бе́гает.
32. Соба́ка бе́гала за старико́м. Наконе́ц она́ прибежа́ла домо́й.
33. Сего́дня я до́лжен бежа́ть к ста́нции. Я встал по́здно.
34. Куда́ вы бежи́те? Я бегу́ в го́род.
35. Они́ всегда́ бе́гают, но сего́дня не бегу́т.

VOCABULARY

состоя́ть (из), IIA - consist (of)
секу́нда - second
ра́зный - different, various
ро́вно - exactly, precisely
полови́на - half
че́тверть, SFS - quarter
конча́ть, IA - end
из ско́льких - of how many (gen. plur.)
бе́гать, IA - run
соба́ка - dog
бежа́ть, irreg. - run
прибежа́ть, irreg. - come, arrive (by running) (perfec.)

GRAMMAR

1. All numerals in Russian are declined. (See Lessons XX and XLIII for declension of most numerals.)

2. The numerals два, три and четы́ре have special declensional forms which somewhat resemble plural forms of adjectives. There are no singular forms. They are declined as follows:

Nom.	два, две	три	четы́ре
Gen.	двух	трёх	четырёх
Dat.	двум	трём	четырём
Acc.	(Like nom. or gen.)		
Instr.	двумя́	тремя́	четырьмя́
Prep.	двух	трёх	четырёх

3. It must be kept in mind that оди́н, одно́, одна́; одни́ is declined like an adjective and has the function of an adjective. The plural of оди́н: одни́ has the meaning "alone."

4. The rule which states that numbers are followed either by the genitive singular or genitive plural only applies to numbers appearing in the nominative and accusative cases. If the numbers are in any of the four remaining cases, the noun following them must appear in the same case.

Examples:
У меня́ пять книг.
Я прочла́ пять книг.
Я э́то чита́л в пяти́ кни́гах.
Я пошёл в теа́тр с тремя́ това́рищами.

5. In numbers from пять onward, i.e. those followed by the genitive plural, the adjective preceding the noun is also in the genitive plural. After numbers два, три and четы́ре, however, although the noun is in the genitive singular, the adjective is in the genitive plural.

   У меня́ три но́вых кни́ги; три но́вых карандаша́; три но́вых пера́.

   У меня́ пять но́вых книг; пять но́вых карандаше́й; пять но́вых пе́рьев.

6. The problem of telling time offers some difficulties. Up to and including the half hour, one expresses the time by stating the number of minutes of the following hour, which appears in the ordinal.

   Thus: "five minutes after two" is пять мину́т тре́тьего and "half past three" is полови́на четвёртого.

   From the half hour to the next hour, the expression is: "without.....minutes."

   Thus: "twenty minutes to four" is без двадцати́ мину́т четы́ре and "5:31" is без двадцати́ девяти́ мину́т шесть.

7. Бе́гать, IA; and бежа́ть, irreg. both mean "to run." Бе́гать is the iterative verb and remains imperfective when compounded. Бежа́ть is conjugated as follows:

я бегу́	мы бежи́м
ты бежи́шь	вы бежи́те
он бежи́т	они́ бегу́т

EXERCISES

I. Decline the following numerals:

во́семь	два	сто
два́дцать	три	со́рок
шестьдеся́т четы́ре	оди́н	134

II. Analyze the cases of numerals used in the reading selection and give reasons for each use.

III. Translate into Russian:

1. Our house consists of four small rooms.
2. This house consists of six large rooms.
3. We are running with two friends.
4. I am running to my two comrades.
5. I see four new houses on that street.

6. between these three places
7. under two flags (banners)
8. above these three houses
9. near the six large trees
10. in eight new books

11. On Tuesdays we work from 9 to 5.
12. We get up at 6:30.
13. It is now 11:15.
14. It is 7:29 and we must run.
15. I take the train at 9:48.

16. It is a quarter to one and he is running to the city.
17. I met him at 20 minutes past 5.
18. It is four minutes to six.
19. July consists of 31 days.
20. The year consists of 12 months or 365 days.

О чём бу́дет речь
(из "Расска́за о Вели́ком Пла́не" - М. Ильи́н)

Есть кни́ги с расска́зами, с рису́нками, со стиха́ми. Таки́е кни́ги интере́сно чита́ть и рассма́тривать.

Есть кни́ги с ци́фрами и табли́цами. По э́тим кни́гам мы у́чимся, но во вре́мя о́тдыха мы тако́й кни́ги чита́ть не хоти́м.

А вот есть одна́ кни́га, кото́рая вся состои́т из цифр и табли́ц, и всё-таки она́ интере́снее любо́го рома́на с приключе́ниями.

В э́той кни́ге ка́ждая ци́фра - рису́нок.
Возьмём науда́чу не́сколько цифр из э́той кни́ги:
51 91 000 4295 42
Что э́то тако́е?

С виду в этой книге нет ничего интересного; цифры, как в учебнике. Но когда начинаешь читать, нельзя оторваться.

Эта книга называется "Пятилетний план."

Рассказать своими словами об этом великом плане - трудная задача. Передать в небольшой книжечке то, что изложено на 1680 страницах цифр и таблиц - разве это возможно? Ведь тысячи людей работали над пятилетним планом, а я хочу один сказать обо всём.

Этот план уже перестаёт быть планом. Мы уже построили сотни заводов. Десятки тысяч новых тракторов работают на полях. Сотни новых паровозов тащат поезда. Цифры растут и меняются. В книге о пятилетнем плане было сказано: "построить за пять лет 91 000 тракторов." А мы в одном только 1931 году построим 56 000 и к концу пятилетки у нас будет 850 000 тракторов!

VOCABULARY

великий - great
план - plan
рисунок, -нка - drawing, sketch
рассматривать, IA - examine
цифра - figure, number
таблица - table
любой - any one
приключение - adventure
наудачу - at random
что это такое? - what is this?
с виду - at sight, in appearance
оторваться, ID - tear oneself away (perfec.)
пятилетний план - five year plan
небольшой - small
книжечка - little book
изложенно - laid out
разве? - really?
возможно - possible
ведь - you see
перестать, ID - stop (pfc.)
сотня - hundred (collec. noun)
десяток, -тка - ten (collec. noun)
паровоз - engine
тащить, IIA - pull
меняться, IA - change

СО́РОК ШЕСТО́Й УРО́К - LESSON XLVI

Present Participles and Present Adverbial Participles (Gerunds)

Read and translate:

1. Челове́к, стоя́щий на углу́ и жду́щий нас - мой учи́тель.
2. Кто э́та же́нщина, сидя́щая там?
3. Це́рковь, стоя́щая на Кра́сной пло́щади - Васи́льевский собо́р.
4. Я не зна́ю челове́ка, сидя́щего во́зле вас.
5. Я люблю́ шум иду́щего по́езда.

6. Лю́ди пи́шущие кни́ги называ́ются а́вторами.
7. Лю́ди лю́бящие му́зыку, хо́дят ча́сто на конце́рты.
8. Посмотри́те на э́тих спя́щих дете́й!
9. Мы ча́сто встреча́емся с друзья́ми, живу́щими в Москве́.
10. В бу́дущем году́ мы пое́дем в Сове́тский Сою́з.

11. Сле́дующий день среда́. На сле́дующей неде́ле мы пое́дем в дере́вню.
12. Вы зна́ете э́того челове́ка, сидя́щего в пя́том ряду́?
13. Я уме́ю писа́ть на пи́шущей маши́нке.
14. На столе́ лежи́т блестя́щее зо́лото.
15. У нас нет пи́шущих маши́нок; мы пи́шем ста́рыми пе́рьями.

16. Граждани́н Миха́йлов мой люби́мый учи́тель.
17. Мы встре́тились с люби́мой учи́тельницей.
18. Пи́сьма ча́сто начина́ются так: "Многоуважа́емый граждани́н."
19. Нам необходи́мо пое́хать за́втра в го́род.
20. Кни́га, чита́емая на́ми, называ́ется: "Война́ и мир."

21. Язы́к изуча́емый на́ми - ру́сский.
22. Эта же́нщина моя́ о́чень уважа́емая учи́тельница.
23. Не ви́дя его́ там, я посла́л ему́ телегра́мму.
24. Не зна́я, кто он, я с ним не говори́л.
25. Пла́ча, Ната́ша сказа́ла: "Я хочу́ пойти́ с ва́ми."

26. "Здра́вствуйте," сказа́л Са́ша, пожима́я ру́ку това́рища.
27. Си́дя за столо́м, он писа́л письмо́.
28. Разгова́ривая с това́рищем, он меня́ не узна́л.
29. Чита́я кни́гу, профе́ссор никого́ не ви́дел.
30. Чу́вствуя оби́ду, Пелаге́я запла́кала.

VOCABULARY

шум - noise
а́втор - author
бу́дущий - next, future
сле́дующий - next, following
ряд - row (prep.: в ряду́)
пи́шущая маши́на - typewriter
люби́мый - beloved, favorite
многоуважа́емый - much respected, "dear sir"
необходи́мо - essential
Война́ и мир - War and Peace
уважа́ть, IA - respect
посла́ть, IB (irreg.) - send (pfc.) (пошлю́, -ёшь)
пожима́ть, IA - press (perfec.)
никого́ не - no one (gen. of никто́)
узна́ть, IA - recognize (perfec.)
чу́вствовать, ICd - feel
оби́да - hurt, insult

GRAMMAR

1. Participial forms help out a good deal in the deficient Russian verb system. Participles are adjectives made from verbs. They therefore are declined like adjectives but may have verbal functions. In this lesson we are studying the present participles. Perfective verbs, of course, do not have present participles.

   Present active participles are formed quite regularly from the third person plural of the verb by cutting off the consonant Т and adding щий, щее and щая and declining like the adjective хоро́ший.

   Челове́к, жду́щий меня́ на углу́, мой друг.
   The man (who is) waiting for me on the corner is my friend.

Ждýщий is the present participle, formed from ждут. It is masculine in form and takes the object менй.

2. In the participial system we have passive as well as active participles. The present passive participles are formed from the first person plural of the verb. In the verb читáть, for example, the present passive participle is formed from читáем: кнѝга, читáемая нáми, "the book which is being read by us." Participles are used more in literary and written language than in the spoken language, where often a relative clause can be used instead. Many participial forms have been used so commonly as adjectives that one is no longer aware that they are participles.

3. Participles may also be used adverbially, that is, they have no adjective or noun function, but limit the idea of the verb in some way. They may be themselves modified adverbially.

   The adverb participle in the present tense is formed by cutting off the third person plural ending and adding я or а. The changes in IB verbs are thus retained, but not in IIB verbs.

EXERCISES

I. Identify the verbs from which the gerunds and participles are formed in the reading exercise.

II. Decline the following participial phrases:

любѝмый учѝтель	спя́щий мáльчик
сидя́щая дáма	пѝшущая машѝна

(Translate these phrases into English)

III. Change the participial clauses in the reading exercise into relative clauses; i.e.

человéк, стоя́щий: человéк котóрый стоѝт

IV. Translate into Russian, using participial constructions wherever possible:

1. The lady standing in the garden is waiting for us.
2. People who like literature read many books.
3. He is my favorite teacher.
4. I do not like people who write books.
5. She wrote me a letter on her typewriter.

6. Moscow, April 4, 1946. Dear Sir:
7. We write sitting down, and sing standing up.
8. I like sleeping children.
9. I see the train which is coming.
10. Who are those people going to the theatre with you?

Неожи́данные го́сти
(По Че́хову)

Ва́ря и Са́ша, недавно́ пожени́вшиеся супру́ги, жи́ли ле́том на да́че. Они́ люби́ли друг дру́га и бы́ли о́чень сча́стливы.

Одна́жды ве́чером они́ гуля́ли по дере́вне и смотре́ли на луну́. Пого́да была́ прия́тная. Са́ша держа́л Ва́рю за́ руку, а она́ жа́лась к нему́. Наконе́ц, они́ пришли́ к ста́нции желе́зной доро́ги.

"...Как хорошо́, Са́ша, как здесь хорошо́!" сказа́ла жена́. "Мо́жно поду́мать, что всё э́то сни́тся! Ты посмотри́, как све́тит луна́, как краси́в э́тот лесо́к! Как милы́ э́ти соли́дные телегра́фные столбы́! Они́, Са́ша, говоря́т, что там, где́-то есть лю́ди...цивилиза́ция...А ра́зве тебе́ не нра́вится, когда́ и́здали слы́шен шум иду́щего по́езда?"

"Да...но каки́е у тебя́ ру́ки горя́чие! Это потому́ что ты нервна́, Ва́ря...А, что у нас сего́дня к у́жину гото́вили?"

"Суп и цыплёнка...цыплёнка нам на двои́х дово́льно. Тебе́ из го́рода привезли́ сарди́ны и икру́....Вот по́езд идёт. Как хорошо́!" сказа́ла Ва́ря.

VOCABULARY

неожи́данный - unexpected (past pass. part.)
недавно́ - recently
пожени́вшиеся - married (past active part.) (reflex.)
супру́ги - married couple, husband and wife
да́ча - country home, resort, country
счастли́вый - happy
сни́ться, IIA - dream
лесо́к, -ска́ - little wood
луна́ - moon
ми́лый - dear, pleasant
соли́дный - solid
где́-то - somewhere
телегра́фный - telegraph (adj.)
столб - post
цивилиза́ция - civilization
ра́зве...не - is it not
и́здали - from afar
слы́шен - heard (past pass. part.)
горя́чий - hot
не́рвный - nervous
цыплёнок, -нка - spring chicken
на двои́х - for both
сарди́на - sardine
икра́ - caviar

СО́РОК СЕДЬМО́Й УРО́К - LESSON XLVII

Past Participles & Past Adverbial Participles

Read and translate:

1. Он бы́вший учи́тель, а она́ бы́вшая его́ учени́ца.
2. Автор, написа́вший э́тот рома́н - ру́сский.
3. Же́нщина, купи́вшая э́тот дом, была́ о́чень дово́льна им.
4. Челове́к, постоя́вший там полчаса́, ушёл.
5. Де́ти, жи́вшие у нас зимо́й, уе́хали к ба́бушке.

6. Вы зна́ли люде́й, жи́вших у ва́шего бра́та?
7. Де́рево стоя́вшее в лесу́, упа́ло.
8. Прише́дший гость снял пальто́.
9. Вы ви́дели челове́ка, прише́дшего к нам вчера́?
10. Он с ума́ сошёл. Он сумаше́дший.

11. Вот письмо́, напи́санное по-ру́сски.
12. Это письмо́ напи́сано по-ру́сски.

13. Кни́га, напи́санная мои́м дру́гом, о́чень интере́сна.
14. Что вы сде́лали с прочи́танной ва́ми кни́гой?
15. В Аме́рике покупа́ют разре́занный хлеб.

16. Э́тот дом постро́ен мои́м бра́том.
17. К нам пришли́ неожи́данные го́сти.
18. Вы встре́тили неожи́данных госте́й?
19. Росси́я разделена́ на две ча́сти.
20. Го́род разделён на пять часте́й.

21. В го́роде слы́шен шум поездо́в и трамва́ев.
22. Его́ письмо́ бы́ло мно́го раз прочи́тано.
23. Дома́шний обе́д лу́чше ку́пленного.
24. Вино́ вы́питое на́ми бы́ло о́чень вку́сное.
25. Окно́ закры́то, а дверь откры́та.

26. Приглашённые го́сти стоя́ли у откры́той две́ри.
27. Он о́чень учёный челове́к.
28. Карто́фель был про́дан колхо́зником.
29. Э́та де́вочка о́чень краси́во оде́та.
30. Закры́в глаза́, ребёнок засну́л.

31. Сказа́в, что он э́то сам сде́лает, он ушёл.
32. Уви́дев так мно́го люде́й, он испуга́лся.
33. Купи́в всё, что он хоте́л, он пошёл домо́й.
34. Прочита́в газе́ту, мы пошли́ спать.
35. Помы́в ру́ки, Ми́ша сел за сто́л.

VOCABULARY

бы́вший - former
прише́дший - having come
нача́ть, ID - start (начну́, -нёшь) (perf)
ум - mind
сойти́, ID - go down, depart, go out of (pfc)
сойти́ с ума́ - go crazy, go insane
сумаше́дший - insane
разре́зать, IB - cut into pieces (perfec.)
неожи́данный - unexpected
разделён - divided (past pass. part. of раздели́ть)
слы́шать, IIA - hear (past pass. part.: слы́шен)
пригласи́ть, IIB - invite (P)
учёный - learned, scientist
ребёнок, -нка - child (plural: де́ти)
засну́ть, ID - fall asleep (pfc.)(засну́, -нёшь)
испуга́ться, IA - get frightened (perfec.)

GRAMMAR

1. There are also two past participles - the active and the passive:

   A. The past active participle is formed from the past tense of the verb by cutting off the л and final endings and substituting -вший, -вшее, -вшая and declining like хоро́ший.

   B. The past passive participle, perhaps the most used, is not as regularly formed. Moreover, many verbs do not have this form at all. Past passive participles are most often made from perfective verbs, since the past passive means something that has been done or accomplished.

      There are at least three ways to make past passive participles, and the following general rules may help:

      a) In IA and IB verbs, the past passive participle is usually formed by cutting off the infinitive ть and adding нный, etc. to the root. Thus: сде́лать: сде́ланный, etc. or написа́ть: напи́санный. These participles often appear in the predicate or short form (сде́лан, напи́сан - note one н in these forms.)

      b) In IIA and IIB verbs е usually precedes the participial ending, the consonantal change being retained in the IIB verbs. (See раздели́ть)

      c) Some verbs (usually monosyllabic in root) cut off only the soft sign and add adjective endings: оде́ть: оде́тый, etc. The ICa and ICc verbs are treated this way.

2. The past adverbial participle is formed from the past tense by cutting off the endings -л, etc. and adding -в or -вши.

   Present adverbial participle: чита́я, пла́ча
   Past adverbial participle: чита́в(ши), пла́кав(ши)

3. Many words used purely as adjectives are in reality participles. Past active participles of итти́ (ше́дший, etc.) are formed from the past tense шёл. Note adjectives in this lesson formed from this participle.

4. The word бу́дущий "future" is really a participle of быть.

EXERCISES

I. Identify verbs from which the participles and adverbial participles in this lesson have been made.

II. Decline:

напи́санное письмо́, откры́тая дверь, бы́вший учи́тель

III. Give the participial forms of the following verbs. (Note: Intransitive verbs, of course, have no passive forms.)

1. чита́ть
2. ожида́ть
3. мыть
4. де́лать
5. встреча́ть
6. сиде́ть
7. смотре́ть
8. обе́дать
9. понима́ть
10. пла́кать

IV. Translate into Russian:

1. While standing on the corner, I saw him.
2. Having sat a while in the library, my friend went away.
3. We write sitting down, but speak standing.
4. What are your favorite books?
5. It is difficult to read letters written with pencil.
6. After eating his breakfast (поза́втракать), the man went to his office.
7. Why do you speak with these insane people?
8. We have been invited by our beloved friends.

Неожи́данные го́сти
(Продолже́ние)

Издали показа́лся свет иду́щего по́езда. На платфо́рму вы́шёл нача́льник ста́нции.

"Встре́тим по́езд и пойдём домо́й," сказа́л Са́ша и зевну́л. "Хорошо́ нам с тобо́й живётся, Ва́ря, так хорошо́, что да́же невероя́тно!"

Тёмный поезд бесшумно подошёл к платформе и остановился. В окнах вагонов видны сонные лица. "Ах, ах," послышалось из одного вагона. "Варя с мужем вышла нас встретить. Вот они. Варенька...Варечка. Ах!"

Из вагона вышли две девочки. За ними показалась полная дама, затем высокий тонкий господин, потом два гимназиста, за гимназистами гувернантка, за гувернанткой бабушка.

"А вот и мы, а вот и мы, мой милый кузен," начал тонкий господин, пожимая руку Саши. Коля, Костя, Нина, Фифа...дети, Целуйте кузена Сашу! Все к тебе, вся семья на три или четыре дня! Надеюсь, не стесним! Ты пожалуйста...без церемонии, говори..!"

VOCABULARY

начальник - officer
зевнуть, ID - yawn (pfc.)
невероятно - unbelievable
бесшумно - noiselessly
житься, ID - live, get along
подъехать, ID - come up to
сонный - sleepy
Варя - Barbara
  Варенька - (diminutive)
  Варечка - "
полный - full, stout
господин - gentleman
гимназист - high school student
гувернантка - governess
надеяться, IA (irreg.) - hope (надеюсь, -ешься)
кузен - cousin
стеснить, IIA - crowd (pfc.)
церемония - ceremony

СОРОК ВОСЬМОЙ УРОК - LESSON XLVIII

Review Lesson on Verbs
(Consult Verb List in Grammatical Summary)

I. Give the verbs below (1) in the imperfective present; and (2) in the perfective present with the following pronouns: я, они, вы.

1. есть
2. итти
3. ехать
4. брать
5. везти
6. нести
7. ездить
8. хотеть
9. писать
10. резать
11. находиться
12. умирать
13. записывать
14. класть
15. понимать

II. Give the verbs below (1) in the imperfective present; and (2) in the perfective present with the following pronouns: мы, ты, он.

1. мыть	6. ви́деть	11. встреча́ть
2. шить	7. ве́рить	12. открыва́ть
3. ждать	8. пла́кать	13. сове́товать
4. жить	9. убега́ть	14. покупа́ть
5. дава́ть	10. встава́ть	15. забыва́ть

III. Give the past tense (masculine - singular and plural) of the following verbs:

	Singular	Plural
1. [мочь]	____________	______________
2. [нести́]	____________	______________
3. [умере́ть]	____________	______________
4. [итти́]	____________	______________
5. [исче́знуть]	____________	______________
6. [откры́ть]	____________	______________
7. [класть]	____________	______________
8. [есть]	____________	______________
9. [е́здить]	____________	______________
10. [привезти́]	____________	______________

IV. Give the imperatives of the following verbs (singular and plural):

	Singular	Plural
1. [встать]	____________	______________
2. [держа́ть]	____________	______________
3. [гото́вить]	____________	______________
4. [бро́сить]	____________	______________
5. [по́мнить]	____________	______________
6. [быть]	____________	______________
7. [ре́зать]	____________	______________
8. [пла́кать]	____________	______________
9. [итти́]	____________	______________
10. [купи́ть]	____________	______________

11. [ве́рить] ____________ ____________
12. [дава́ть] ____________ ____________
13. [дать] ____________ ____________
14. [лить] ____________ ____________
15. [есть] ____________ ____________

V. Give present active participle and adverbial participle of:

1. [отвеча́ть] ____________ ____________
2. [говори́ть] ____________ ____________
3. [люби́ть] ____________ ____________
4. [ожида́ть] ____________ ____________
5. [сове́товать] ____________ ____________
6. [стоя́ть] ____________ ____________

VI. Give past passive participle of:

1. [купи́ть] ____________
2. [вы́пить] ____________
3. [оде́ть] ____________
4. [написа́ть] ____________
5. [гото́вить] ____________
6. [прочита́ть] ____________

VII. Give past active participle and adverbial participle of:

1. [сиде́ть] ____________ ____________
2. [ожида́ть] ____________ ____________
3. [по́мнить] ____________ ____________
4. [держа́ть] ____________ ____________
5. [итти́] ____________ ____________

VIII. Express the following impersonal constructions:

	Present	Past
1. we must	____________	____________
2. I need	____________	____________
3. it pleases us	____________	____________
4. it seems to him	____________	____________
5. I feel like going	____________	____________

Неожи́данные го́сти
(Продолже́ние)

Уви́дев дя́дю с семьёй, супру́ги испуга́лись. Пока́ дя́дя говори́л и целова́лся, в воображе́нии Са́ши прошла́ карти́на: он и жена́ отдаю́т гостя́м свои́ три ко́мнаты, подушки, одеяла, икру, цыплёнка, сардины. Кузены рвут цветы, проливают чернила, тётушка целые дни говорит о своих болезнях и о том, что она урождённая баронесса Фон-Финтих...

И Саша уже с ненавистью смотрел на свою молодую жену и говорил ей в ухо: "Это они к тебе приехали..."

"Нет, к тебе," ответила она, тоже с ненавистью... "Это не мои, а твои родственники!"

А к гостям, она сказала с приветливой улыбкой... "Пожалуйста, дорогие гости, милости просим."

А Саша, придавая голосу радостный тон, тоже сказал: "Милости просим. Милости просим, дорогие гости!"

VOCABULARY

пока - until, while
воображение - imagination
рвать, ID - tear
проливать, IA - pour, spill
чернила - ink (plur. only)
тётушка - aunty
болезнь, SFS - sickness
урождённый - born, "née"
баронесса - baroness
ненависть, SFS - hatred
родственник - relative
приветливый - inviting
улыбка - smile
милости просим - welcome! (id.)
придавать, ICb - give
радостный - joyful

СОРОК ДЕВЯТЫЙ УРОК - LESSON XLIX

Review Lesson on Nouns and Adjectives
Vocabulary Review

I. Translate into Russian in the singular and plural:

1. necessary thing
2. this writer
3. blue sea
4. on the Red Square
5. of the rich man
6. in the large laboratory
7. to the closed door
8. of the large bucket
9. of the open window
10. to the kind mother

11. of the red banner
12. of the whole day
13. to the black bear
14. to the little girl
15. with a blue cup

16. in a new glass
17. with a black pen
18. near the railroad
19. to the old station
20. my little son

21. to this man
22. with our uncle

23. favorite friend
24. into the cold water
25. with the unexpected guest
26. about the American citizen
27. into a Russian village

28. in the old building
29. over the long road
30. to her older brother
31. of my eye
32. with my younger sister

33. of this inhabitant
34. under the large tree
35. in front of the ancient church

II. Fill in the blanks with appropriate words, using proper endings:

1. У птиц чёрные __________.
2. Ольга лежи́т на __________.
3. В го́роде мно́го __________.
4. В Аме́рике мно́го __________.
5. _____ дя́дя __________ мужчи́на.

6. ____________ приезжа́ют в го́род из дере́вни.
7. Челове́к ест _______ (with his mouth) и смо́трит __________ (with his eyes).
8. Мы хо́дим ____________ (with our feet).
9. Во (mouth) ______ у челове́ка язы́к и __________.
10. В ме́сяце феврале́ __________ __________ дней.

11. В _____ 12 ______________ ме́сяц_____.
12. У э́тих люде́й __________ и ____________ (sons and daughters).
13. ______________ иду́т на рабо́ту.
14. На __________ мы еди́м ______________(ice cream).
15. Сего́дня четве́рг. Вчера́ был____ ____________.

16. За́втра бу́дет _____________.
17. Да́йте мне 2 ___________ хле́ба с __________.
18. Я заплати́л 3 ________ (roubles) за одну́ кни́гу, а 6 ________ за другу́ю.
19. Ученики́ сидя́т на ________ за _________ (plural).
20. В ма́леньких города́х нет _____________.

21. В Чика́го пять __________ (stations).
22. В го́род мо́жно е́хать __________, __________ или __________.
23. __________ хо́лодно, а __________ тепло́.
24. __________ темно́, а __________ светло́.
25. Мы пи́шем и́ли __________ (pens) и́ли на __________ (typewriters).

III. Translate into Russian:

1. many people
2. in the woods
3. a cup of tea
4. a glass of good milk
5. many times
6. four people
7. eight people
8. of those peasants
9. I and my husband
10. five long months
11. with my father
12. at night
13. look after the children
14. resembles his brothers
15. four fresh eggs

Стихи́ А. С. Пу́шкина

"Любопы́тный"

Что же но́вого? "Ей Бо́гу, ничего́!"
"--Эй не хитри́: ты ве́рно что́-то зна́ешь.
Не сты́дно ли, от дру́га своего́,
Как от врага́, ты ве́чно всё скрыва́ешь?"

Иль ты серди́т? "Поми́луй, брат, за что́?
Не будь упря́м: скажи́ ты мне хоть сло́во..."
"Ох отвяжи́сь, я зна́ю то́лько то́,
Что ты дура́к, да э́то уж не но́во!"

"Я вас люби́л"

Я вас люби́л: любо́вь ещё быть мо́жет
В душе́ мое́й уга́сла не совсе́м;
Но пусть она́ вас бо́льше не трево́жит
Я не хочу́ печа́лить вас ниче́м.
Я вас люби́л безмо́лвно, безнаде́жно,
То ро́бостью, то ре́вностью томи́м;
Я вас люби́л так и́скренно, так не́жно,
Как дай вам Бог люби́мой быть други́м.

VOCABULARY

любопы́тный - curious
ей Бо́гу - really
хитри́ть, IIA - dodge, be crafty
ве́рно - true, surely
враг - enemy
ве́чно - always, everlastingly
скрыва́ть, IA - conceal
иль - or (и́ли)
серди́т - angry
поми́луй - please, have mercy
упря́м - stubborn
хоть - just
ох! - ah!
отвяжи́сь, IB - let go!
дура́к - fool
любо́вь, SFS - love
душа́ - soul
уга́с - died away
трево́жить, IIA - trouble, disturb
печа́лить, IIA - make sad
безмо́лвно - silently
безнаде́жно - hopelessly
ро́бость, SFS - timidity, shyness
ре́вность, SFS - jealousy
томи́ть, IIB л - oppress, trouble
и́скренно - sincerely
не́жно - tenderly
дай вам Бог - may God grant

ПЯТИДЕСЯ́ТЫЙ УРО́К - LESSON L

Review of Numerals, Participles and Pronouns
Some Idioms

I. Find appropriate translations in Column II of idioms in Column I. (Most of these are from the readings)

I	II
1. в са́мом де́ле	1. railroad
2. с ума́ сойти́	2. from that time on
3. с удово́льствием	3. each other
4. всё ещё	4. all is not gold that glitters
5. бу́дьте добры́	5. all in all
6. жил был	6. from day to day
7. в конце́ концо́в	7. how are you
8. ходи́ть в го́сти	8. by the way
9. ми́лости про́сим	9. still
10. что же	10. in fact

11.	всё таки	11.	with pleasure
12.	желе́зная доро́га	12.	why not
13.	с тех пор	13.	with all his might
14.	ме́жду про́чим	14.	just the same
15.	как вы пожива́ете	15.	go visiting
16.	и́зо всех сил	16.	go crazy
17.	изо дня в день	17.	be welcome
18.	всего́	18.	be so kind
19.	не всё то зо́лото, что блести́т	19.	in the long run, finally
20.	друг дру́га	20.	once upon a time

II. Make sentences using any ten of the idiomatic expressions above.

III. Translate the letter below into correct Russian:

Moscow, August 14, 1944

Dear Mr. Petrov:

I arrived in the Soviet Union on June 1. Since then I have seen many interesting things. I have been in seven cities and have seen the mountains, rivers and seas of Russia.

I like the Russian people very much. I like to converse with them and sing with them. They sing very beautiful Russian songs.

We spent two weeks in Moscow. Moscow is a large and interesting city. It resembles cities in America. There are many large buildings, museums and theatres. We attended the opera and ballet in Moscow. I met some of my friends from America and we went to the theatre together.

In Kiev, a very ancient city, I saw some people sitting (use participle) at a table in a restaurant. They were some young Russian Pioneers. They invited us to sit with them. We danced, drank wine and vodka and sang.

While in Leningrad I bought a Russian typewriter and am learning to write on it. This is my first letter written (use participle) on my Russian typewriter. How do you like it?

We shall arrive in New York by the end of September. We shall be glad to see you again and will tell (расска́зать) you all that we have seen and done.

Until we meet again,

Your loving friend,

John

IV. In the reading selection which follows analyze and read aloud all numerical forms.

V. In the reading selection which follows analyze all participial forms. Give verbs from which they originate.

В Москве́ постро́ят во́семь небоскрёбов
(-Из газе́ты "Ру́сский Го́лос")

Ло́ндон, 25 ма́я - Ра́дио Москвы́ сего́дня сообщи́ло, что там начина́ется постро́йка 8 небоскрёбов. Оди́н из них бу́дет состоя́ть из 32 этаже́й. Тро́е из са́мых высо́ких зда́ний бу́дут жи́лищными дома́ми, причём оди́н из них бу́дет постро́ен недалеко́ от Кремля́.

* * *

Населе́ние Райо́на Нью Йо́рка
(-Из газе́ты "Ру́сский Го́лос")

Населе́ние райо́на Нью Йо́рка (включа́ющего та́кже се́веро-восто́чную часть Нью Дже́рзи) с 1940 го́да возросло́ с 11, 691, 000 челове́к до 12, 684, 000 - увеличе́ние на 9 проце́нтов. За э́тот же пери́од населе́ние США в це́лом возросло́ на 3 проц. В тече́ние рассма́триваемого семиле́тнего пери́ода чи́сленное превосхо́дство же́нщин над мужчи́нами возросло́ вдво́е. В 1940 г. бы́ло 152, 056 же́нщин бо́льше, чем мужчи́н, а в э́том году́ превыше́ние соста́вило 391, 581.

Из ка́ждых 100 мужчи́н ста́рше 14 лет 31 был нежена́т, а из ка́ждых 100 же́нщин 25 бы́ли неза́мужними. Из ка́ждых 100 мужчи́н 64 бы́ли жена́тыми. Из ка́ждых 100 же́нщин 61 была́ за́мужней.

VOCABULARY

небоскрёб - skyscraper
сообщи́ть, IIA - announce, report (perfec.)
постро́йка - building
жи́лищный - living (adj.)
причём - moreover
населе́ние - population
райо́н - region
включа́ть, IA - include
восто́чный - eastern
Нью Дже́рзи - New Jersey
возро́с - grew, increased
увеличе́ние - enlargement, increase
проце́нт - percent
пери́од - period
це́лый - whole
  в це́лом - in all
тече́ние - course
чи́сленный - numerical
превосхо́дство - superiority
вдво́е - twice, two times
превыше́ние - increase
соста́вить, IIВл - comprise, make up (pfc)
нежена́тый*- unmarried (male)
неза́мужний* - unmarried (female)
жена́т* - married (male)
за́муж*- married (female)
  быть за́мужней- be married

(*There are two words for marriage, one applying to men, one to women. In the case of men жена́ is the root word, in the case of women муж is the root word.)

GRAMMATICAL SUMMARY

GRAMMATICAL SUMMARY

I. Typical Noun Declensions:

MASCULINE

Singular

	Hard		Soft			
Nom.	журна́л	—	автомоби́л	ь	трамва́	й
Gen.	"	а	"	я	"	я
Dat.	"	у	"	ю	"	ю
Acc.	"	—	"	ь	"	й
Instr.	"	ом	"	ем	"	ем
Prep.	"	е	"	е	"	е

Plural

Nom.	"	ы	"	и	"	и
Gen.	"	ов	"	ей	"	ев
Dat.	"	ам	"	ям	"	ям
Acc.	"	ы	"	и	"	и
Instr.	"	ами	"	ями	"	ями
Prep.	"	ах	"	ях	"	ях

NEUTER

Singular

	Hard		Soft	
Nom.	сло́в	о	по́л	е
Gen.	"	а	"	я
Dat.	"	у	"	ю
Acc.	"	о	"	е
Instr.	"	ом	"	ем
Prep.	"	е	"	е

Plural

Nom.	слов	а́	пол	я́
Gen.	"	—	"	е́й
Dat.	"	а́м	"	я́м
Acc.	"	а́	"	я́
Instr.	"	а́ми	"	я́ми
Prep.	"	а́х	"	я́х

FEMININE

Singular

	Hard		Soft		Special Fem. Soft (SFS)	
Nom.	шко́л	а	неде́л	я	двер	ь
Gen.	"	ы	"	и	"´	и
Dat.	"	е	"	е	"´	и
Acc.	"	у	"	ю	"´	ь
Instr.	"	ой	"	ей	"´	ью
Prep.	"	е	"	е	"´	и

Plural

Nom.	"	ы	"	и	"´	и
Gen.	"	—	"	ь	"	е́й
Dat.	"	ам	"	ям	"´	ям
Acc.	"	ы	"	и	"´	и
Instr.	"	ами	"	ями	"´	ями
Prep.	"	ах	"	ях	"´	ях

NOUNS WITH IRREGULARITIES

Singular

	Neuter in ие		Feminine in ия	
Nom.	зда́ни	е	ста́нци	я
Gen.	"	я	"	и
Dat.	"	ю	"	и
Acc.	"	е	"	ю
Instr.	"	ем	"	ей
Prep.	"	и	"	и

Plural

Nom.	"	я	"	и
Gen.	"	й	"	й
Dat.	"	ям	"	ям
Acc.	"	я	"	и
Instr.	"	ями	"	ями
Prep.	"	ях	"	ях

UNUSUAL DECLENSIONS

мать and дочь

	Singular		Plural	
Nom.	мат	ь	ма́т	ери
Gen.	"´	ери	"	ере́й
Dat.	"´	ери	"	еря́м
Acc.	"	ь	"	ере́й
Instr.	"´	ерью	"	еря́ми (ьми́)
Prep.	"´	ери	"	еря́х

Neuters in мя

врéмя, и́мя, зна́мя*, плéмя, сéмя**

	Singular		Plural	
Nom.	врéм	я	врем	ена́
Gen.	"	ени	"	ён
Dat.	"	ени	"	ена́м
Acc.	"	я	"	ена́
Instr.	"	енем	"	ена́ми
Prep.	"	ени	"	ена́х

(*In the plural the accented syllable changes to _ё_: знамёна, знамён, etc.)

(**The genitive plural is семя́н.)

II. Phonetic Rules Affecting Noun Declensions:

1. _г_, _к_, _х_, _ж_, _ч_, _ш_, _щ_ cannot be followed by _ы_, _ю_, _я_ but change these vowels to _и_, _у_, _а_.

2. Unaccented _о_ following the consonants _ж_, _ч_, _ш_, _щ_ or _ц_ changes to _е_.

III. Important Exceptions in Noun Declensions.

1. Masculine animate nouns in the singular take the genitive ending to express the direct object. In the plural this rule applies to animate nouns of both genders.

2. Certain masculine nouns take у in the prepositional case to indicate location. Such nouns are:

берег у́	ряд у́
год у́	сад у́
Дон у́	у́гол, угл у́
лес у́	час у́
рот, рт у́	шкаф у́

3. Some masculine nouns end in а́ (я́) instead of ы (и) in the nominative plural. Such nouns are:

берег а́	город а́	поезд а́
глаз а́	доктор а́	профессор а́
голос а́	дом а́	учител я́

4. Some very common nouns have irregular plurals. Among them are:

Nom. Sing.	бра́т	друг	пер о́
Nom. Plur.	" ья	" зья́	"´ ья
Gen. Plur.	" ьев	" зе́й	"´ ьев
Nom. Sing.	ли́ст	сту́л	сын
Nom. Plur.	" ья	" ья	" овья́
Gen. Plur.	" ьев	" ьев	" ове́й
Nom. Sing.	кры́л о	де́рев о	муж
Nom. Plur.	" ья	" е́в ья	" ья́
Gen. Plur.	" ьев	" ´ ьев	" е́й

These nouns then continue like regular soft nouns, retaining the soft sign before the endings.

5. Some nouns, such as граждани́н and крестья́нин form the plural as follows:

Nom. Sing.	граждан и́н	крестья́н ин
Nom. Plur.	´ " е	" е
Gen. Plur.	´ " —	" —
	etc.	etc.

IV. Typical Adjective Declensions:

A. HARD ADJECTIVES

Singular

	Masculine	Neuter	Feminine
Nom.	(нóв ый) (втор óй) (рýсск ий)	(нóв ое) (втор óе) (рýсск ое)	(нóв ая) (втор áя) (рýсск ая)
Gen.	-ого-		" ой
Dat.	-ому-		" ой
Acc.	(like nom. or gen.)	(like nom.)	" ую
Instr.	-ым (им)*-		" ой
Prep.	-ом-		" ой

Plural (all genders)

Nom.	(нóв ые) (втор ые) (рýсск ие)
Gen.	" ых (их)*
Dat.	" ым (им)*
Acc.	(like nom. or gen.)
Instr.	" ыми (ими)*
Prep.	" ых (их)*

(*The soft ending follows г, к, х, ж, ч, ш, щ)

B. SOFT ADJECTIVE: сúний

	Singular			Plural
	Masculine	Neuter	Feminine	(all genders)
Nom.	сúн ий	сúн ее	сúн яя	сúн ие
Gen.	-его-		" ей	" их
Dat.	-ему-		" ей	" им
Acc.	(like nom. or gen.)		" юю	(like nom. or gen.)
Instr.	-им-		" ей	" ими
Prep.	-ем-		" ей	" их

C. SOFT ADJECTIVE: хорóший

	Singular			Plural
	Masculine	Neuter	Feminine	(all genders)
Nom.	хорóш ий	хорóш ее	хорóш ая*	хорóш ие
Gen.	-его-		" ей	" их
Dat.	-ему-		" ей	" им
Acc.	-ий, -ее, -его		" ую*	-ие or -их
Instr.	-им-		" ей	" ими
Prep.	-ем-		" ей	" их

(*Hard endings а, у after ш)

V. A. POSSESSIVE ADJECTIVES: мой, твой, свой

Singular

	Masculine	Neuter	Feminine
Nom.	(мо й) (тво й) (сво й)	(мо ё) (тво ё) (сво ё)	(мо я́) (тво я́) (сво я́)
Gen.	-его́-		" е́й
Dat.	-ему́-		" е́й
Acc.	(like nom. or gen.)		" ю́
Instr.	-и́м-		" е́й
Prep.	-ём-		" е́й

Plural

(all genders)

Nom.	мо и́
Gen.	" и́х
Dat.	" и́м
Acc.	(like nom. or gen.)
Instr.	" и́ми
Prep.	" и́х

B. POSSESSIVE ADJECTIVES: наш, ваш

	Singular			Plural
	Masc.	Neut.	Fem.	(all genders)
Nom.	(на́ш) (ва́ш)	(на́ш е) (ва́ш е)	(на́ш а) (ва́ш а)	(на́ш и) (ва́ш и)
Gen.	-его-		" ей	" их
Dat.	-ему-		" ей	" им
Acc.	(like nom. or gen.)		" у	(like nom. or gen.)
Instr.	-им-		" ей	" ими
Prep.	-ем-		" ей	" их

VI. DEMONSTRATIVE PRONOUNS AND ADJECTIVES

	Singular			Plural
	Masc.	Neut.	Fem.	(all genders)
Nom.	э́т от	э́т о	э́т а	э́т и
Gen.	-ого-		" ой	" их
Dat.	-ому-		" ой	" им
Acc.	(like nom. or gen.)		" у	(like nom. or gen.)
Instr.	-им-		" ой	" ими
Prep.	-ом-		" ой	" их
Nom.	т от	т о	т а	т е
Gen.	-ого́-		" ой	" ех
Dat.	-ому́-		" ой	" ем
Acc.	(like nom. or gen.)		" у	(like nom. or gen.)
Instr.	-ем-		" ой	" е́ми
Prep.	-ом-		" ой	" ех

VII. PERSONAL PRONOUNS

	Singular				
			M.	N.	F.
Nom.	я	ты	он	оно́	она́
Gen.	меня́	тебя́	(н)его́ *		(н)её*
Dat.	мне	тебе́	(н)ему́		(н)ей
Acc.	меня́	тебя́	(н)его́		(н)её
Instr.	мной	тобо́й	(н)им		(н)ей
Prep.	мне	тебе́	(н)ём (нём)*		(н)ей (ней)*

(*н precedes pronominal forms beginning with a vowel if used in combination with a preposition.)

Plural

			(all genders)
Nom.	мы	вы	они́
Gen.	нас	вас	(н)их
Dat.	нам	вам	(н)им
Acc.	нас	вас	(н)их
Instr.	на́ми	ва́ми	(н)и́ми
Prep.	нас	вас	(н)их (них)*

(*Since pronouns in the prepositional case are always used with a preposition, the third person pronouns are in effect: нём, ней, них)

VIII. DECLENSION OF весь, всё, вся

	Singular			Plural
	Masc.	Neut.	Fem.	(all genders)
Nom.	весь	всё	вся	все
Gen.	всего́		всей	всех
Dat.	всему́		всей	всем
Acc.	(like nom. or gen.)		всю	(like nom. or gen.)
Instr.	всем		всей	все́ми
Prep.	всём		всей	всех

IX. INTERROGATIVE PRONOUNS кто, что

Nom.	кто	что
Gen.	кого́	чего́
Dat.	кому́	чему́
Acc.	кого́	что
Instr.	кем	чем
Prep.	ком	чём

X. NUMERALS

Cardinals	Ordinals
1. оди́н, одно́, одна́	пе́рвый
2. два, две	второ́й
3. три	тре́тий, -ье, -ья
4. четы́ре	четвёртый
5. пять	пя́тый
6. шесть	шесто́й
7. семь	седьмо́й

8.	во́семь, восьми́	восьмо́й
9.	де́вять	девя́тый
10.	де́сять	деся́тый
11.	оди́ннадцать	оди́ннадцатый
12.	двена́дцать	двена́дцатый
13.	трина́дцать	трина́дцатый
14.	четы́рнадцать	четы́рнадцатый
15.	пятна́дцать	пятна́дцатый
16.	шестна́дцать	шестна́дцатый
17.	семна́дцать	семна́дцатый
18.	восемна́дцать	восемна́дцатый
19.	девятна́дцать	девятна́дцатый
20.	два́дцать	двадца́тый
21.	два́дцать оди́н	два́дцать пе́рвый
22.	два́дцать два, две	два́дцать второ́й
30.	три́дцать	тридца́тый
31.	три́дцать оди́н	три́дцать пе́рвый
40.	со́рок	сороково́й
50.	пятьдеся́т	пятидеся́тый
54.	пятьдеся́т четы́ре	пятьдеся́т четвёртый
60.	шестьдеся́т	шестидеся́тый
66.	шестьдеся́т шесть	шестьдеся́т шесто́й
70.	се́мьдесят	семидеся́тый
80.	во́семьдесят	восьмидеся́тый
90.	девяно́сто	девяно́стый
100	сто	со́тый
101	сто оди́н	сто пе́рвый
105	сто пять	сто пя́тый
200	две́сти	двухсо́тый
300	три́ста	трёхсо́тый
400	четы́реста	четырёхсо́тый
500	пятьсо́т	пятисо́тый
600	шестьсо́т	шестисо́тый
1,000	ты́сяча	ты́сячный
1,000,000	миллио́н	миллио́нный

XI. DECLENSION OF два, две, три, четы́ре, пять

Nom.	два, две		тр	и	четы́р	е	пят	ь
Gen.	дв	ух	"	ёх	"	ёх	"	и́
Dat.	"	ум	"	ём	"	ём	"	и́
Acc.	(like nom. or gen.)						"	ь
Instr.	"	умя́	"	емя́	"	ьмя́	"	ью
Prep.	"	ух	"	ёх	"	ёх	"	и́

XII. CASES WITH IMPORTANT PREPOSITIONS

1. Prepositions using the genitive:

без	without	о́коло	near
во́зле	near (next to)	от	from
для	for	по́сле	after
до	up to, until	с	from, since, down from
из	out of, from	у	at, near
кро́ме	besides		

2. Prepositions taking dative:

к	to, up to
по	along, according to

3. Prepositions taking accusative only:

про	about
че́рез	over, across, through, within, after

4. Prepositions taking accusative in answer to question: whither? where to?

в	into	о	against
за	behind, for	под	under
на	onto, to		

5. Prepositions taking instrumental:

за	behind, in search of	под	under
пе́ред	in front of	над	over
ме́жду	among	с	with

6. Preposition taking prepositional only:

при at the time of, in the presence of

7. Prepositions taking prepositional in answer to question: where?

в in на on, at

Also: о about, concerning

XIII. CASES USED WITH CERTAIN VERBS

Only verbs in the grammar text are listed. The imperfective forms are given, but perfectives take the same cases.

A. Verbs used with genitive:

1. боя́ться
2. ждать
3. жела́ть
4. иска́ть*
5. проси́ть*
6. пуга́ться
7. хоте́ть*

(*When expressing partitive idea. Otherwise, with accusative.)

B. Verbs used with dative:

1. ве́рить
2. дава́ть
3. каза́ться
4. меша́ть
5. отвеча́ть
6. помога́ть
7. сове́товать
8. учи́ться

C. Verbs used with instrumental:

1. владе́ть
2. горди́ться
3. пра́вить
4. управля́ть

D. Verbs taking the predicate instrumental:

1. быть
2. называ́ться
3. служи́ть
4. станови́ться
5. счита́ться

XIV. IRREGULAR PREDICATE COMPARATIVES OF ADJECTIVES & ADVERBS

Positive		Comparative
Adjective	Adverb	Adjective & Adverb
бли́зкий	бли́зко	бли́же
большо́й	мно́го	*бо́льше
высо́кий	высоко́	*вы́ше
гро́мкий	гро́мко	гро́мче
далёкий	далеко́	да́льше
дешёвый	дёшево	деше́вле
дорого́й	до́рого	доро́же
коро́ткий	ко́ротко	коро́че

лёгкий	легко́	ле́гче
ма́ленький	ма́ло	*ме́ньше
молодо́й		*моло́же
ни́зкий	ни́зко	*ни́же
плохо́й	пло́хо	*ху́же
ра́нний	ра́но	ра́ньше
ста́рый		*ста́рше
ти́хий	ти́хо	ти́ше
хоро́ший	хорошо́	*лу́чше
ча́стый	ча́сто	ча́ще
широ́кий	широко́	ши́ре

(*Adjectives starred in the list have special attributive forms: бо́льший, вы́сший, ме́ньший, мла́дший, ни́зший, ста́рший, ху́дший, лу́чший)

The superlative of adjectives is usually formed by the positive degree preceded by са́мый, са́мое, са́мая, са́мые and declined regularly. Some adjectives use the comparative form with са́мый to make the superlative. Such are: са́мый лу́чший, са́мый ста́рший, са́мый мла́дший.

XV. EXAMPLES OF VERB CONJUGATIONS

Class IA (чита́ть)

я	чита́	ю
ты	"	ешь
он	"	ет
мы	"	ем
вы	"	ете
они́	"	ют

Class IIA (говори́ть)

я	говор	ю́
ты	"	и́шь
он	"	и́т
мы	"	и́м
вы	"	и́те
они́	"	я́т

Class IB

(ре́зать) (з becomes ж)

я	ре́ж	у
ты	"	ешь
он	"	ет
мы	"	ем
вы	"	ете
они́	"	ут

(писа́ть) (с becomes ш)

я	пиш	у́
ты	"´	ешь
он	"´	ет
мы	"´	ем
вы	"´	ете
они́	"´	ут

(пла́кать) (к becomes ч)

я плач у
ты " ешь
etc.

(иска́ть) (ск becomes щ)

я ищ у́
ты ́" ешь
etc.

Class IIB

(ви́деть) (д becomes ж)

я ви́ ж у
ты ви́ д ишь
он ви́ д ит

мы ви́ д им
вы ви́ д ите
они́ ви́ д ят

(носи́ть) (с becomes ш)

я но ш у́
ты но́ с ишь
он но́ с ит

мы но́ с им
вы но́ с ите
они́ но́ с ят

(плати́ть) (т becomes ч)*

я пла ч у́
ты пла́ т ишь
etc.

(блесте́ть) (т becomes щ)

я бле щ у́
ты бле ст и́шь
etc.

(*Occasionally verbs in this class change т to щ. As there are only a few, they are marked IIB irreg. in the text.)

Class IBг (мочь)

я мо г у́
ты мо́ ж ешь
он мо́ ж ет

мы мо́ ж ем
вы мо́ ж ете
они́ мо́ г ут

Class IIBл (спать)**

я сп л ю
ты сп--ишь
он сп--ит

мы сп--им
вы сп--и́те
они́ сп--ят

(**There are a few IBл verbs also, but none appears in the text.)

Class IC

Class ICa (пить)

я пь ю
ты пь ёшь
он пь ёт

Class ICb (дава́ть)

я да ю́
ты да ёшь
он да ёт

мы пь ём
вы пь ёте
они́ пь ют

Imperative: пей, пе́йте

мы да ём
вы да ёте
они́ да ю́т

Imperative: дава́й, дава́йте

Class ICc (мыть)

я мо́ ю
ты мо́ ешь
он мо́ ет

мы мо́ ем
вы мо́ ете
они́ мо́ ют

Class ICd (сове́товать)

я сове́т у ю
ты сове́т у ешь
он сове́т у ет

мы сове́т у ем
вы сове́т у ете
они́ сове́т у ют

Class ID and Irregular Verbs

There are no rules for the changes from infinitive to present tense in the Class ID verbs. A complete list of ID verbs in the grammar section is therefore given below, with necessary present and past forms. The few actually irregular verbs are also included. Those not marked Irregular are ID. As compounds with быть, дать, стать and итти́ are exactly like the uncompounded verbs, only the most essential forms will be repeated. (Note: From now on, perfective verbs will be marked [P].)

бежа́ть (irreg.)	бегу́, бежи́шь, бегу́т
брать	беру́, -ёшь
быть	бу́ду, ´-ешь (impera.: будь)
везти́	везу́, -ёшь (past: вёз)
вести́	веду́, -ёшь (past: вёл)
взять [P]	возьму́, -ёшь
встать [P]	вста́ну, -ешь (impera.: встань)
вы́нуть [P]	вы́ну, -ешь
дать [P] (irreg.)	дам, дашь, даст, дади́м, дади́те, даду́т
есть (irreg.)	ем, ешь, ест, еди́м, еди́те, едя́т (past: ел) (impera.: ешь)
е́хать	е́ду, -ешь (impera.: поезжа́й)
ждать	жду, ждёшь
жить	живу́, -ёшь
забы́ть [P]	забу́ду, -ешь (impera.: забу́дь)

засну́ть [P]	засну́, -ёшь
звать	зову́, -ёшь
исче́знуть [P]	исче́зну, -ешь (past: исче́з)
итти́	иду́, -ёшь (past: шёл)
класть	кладу́, -ёшь (past: клал)
лечь [P]	ля́гу, ля́жешь (past: лёг)
наде́ть [P]	наде́ну, -ешь (impera.: наде́нь)
найти́ [P]	найду́, -ёшь (past: нашёл)
нача́ть [P]	начну́, -ёшь
нести́	несу́, -ёшь (past: нёс)
оста́ться [P]	оста́нусь, -ешься (impera.: оста́нь)
перевести́ [P]	переведу́, -ёшь (past: перевёл)
переда́ть [P]	(like дать)
пойти́ [P]	пойду́, -ёшь (past: пошёл)
привести́ [P]	(like вести́)
привезти́ [P]	(like везти́)
принести́ [P]	(like нести́)
притти́ [P]	приду́, -ёшь (past: пришёл)
про́быть [P]	(like быть)
прода́ть [P]	(like дать)
произнести́ [P]	(like нести́)
проче́сть [P]	прочту́, -ёшь (past: прочёл)
расти́	расту́, -ёшь (past: рос)
сесть [P]	ся́ду, -ешь (past: сел) (impera.: сядь)
собра́ть [P]	(like брать)
стать [P]	ста́ну, -ешь (impera.: стань)
съесть [P]	(like есть)
умере́ть [P]	умру́, -ёшь (past: у́мер)
упа́сть [P]	упаду́, -ёшь (past: упа́л)

XVI. A List of Imperfective Verbs and their corresponding Perfectives.

All of the verbs in the grammar text are listed in both imperfective and perfective forms, if they occur. If the perfective verb is formed from the imperfective merely by a prefix, only the prefix is given. If the form is different, the classification and first and second person singular are given. Any other pertinent information about the verb is included.

It must be remembered that often a verb has more than one perfective form, and it is possible to give two or three perfectives for one verb. When there are two or three variants, all are given.

The imperfective forms are given first, and the perfectives follow.

The iterative forms of verbs with double imperfectives have rarely used perfective forms. These are indicated but are followed by the phrase: (or none).

The verbs are preceded by a list of prefixes and their meanings.

SOME PREFIXES USED WITH VERBS AND THEIR MEANINGS

1. Prepositional prefixes:

без, бес - without, less: беспокóить "disturb." (Note that before vowels and voiced consonants з is retained; but before unvoiced consonants and с it changes to с.)
в, во - in, into, to: войтú.
до - until, up to: доéхать.
за - begin to: заплáкать.
из, ис - out of, from: издавáть "publish".
на - on, upon: находúть.
о, об - around: осмотрéть.
от - away from: отойтú.
по - a little: посидéть.
под - under: подбрóсить "throw under."
пред - before, pre-: предложúть "propose."
при - in the presence of, towards: приéхать.
про - through, past: проéхать.
с, со - with, down, off, finish: собирáть, снимáть, съесть.
у - away from: уходúть, уéхать.

2. Prefixes not used as prepositions:

воз, вз, вс - up: всходúть, "сóлнце всхóдит и захóдит."
вы - out, do thoroughly: вы́пить.
низ, нис - down: нисходúть, снисходúтельный "condescending".
пере - over, across, again: переводúть, передáть.

раз, рас - "dis," "un": раздава́ть, расхо́ды "expenses,"
  разво́д "divorce."

* * * * * * *

VERB LIST

бе́гать, IA
  по- (or none)

бежа́ть, irreg.: бегу́,
    бежи́шь, бежи́т, бежи́м,
    бежи́те, бегу́т
  по-

бить, ICa (impera.: бей)
  по-

блесте́ть, IIB: блещу́,
    блести́шь
  за-
  блесну́ть, ID: -у́, -ёшь

брать, ID: беру́, -ёшь
  взять, ID: возьму́, -ёшь

броса́ть, IA
  бро́сить, IIB (impera.:
    брось)

быва́ть, IA
  быть, ID: бу́ду, -ешь (pfc.
    in pres., impfc. in past)

везти́, ID: везу́, -ёшь
    (past: вёз)
  по-

ве́рить, IIA (impera.: верь)
  по-

вести́, ID: веду́, -ёшь
    (past: вёл)
  по-

ви́деть, IIB
  у-

висе́ть, IIB
  по-

вить, ICa
  по-

владе́ть, IA
  за-

води́ть, IIB: вожу́, ´-дишь
  по- (or none)

вози́ть, IIB: вожу́, ´-зишь
  по-

встава́ть, ICb
  встать, ID: вста́ну, -ешь
    (impera: встань)

встреча́ть, IA
  встре́тить, IIB

входи́ть, IIB
  войти́, ID: войду́, -ёшь
    (past: вошёл)

вынима́ть, IA
  вы́нуть, ID: вы́ну, -ешь

выходи́ть, IIB
  вы́йти, ID: вы́йду, -ешь
    (past: вы́шел)

говори́ть, IIA
  по-
  сказа́ть, IB

горди́ться, IIB
  воз-

готовить, IIBл
  при-

гулять, IA
  по-

давать, ICb
  дать, irreg.: дам,
    дашь, даст, дадим
    дадите, дадут

делать, IA
  с-

делить, IIA
  раз-

держать, IIA
  по-

думать, IA
  по-

ездить, IIB
  с- (or none)

есть, irreg.: ем, ешь, ест,
    едим, едите, едят
    (impera.: ешь) (past: ел)
  по-
  съ-

ехать, ID: еду, -ешь
  по-

ждать, ID: жду, -ёшь
  подо-

жениться, IIA
  по-

жимать, IA
  по-

жить, ID: живу, -ёшь
  по-

забывать, IA
  забыть, ID: (like быть)

завтракать, IA
  по-

заказывать, IA
  заказать, IB

закрывать, IA
  закрыть, ICc

занимать(ся), IA
  занять(ся), ID: займу,
    -ёшь

зарабатывать, IA
  заработать, IA

засыпать, IA
  заснуть, ID: засну,
  -ёшь

звать, ID: зову, -ёшь
  по-

звонить, IIA
  по-

знать, IA
  у-

значить, IIA
  (no perfective)

играть, IA
  по-
  сыграть, IA

изучать, IA
  изучить, IIA

иска́ть, IB
по-

исчеза́ть, IA
исче́знуть, ID: исче́зну, -ешь (past: исче́з)

итти́, ID: иду́, -ёшь (past: шёл)
пойти́, ID: пойду́, -ёшь (past: пошёл)

каза́ться, IB
по-

класть, ID: кладу́, -ёшь (past: клал)
положи́ть, IIA: положу́, ´-ишь

конча́ть, IA
ко́нчить, IIA

крича́ть, IIA
за-
кри́кнуть, ID: кри́кну, -ешь

ку́шать, IA
по-

лежа́ть, IIA
по-

лета́ть, IA
по- (or none)

лете́ть, IIB
по-

лить, ICa (impera.: лей)
вы́-
на-
по-

ложи́ться, IIA
лечь, ID: ля́гу, ля́жешь (past: лёг)

люби́ть, IIBл
по-

меша́ть, IA
по-

молча́ть, IIA
за-

мочь, IBг: могу́, мо́жешь (past: мог)
с-

мыть, ICc
вы́-
по-

надева́ть, IA
наде́ть, ID: наде́ну, -ешь (impera.: наде́нь)

наде́яться, IA (irreg.): наде́юсь, -е́ешься
по-

называ́ть, IA
назва́ть, ID: (like звать)

налива́ть, IA
нали́ть, ICa

напада́ть, IA
напа́сть, ID: нападу́, -ёшь (past: напал)

наре́зывать, IA
наре́зать, IB

находи́ть, IIB
найти́, ID: найду́, -ёшь (past: нашёл)

начина́ть, IA
нача́ть, ID: начну́, -ёшь

нести́, ID: несу́, -ёшь (past: нёс)
по-

носи́ть, IIB
по- (or none)

нра́виться, IIBл
по-

обе́дать, IA
по-

обеща́ть, IA
по-

обнима́ть, IA
обня́ть, ID: обниму́, ´-ешь

объясня́ть, IA
объясни́ть, IIA

одева́ть(ся), IA
оде́ть(ся), ID: оде́ну, -ешь (impera.: оде́нь)

ожида́ть, IA
(no perfective)

осма́тривать, IA
осмотре́ть, IIA

оставля́ть, IA
оста́вить, IIBл

остана́вливаться, IA
останови́ться, IIBл

отвеча́ть, IA
отве́тить, IIB

открыва́ть, IA
откры́ть, ICc

отнима́ть, IA
отня́ть, ID: отниму́, ´-ешь

па́дать, IA
упа́сть, ID: упаду́, -ёшь

переводи́ть, IIB
перевести́, ID: (like вести́)

передава́ть, ICb
переда́ть, irreg.: (like дать)

перепи́сывать, IA
переписа́ть, IB

петь, ICo: пою́, поёшь
с-

писа́ть, IB
на-

пить, ICa (impera.: пей)
вы́-
по-

пла́кать, IB (impera.: плачь)
за-

плати́ть, IIB
за-

повторя́ть, IA
повтори́ть, IIA

подпи́сывать, IA
подписа́ть, IB

подходи́ть, IIB
подойти́, ID: подойду́, -ёшь (past: подошёл)

пожима́ть, IA
пожа́ть, ID: пожму́, -ёшь

пока́зывать, IA
показа́ть, IB

покупа́ть, IA
купи́ть, IIB л

получа́ть, IA
получи́ть, IIA

по́мнить, IIA
вс-

помога́ть, IA
помо́чь: (like мочь)

понима́ть, IA
поня́ть, ID: пойму́, -ёшь

посеща́ть, IA
посети́ть, IIB (irreg.): посещу́, -ти́шь

посыла́ть, IA
посла́ть, IB (irreg.): пошлю́, -ёшь

пра́здновать, ICd
от-

приводи́ть, IIB
привести́, ID: (like вести́)

привози́ть, IIB
привезти́, ID: (like везти́)

приглаша́ть, IA
пригласи́ть, IIB

приезжа́ть, IA
прие́хать, ID: (like е́хать)

принима́ть, IA
приня́ть, ID: при́му, -ешь

приноси́ть, IIB
принести́, ID: (like нести́)

приходи́ть, IIB
притти́, ID

пробыва́ть, IA
пробы́ть, ID: (like быть)

продава́ть, ICb
прода́ть, irreg.: (like дать)

произноси́ть, IIB
произнести́, ID: (like нести́)

проси́ть, IIB
по-

пры́гать, IA
пры́гнуть, ID: пры́гну, -ешь

пуга́ть, IA
испуга́ть, IA

рабо́тать, IA
по-

разделя́ть, IA
  раздели́ть, IIA

расти́, ID: расту́, -ёшь
    (past: рос, росло́, etc.)
  вы́-

ре́зать, IB (impera.: режь)
  по-

рекомендова́ть, ICd
  за-

реша́ть, IA
  реши́ть, IIA

рожда́ться, IA
  роди́ться, IIB

сади́ться, IIB
  сесть, ID: ся́ду, -ешь
    (past: сел)(impera.: сядь)

серди́ться, IIB
  рас-

се́ять, IA(irreg.): се́ю,-ешь
  по-

сиде́ть, IIB
  по-

служи́ть, IIA
  по-

слу́шать, IA
  по-

слы́шать, IIA
  у-

смея́ться, IA (irreg.):
    смею́сь, смеёшься
  за-

смотре́ть, IIA
  по-

собира́ть, IA
  собра́ть, ID: (like
    брать)

сове́товать, ICd
  по-

состоя́ть, IIA
  (no perfective)

спать, IIBл
  по-

спеши́ть, IIA
  по-

спра́шивать, IA
  спроси́ть, IIB

станови́ться, IIBл
  стать, ID: ста́ну, -ешь
    (impera.: стань)

сто́ить, IIA
  (no perfective)

стоя́ть, IIA
  по-

стро́ить, IIA
  по-

сходи́ть, IIB
  сойти́, ID

счита́ть, IA
  по-

танцова́ть, ICd
  по-

тащи́ть, IIA
  по-

телефони́ровать, ICd
  по-

теря́ть, IA
  по-

тра́тить, IIB
  по-

убега́ть, IA
  убежа́ть, irreg.: (like
    бежа́ть)

убива́ть, IA
  уби́ть, ICa

уважа́ть, IA
  ува́жить, IIA

уезжа́ть, IA
  уе́хать, ID: (like е́хать)

у́жинать, IA
  по-

уме́ть, IA
  с-

умира́ть, IA
  умере́ть, ID: умру́,
    -ёшь (past: у́мер)

управля́ть, IA
  упра́вить, IIBл

учи́ться, IIA
  на-

ходи́ть, IIB
  по- (or none)

хоте́ть, irreg.: хоч у́,
    ´-ешь, -ет;
    хот и́м, -и́те, -я́т
  за-

чита́ть, IA
  по-
  про-
  проче́сть, ID: прочту́,
    -ёшь (past: прочёл)

чи́стить, IIB
  по-

чу́вствовать, ICd
  по-

шить, ICa (impera.: шей)
  с-

VOCABULARIES

VOCABULARIES

Two vocabularies follow: 1. The Russian-English Vocabulary and 2. The English-Russian Vocabulary.

The Russian-English Vocabulary contains every word in the Grammar and Readings. All necessary information about nouns is included. Necessary information about verbs is also given, though the complete list of ID and Irregular verbs and the list of Imperfective Verbs and their Perfectives in Paragraphs XV and XVI of the Summary should be consulted. The classifications of the verbs are those used in the Grammar, samples of which may be found in Paragraph XV of the Summary.

The genders of only the Special Feminine Soft Nouns (SFS) and the neuters in я are indicated. All others may be known by their endings. Adjectives are given in the masculine nominative singular. As the inflected forms of pronouns differ so much from the nominative, all forms appear in their proper alphabetical order.

The Russian-English Vocabulary contains every word in both Grammar and Readings. However, if the word appears only in the Readings and is an unusual form occurring only once, it is given in the form used in the text, rather than in the infinitive for verbs and the nominative singular for nouns and adjectives. Words marked with * are those appearing in the grammar part of the lessons.

As the student is not expected to have "active" knowledge of the words occurring only in the Readings, the English-Russian Vocabulary contains only words used in the grammar.

ABBREVIATIONS

acc. - with accusative
acs. - accusative singular
acp. - accusative plural
adj. - adjective
adv. - adverb
dat. - with dative
dp. - dative plural
ds. - dative singular
decl. - declined
f. - feminine
gen. - with genitive
gpl. - genitive plural
gs. - genitive singular
id. - idiom
imp. - imperative
inst. - with instrumental
ip. - instrumental plural
irreg. - irregular
is. - instrumental singular
m. - masculine
n. - neuter
npl. - nominative plural
ns. - nominative singular
p. - past
part. - participle
prt.g. - partitive genitive
[P] - perfective
pl. - plural
prep. - preposition
pr. - prepositional
pres. - present
SFS - special feminine soft
sp.pr. - special prepositional
vb. - verb

RUSSIAN-ENGLISH VOCABULARY

А

а*- but, whereas
а́вгуст*- August
авто́бус*- autobus
автомоби́ль* - automobile
а́втор* - author
авторите́т - authority
адвока́т* - lawyer
А́зия - Asia
аккура́тный - accurate
адресо́вано - addressed
актёр - actor
Аме́рика - America
америка́нец, -нца* - American
америка́нка - American (fem.)
америка́нский - " (adj.)
англи́йский* - English (adj.)
аппети́т - appetite
апре́ль* - April
арифмети́ческий - arithmetic (adj.)
а́рмия* - army
ах - Ach! Ah!
аэропла́н* - airplane

Б

ба́бушка* - grandmother (gpl.: **ба́бушек**)
бага́ж - baggage
бале́т - ballet
ба́рин - master, lord
ба́рыня - lady, mistress
бе́гать, IA* - run
беда́ - trouble
  в том же беда́ - that is the trouble
бе́дный - poor
бежа́ть, irreg.* - run: **бегу́, беж и́шь, -и́т, -и́м, -и́те, бегу́т**
без*- without (gen.)
безмо́лвно - silently
безнадё́жно*- hopelessly
бе́лый*-white
бе́рег - shore (pr.: **-у́**) (npl.: **берега́**)
бесшу́мно - noiselessly
берё́тка - beret
библиоте́ка* - library
биле́т* - ticket

бить, ICa* - beat, hit
блесте́ть, IIB* - shine, glitter
бли́зкий - near
бог - God
  дай вам бог - may God grant
  ей бо́гу - really
бога́тый* - rich
бо́лее* - more
боле́знь, SFS - illness
болта́ть, IA - chatter, talk nonsense
бо́льше - more
  бо́льше всего́* - most of all
большо́й* - large, big
боя́ться, IIA* - fear, be afraid (gen.)
брат* - brother (pl.: **бра́тья, -ьев**)
брать, ID* - take: **беру́, -ёшь**
броса́ть, IA* - throw
бро́сить(ся) [P], IIB* - throw (self)
бу́ду, -ешь* - be (future of **быть**)
бу́дущий* - future, next
будь гото́в!* - be ready!
бу́дьте добры́!* - be so kind!
бу́дьте здоро́вы!* - be well!
бу́ква - letter (of alphabet)
буква́рь - primer
бульва́р* - boulevard
бума́га* - paper
буты́лка* - bottle
бы* - would
быва́ть, IA* - be (frequently)
бы́вший* - former
бы́стро* - quickly
быть, ID* - be: **бу́ду, -ешь**

В

в* - in, into (acc. or pr.)
ваго́н - car of train
Ва́ря, Ва́ренка, Ва́речка - Barbara
вас* - you (gen. or acc. of я)
ваш, -е, -а; -и* - your
вдво́е - twice as much
вдруг* - suddenly
ведро́* - bucket, pail
ведь - you see
везти́, ID* - bring (on a vehicle): **везу́, -ёшь**
веле́ть, IIA - order, command (dat.)
вели́кий - great
ве́рить, IIA* - believe (dat.)
ве́рно - true
ве́село* - gay, lively
весна́* - spring
вести́, ID* - lead: **веду́, -ёшь**
весь, всё, вся - all
ве́тер - wind
ве́чер* - evening
  ве́чером* - in the evening
вечери́нка - party
ве́чно - always
вещь, SFS* - thing
взду́маться, IA - get idea (P)
взъеро́шенный - dishevelled, shaggy
взять [P], ID* - take: **возьму́, -ёшь**
вид* - aspect, view, sight
  с ви́ду - at sight
ви́деть, IIB* - see
ви́дно* - visible, evident
ви́лка - fork (gpl.: **ви́лок**)
вино́* - wine
висе́ть, IIB* - hang
витри́на - show window
вить(ся), ICa* - wind, weave
включа́ть, IA - include
вку́сно - tasty
владе́ть, IA* - have command of, rule (inst.)
влезть [P], ID - climb up: **вле́зу, -ешь**
вме́сте (с) - together (with) (inst.)
вме́сто - in place of (gen.)
вниз - down
вновь - again
вну́чка - granddaughter (gpl.: **вну́чек**)
вода́* - water (acc.: **во́ду**; npl.: **во́ды**)
води́ть, IIB* - lead: **вожу́, во́дишь**

во́дка*- vodka
вождь*- leader, ruler
во́здух - air
вози́ть, IIB* - bring on
vehicle: вожу́, во́зишь
во́зле* - near (gen.)
возмо́жно - it is possible
возро́с - grew up
война́*- war
Война́ и мир*- War and Peace
вокру́г - around (gen.)
волк - wolf
вообража́ть, IA - imagine
воображе́ние - imagination
вор - thief
воро́на - crow
восемна́дцать* - eighteen
во́семь* - eight
во́семьдесят* - eighty
воскресе́нье* - Sunday
восто́чный - eastern
вот* - here
вот как - that's how
впервы́е - first
вполне́ - completely
враг- enemy
вре́мя, -ени* - time (n.)
все - everybody, all
всё*- everything, all, all
the time
всё ещё*- still (id.)
всё таки*- just the same (id.)
всегда́ - always
всего́*- all in all (id.)
всего́ хоро́шего* - best of
everything
вспомина́ть, IA - recall
встава́ть, ICb* - get up
встать [P], ID* - get up:
вста́ну, -ешь
встре́тить(ся) [P], IIB* -
meet
встреча́ть(ся), IA* - meet
вто́рник*- Tuesday
второ́й* - second
входи́ть, IIB* - enter
вчера́* - yesterday
вчера́ ве́чером* - yesterday
evening
вы* - you
выбежа́ть [P], irreg. -
run out
вы́дать [P], irreg. - pass
out, hand out
вынима́ть, IA - take out
вы́нуть [P], ID - take out
вы́пить [P], ICa* - drink
вы́ронить [P], IIA - throw
out
вы́скочить [P], IIA - jump
out
высо́кий - tall, high
выходи́ть, IIB* - go out
вяза́ть, IB - knit, bind, tie

Г

газе́та*- newspaper
га́лстук - necktie
где*- where
где́-то - somewhere
геогра́ф - geographer
Герма́ния* - Germany
гимнази́ст - high-school
student
гита́ра*- guitar
глаз* - eye (npl.: глаза́)
гнездо́*- nest (npl.: гнёзда)
говори́ть, IIA*- speak, say
Го́голь - Gogol
год* - year
в году́* - in the year
год тому́ наза́д* - a year
ago
годовщи́на - anniversary
голова́* - head (acs.:
го́лову)
го́лоден, -о́дна, -о́дны -
hungry
го́лос* - voice(npl.: -а́)
голу́бчик - my dear
гора́* - hill (acs.: го́ру)
(за) горо́ю - behind hill
горди́ться, IIB* - be proud
of (inst.)
го́род* - city (npl.: -а́)
горя́чий - hot
господи́н - gentleman
(npl.: господа́)
гости́ная - living room

гость* - guest
  приéхать в гóсти - come visiting
  ходи́ть в гóсти* - go visiting
готóв* - ready
  будь готóв!* - be ready!
готóвить, IIВл* - prepare
готóво - ready
граждáнка* - Miss, Mrs.
граждани́н* - Mr., Citizen
  (pl.: грáждане, грáждан)
граммáтика* - grammar
грáмотный - literate
грибы́* - mushrooms
грóмко - loudly
грýппа - group
губá* - lip (npl.: гýбы)
гуля́ть, IA* - stroll, go walking
гусь - goose

Д

да*- yes, and (poetic)
давáть, ICb* - give
давнó - long (ago), long since
дáже - even
дáй(те)* - give (imp. of дать)
далёкий - distant
далекó - far
дáльний - far off
дáльше - further
дать [P], irreg.* - give: дам, дашь, даст, дади́м, дади́те дадýт
дáча - country-house
два, две* - two (decl. двух, двум, etc.)
двáжды - twice
два часá* - two o'clock
двáдцать* - twenty
двенáдцать* - twelve
  двенáдцать часóв*- 12 o'clock
дверь, SFS*- door
двéсти*- 200
двóе - two (collec.)
двор - yard, courtyard
дéвочка*- little girl
  (gpl.: дéвочек)
дéвушка - young girl
  (gpl.: дéвушек)
девянóсто*- ninety
девятнáдцать* - nineteen
дéвять* - nine
дéдушка* - grandfather
  (m. with f. declension)
Дéйли Таймс - Daily Times
действи́тельно - in truth, in fact
декáбрь* - December
дéлать, IA* - do
дели́ть, IIA - divide
день, дня* - day
  на другóй день - the next day
  днём* - in the daytime
  изо дня́ в дéнь - from day to day
дéньги* - money (pl. only)
  (gen.: дéнег)
дерéвня* - village, country
  (gpl.: деревéнь)
дéрево* - tree (pl.: дерéвья, -ьев)
держáть, IIA* - hold
деся́ток, -тка* - ten
  (collec. noun)
деся́тый* - tenth
дéсять* - ten
дéти* - children (pl.)
  (sing.: ребёнок or дитя́)
джаз - jazz
дивáн - divan, couch
дикáрь - savage
ди́кий* - wild, savage
дли́нный* - long
для* - for (gen.)
днём - in the daytime
дно - bottom
до* - up to (gen.)
добрáться [P], ID - reach
дóбрый* - kind, good
  дóбрый вéчер - good evening
  дóброе ýтро* - good morning
довóлен, ´-льно, ´-льна, ´-льны * - satisfied
догнáть [P], ID - catch up with: догóню, -ишь
дождевóй - rainy, rain (adj.)
дóждик - little rain

дождь* - rain

дожи́ть [P], ID - live (to)

до́ктор* - doctor (npl.: -а́)

до́лго* - long time

до́ллар* - dollar

до́лжен, -жно́, -жна́, -жны́*- must, obliged

дом* - house, home (pl.: -а́)

до́ма - at home (adv.)

дома́шний* - domestic, home-made

до́мик - little house

домо́й* - home(ward) (adv.)

Дон - River Don (pr.: на Дону́)

доро́га* - road

дорого́й* - dear, expensive

до свида́ния* - good bye

доска́* - (black)board (acs.: до́ску; pl.: до́ски, до́сок, etc.)

до́чка - little daughter (gpl.: -чек)

дочь, до́чери* - daughter (irreg. SFS)

дра́ма - drama

друг* - friend (pl.: друзья́, друзе́й)

друго́й* - different, other

ду́мать, IA - think

дура́к - fool

духи́ - perfume (pl. only)

душа́ - soul

дя́дя*- uncle (m. with f. decl.) (gpl.: дя́дей)

Е

его́* - his, him

еда́ - eating, food

её* - her, hers

е́здить, IIB* - ride (iterative)

е́сли* - if

  е́сли бы...бы* - if...would (for contrary to fact conditions)

есть* - there is, are (impersonal verb)

есть, irreg.* - eat: ем, ешь, ест, еди́м, еди́те, едя́т (imp.: ешь)

е́хать, ID* - ride

ещё* - yet, still even

Ж

жа́рко* - hot (adv.)

жать(ся) - press, squeeze

ждать, ID* - wait, await: жду, ждёшь (gen.)

желе́зная доро́га* - railroad

жена́* - wife (pl.: жёны, жён, etc.)

жена́т - married (male)

же́нщина* - woman

живо́й - lively, alive

жизнь, SFS* - life

жи́л-был - once upon a time

жи́тель* - inhabitant

жить, ID* - live: живу́, -ёшь

жи́ться, ID - get along

журна́л* - journal, magazine

Жу́чка - "little beetle," name of dog

З

за* - for, after, in search of, by (acc. or inst.)

  за детьми́* - after the children

  за́ руку* - by the hand

  за столо́м* - at the table

заби́ться,[P], ICa - begin to pound

заблуди́ться [P], IIB - get lost

забо́титься - worry, care for

забыва́ть, IA - forget

забы́ть [P], ID - forget (conj. like быть)

за́втра* - tomorrow

  за́втра у́тром* - tomorrow morning

за́втрак* - breakfast

  за за́втраком* - at breakfast

за́втракать, IA* - (eat) breakfast

зада́ча* - problem

задо́к - rump, back

заду́мать [P], IA - think of, get idea

заказа́ть [P], IB - order

закрича́ть [P], IIA*- cry out
закружи́ться [P], IIA - get dizzy
закрыва́ть(ся), IA* - close (self)
закры́ть [P], ICc* - close
замёрзла - froze (past f.)
замеча́тельный - remarkable
замолча́ть [P], IIA - be still
за́муж - married (female)
быть за́мужней - be married
занима́ться, IA* - study, occupy self
занято́й - busy
запища́ть [P], IA - begin to squeak
запла́кать [P], IB* - begin to cry
заплати́ть [P], IIB* - pay
зараба́тывать, IA* - earn
зарыча́ть [P] - begin to roar
засмея́ться [P], IA (irreg.) - begin to laugh
засну́ть [P], ID*- fall asleep
заста́вить [P], IIBл - force
зате́м - thereupon, then, after which
зау́чивать, IA - learn thoroughly, by heart
захоте́ть(ся) [P], irreg. - have desire
зашуме́ть [P], IIBл - get noisy
звать, ID* - name, call: зову́, зовёшь (inst.)
звони́ть, IIA - ring
звоно́к, -нка́ - bell
зда́ние* - building
здесь - here
здоро́в(ый)* - well, healthy
здра́вствуйте* - greetings, hello
зевну́ть [P], ID - yawn
зелёный* - green
земля́* - earth, ground (acs.: зе́млю; is.: землёй; gpl.: земе́ль)
зима́* - winter (acc.: зи́му)
зи́мний - winter (adj.)
зимо́й*- in winter
знако́м(ый),-ая* - acquaintance, known, familiar to
зна́мя, -ени* - banner (n.) (pl.: знамёна, знамён etc.)
знать, IA* - know
зна́чить, IIA* - mean, have meaning
зо́лото* - gold
зуб* - tooth

И

и* - and
и...и - both...and
Ива́н - John
игра́ть, IA* - play
игра́ть в ка́рты - play cards
игра́ть в мяч - play ball
игру́шка* - toy (gpl.: игру́шек)
и́здали - from afar
из(о)* - out of (gen.)
изо дня́ в де́нь - from day to day
изба́ - peasant's house, hut
изжа́рить [P], IIA - roast
изложенно́ - laid out
изуча́ть IA* - study, learn
изучи́ть [P], IIA* - learn
икра́ - caviar
и́ли* - or
и́ли...и́ли* - either...or
иль - or (и́ли)
и́мя, ени* - name (n.)
ина́че - different
инжене́р - engineer
иногда́ - sometimes
институ́т*- institute
интере́сный*- interesting
иска́ть, IB* - look for
и́скренно - sincerely
испу́г* - fright
испуга́ться [P], IA* - get frightened
исче́знуть [P], ID*- disappear (p.: исче́з)
и т. д. - etc.
италья́нский - Italian
итти́, ID* - go: иду́, -ёшь (p.: шёл, шло, шла, шли)

их* - them, their
июль* - July
июнь* - June

К

к* - to, as far as, up to (dat.)
каждый* - every, each
казаться, IB* - seem (dat.)
как* - how, as
  как будто - as though
  как вы поживаете?* - how are you?
какой* - what sort of, which
какой-то* - some sort of
камень, камня - stone
камин - fireplace
каникулы - vacation (school)
карандаш* - pencil
карман* - pocket
карта - map, card
картина* - picture
картонка - carton, box
картофель, -фля* - potatoes
кататься на коньках - go skating
качаться, IA - rock back and forth
каша - porridge, cereal
квартира - apartment, quarters
квитанция - receipt
(с) **кем*** - with whom?
кидать, IA - to throw, heave
килограмм* - kilogram
километр - kilometer
кино* - movies, cinema (not decl.)
кипеть, IIBл - boil
(по-)**китайски*** - (in) Chinese
кладовая - pantry
класс* - class
классический - classical
классный* - class (adj.)
класть, ID* - place:
  кладу, -ёшь
клуб* - club
ключ* - key
книга* - book
книжечка* - little book
книжный* - book (adj.)
когда* - when
кого* - whom, whose?
(у) **кого*** - who has? at whose house?
козлик - little goat
колесо - wheel (pl.: **-а**)
колхоз* - collective farm
колхозник* - worker on collective farm
(о) **ком*** - about whom?
комедия - comedy
комната* - room
комод - dresser, chest of drawers
компания* - company
комсомолец, -мольца - Komsomol
кому* - to whom?
конверт - envelope
кондуктор - conductor
конечно* - of course
конец, -нца* - end
  в конце концов* - in the long run, finally
конфеты* - candies, sweets
кончать(ся), IA* - end, finish
концерт* - concert
копейка* - kopeck (gpl.: **копеек**)
кораблик - little ship, boat
корабль - ship
корзина - basket
короткий* - short
косточка - stone, seed, little bone (gpl.: **-чек**)
костюм* - suit
который* - what, which who (interrog. and rel.)
  который час?* - what time is it?
  в котором часу?* - at what time?
кофе* - coffee (not decl.)
красивый* - pretty, beautiful
красить, IIB - paint
красный* - red

Кремль* - Kremlin
кре́сло* - arm chair
(gpl.: **кре́сел**)
крестья́нин* - peasant (irreg. pl.: **крестья́не**, etc.)
крик - cry
крича́ть, IIA* - cry out, yell
крова́ть, SFS* - bed
крыло́* - wing
(pl.: **кры́лья**, etc.)
кры́ша - roof
кто* - who, one, someone
кто-нибу́дь - anybody, anyone
куда́* - where to, whither
кузе́н - (male) cousin
ку́кла* - doll
(gpl.: **ку́кол**)
купа́ться, IA - bathe
купи́ть [P], IIBл* - buy
кусо́к, куска́* - piece
ку́хня - kitchen
ку́хонный - kitchen (adj.)
ку́шать, IA* - eat

Л

лаборато́рия - laboratory
ла́мпа* - lamp
ла́пка - paw, foot (of animals) (gpl.: **ла́пок**)
ле́вый* - left
лёгкий* - easy, light
легко́* - (adv.)
легла́ - lay down (past fem. of **лечь**)
лежа́ть, IIA* - lie
ле́кция - lecture
лени́вцы - lazy ones
лентя́й - lazybones
лес* - woods (pr.: **в лесу́**)
(npl.: **леса́**)
ле́стница - stairway
лета́ть, IA* - fly
лете́ть, IIB* - fly
ле́то*- summer
ле́том* - in summer
лет* - years (gpl.)
лечь [P], ID* - lie down: **ля́гу, ля́жешь**

ли* - (interrog. particle)
ликвиди́ровать, ICd - liquidate
лист* - leaf; list, sheet
(pl. for **лист** meaning "leaf": **ли́стья, -ьев**)
лить, ICa - pour
лицо́* - face, person
лишь - hardly, scarcely
ложи́ться, IIA - lie down
ло́жка - spoon (gpl.: **-жек**)
Ло́ндон* - London
ло́шадь, SFS*- horse
луна́ - moon
лу́чше* - better
лу́чше всех - best of all
люби́мый* - favorite, beloved
люби́ть, IIBл* - love, like
любо́вь, SFS - love
любо́й - any
любопы́тный - curious
лю́ди* - people (no sing.)
(pl. for **челове́к**)
лы́жи - skis
(**ходи́ть на**) **лы́жах** - ski

М

мавзоле́й* - mausoleum
магази́н* - store, shop
май* - May
ма́ленький* - little, small
ма́ло* - little, small amount (gen.)
ма́льчик*- boy
ма́ма* - mama, mother
март* - March
марширова́ть, ICd - march
ма́сло - butter
матро́с - sailor
мать, ма́тери* - mother (irreg. SFS)
Ма́ша - Masha
маши́на - machine, engine
машини́ст - machinist, engineer
медве́дица - female bear
медве́дь* - bear
медвежо́нок, -нка - little bear
ме́дленно* - slowly

мéжду* - among, between (inst.)
  мéжду прóчим - by the way
мел* - chalk
мéньший - smaller
(у) **меня́*** - I have, at my house
меня́ться, IA* - change
мéрить, IIA - measure
мёртвый - dead
мéсто* - place, piece of baggage
мéсяц* - month
мéтод - method
метрó* - subway (not decl.)
меша́ть, IA* - disturb, mix (dat.)
миллиóн* - million
ми́лости прóсим - be welcome (id.)
ми́лый - kind, dear
ми́мо - by, past (gen.)
мину́та* - minute
мир* - peace, world
мировóй* - world (adj.)
мла́дший - younger
мне* - to me (dat. of **я**)
мнóго* - many (fol. by gs. or gpl.)
многоуважа́емый* - much respected, "dear"
мóжно* - (is) possible
мой, моё, моя́* - my
молодóй* - young
молокó* - milk
мóлодость, SFS - youth
молча́ть, IIA - be still
мóре* - sea
морóженое* - ice cream
морскóй - sea, maritime (adj.)
морóз* - frost
Москва́* - Moscow
москви́ч* - Moscow citizen
москóвский* - Moscow (adj.)
Москóвский худóжественный теа́тр - Moscow Art Theatre
мочь, IBг* - be able to: **могу́, мóжешь, мóгут**
муж* - husband (npl.: **-жья́**; gpl.: **-жéй**)
мужи́к - peasant
мужчи́на* - man (m. with f. decl.)
музéй* - museum (decl. like **трамва́й**)
му́зыка* - music
му́ха - fly
мы* - we
мы́ло* - soap
мы́ть(ся), ICc* - wash (self)
мя́со* - meat
мяч - ball

Н

на* - on, onto, to (acc. or pr.)
навéрх - up(wards)
над* - over (inst.)
надева́ть, IA - put on
надéть [P], ID* - put on: **надéну, -ешь**
надéяться, IA (irreg.) hope: **надéюсь, -éешься**
на́до* - it is necessary (with infin.)
наéхать на, ID - ride onto
наза́д - ago, back
  год тому́ наза́д - a year ago
называ́ть(ся), IA* - call, be named
найти́ [P], ID* - find: **найду́, -ёшь**
наконéц - at last
нали́ть [P], ICa* - pour
нам* - to us (dat. of **мы**)
(с) **на́ми*** - with us (inst. of **мы**)
напа́ли [P] - fell upon (p. of **напа́сть, ID**)
напи́сан, -но, -на* - written (past pass. part.)
написа́ть [P], IB* - write
нарéзать [P], IB* - cut up
нарóд* - people, nation
  нарóду* - (prt.g.)
нарóдный - folk, peoples' (adj.)
нас* - us (gen. and acc. of **мы**)
  у нас* - we have
населéние - population

наудáчу - at random
научи́ться [P], IA*- learn (dat.)
находи́ть(ся), IIB* - find, be located, find (self)
начáло* - beginning
начáльник - official
начáть [P], ID* - begin: **начну́, -ёшь**
начинáть(ся), IA* - begin
наш, нáше, нáша* - our
нашлá - found (f. p. of **найти́**)
не* - not
не так ли? - is that not so?
нéбо - sky, heaven (pl.: **небесá, небéс**)
небоскрёб - skyscraper
небольшóй - not large, small
невероя́тно - unbelievable, unreal
невозмóжно* - it is impossible
(у) негó - he has
негрáмотный - illiterate
недáвно - not long ago, recently
недалекó от* - not far from (gen.)
недéля* - week
женáтый - unmarried (male)
нéжно - tenderly
незáмужняя - unmarried (female)
некраси́вый - ugly, not pretty
нелóвко - uncomfortable
нельзя́* - not permitted (with infin.)
немнóго - a little
нéнависть, SFS - hatred
необходи́мо* - essential, necessary
неожи́данный* - unexpected
неподви́жно - immovable, motionless
непрáвда* - untruth, lie
неприя́тный* - unpleasant
нéрвный - nervous
нéсколько* - several (gen.)
нести́, ID* - carry: **несу́, -ёшь** (p.: **нёс**)
нет* - no; there is not (gen.)
нетерпéние - impatience
неужéли же - is it so
никогдá...не* - never
никогó нет* - there is no one
ничегó (не)* - nothing
но* - but
нóвый* - new
ногá* - foot (acc.: **нóгу**; npl.: **нóги**)
нож* - knife
нóжки - little feet
нос* - nose
носи́ть, IIB* - wear, carry
ночь, SFS* - night
нóчью* - at night
ноя́брь* - November
нрáвиться, IIBл - please (dat.)
мне нрáвится - I like, it pleases me
ну* - well
нýжен, ´-жно, -жнá, -жны́* - needed, necessary (dat.)
мне нýжен - I need
Нью Джéрзи - New Jersey
Нью Иóрк - New York
ню́хать, IA - smell, sniff

О

о(б), óбо* - about (pr. or acc.)
óба, -е* - both
обéд - dinner
обéдать, IA* - dine
обещáть, IA - promise
оби́да* - insult
обмáнывать, IA - fool
обнимáть, IA - embrace
обня́ть [P], ID - embrace: **обниму́, ´-ешь**
обрáтно - back
объясни́ть [P], IIA* - explain
объясня́ть, IA* - explain
обыкновéнно* - usually
обязáтельно - without fail
óвощи*- vegetables
огóнь, -ня́ - fire
огрóмный - huge

одева́ть(ся), IA* - dress (self)
одеколо́н - eau de cologne
оде́т* - dressed
оде́ть(ся) [P], ID* - get dressed: оде́ну(сь), оде́нешь(ся)
одея́ло - cover, blanket
оди́н, одно́, одна́* - one
одни́* - alone
оди́ннадцатый* - eleventh
оди́ннадцать* - eleven
одна́жды - once upon a time
одна́ко - however
ожида́ть, IA* - await (gen.)
окно́ - window (gpl.: око́н)
о́коло* - near (gen.)
окружён, -но́, etc.* - surrounded
октя́брь* - October
он* - he
она́* - she
они́* - they
о́пера - opera
опя́ть - again
орке́стр* - orchestra
о́сень, SFS* - autumn
о́сенью - in autumn
осмотре́ть [P], IIA* - examine, look over
оста́вить [P], IIBл - leave
оставля́ть, IA - leave
останови́ться [P], IIBл - stop
оста́ток, -тка - remains, remainder
оста́ться [P], ID - remain: оста́нусь, -ешься
о́стров - island (npl.: острова́)
о́стрый* - sharp
от* - from (gen.)
отве́тить [P], IIB - answer
отвеча́ть, IA* - answer
отвяжи́сь! - let go!
отда́ть [P], irreg. - give back
о́тдых* - rest
оте́ц, отца́* - father
открыва́ть(ся), IA* - open
откры́т, -о, -а, -ы - opened
откры́ть [P], ICc* - open
отли́чно - excellent, fine
оторва́ться [P], IA - tear oneself away
отпра́виться [P], IIBл - set out
отправля́ться, IA - set out
отре́зать [P], IB - cut off
отъе́зд - departure
ох! - ah! oh!
о́чень* - very
о́чи - eyes (poetic)

П

па́дать, IA - fall
па́лец, -льца* - finger
пальто́* - overcoat (not decl.)
пани́ческий - panicky, fearful
па́па - papa, father
пар - steam
пара́д - parade
парк* - park
парово́з* - engine
парохо́д* - steamboat
па́русный - sail (adj.)
па́хнуть, ID - smell
пе́ние* - singing
первома́й - first of May
пе́рвый - first
перебежа́ть [P], irreg. - run across
перевести́ [P], ID*- translate: переведу́, -ёшь
перево́д*- translation
переводи́ть, IIB* - translate
пе́ред* - before (inst.)
передава́ть, ICb* - hand over
переда́ть [P], irreg. - hand over, pass, transmit
перемени́ться [P], IIA - change
переписа́ть [P], IB* - write over, copy
перепи́сывать, IA* - write over, copy
перепи́сываться, IA* - correspond (with)

переплы́ть [P], ID - sail across: переплыву́, -ёшь
переста́ть [P], ID - stop: переста́ну, -ешь
переходи́ть, IIB - go over
перече́сть [P], ID - read over: перечту́, -ёшь
пери́од - period
перо́* - pen (pl.: пе́рья, пе́рьев)
перро́н - platform (of railroad station)
перча́тки*- gloves (gpl.: -ток)
пёс - dog
пе́сня* - song (gpl.: пе́сень)
петь, ICo*- sing: пою́, поёшь
Пе́тя - Peter (diminutive)
печа́льный - sad
печь, SFS - stove, oven
пешко́м* - on foot (adv.)
пи́во* - beer
пиджа́к - jacket
пионе́р* - pioneer
писа́тель* - writer
писа́тельница*- (female) writer
писа́ть, IB*- write
письмо́* - letter (gpl.: пи́сем)
пить, ICa* - drink
пи́шущая маши́нка* - typewriter
пла́кать, IB* - cry
план - plan
плати́ть, IIB* - pay
платфо́рма - platform
пла́тье* - dress, clothing
пле́мя, -ени* - tribe (n.)
плохо́й* - bad
пло́щадь* - square, place
Кра́сная пло́щадь*- Red Square
плывёт - floats (inf.: плыть)
по* - along (dat.)
по-англи́йски - in English
победи́ть [P], IIB (irreg.) - conquer: побежду́, победи́шь
побежа́ть [P], irreg. - run
побледне́ть [P], IA - get, grow pale
повтори́ть [P], IIA* - repeat
поговори́ть [P], IIA* - have a talk
пого́да* - weather
погуля́ти - go for a walk (archaic)
под* - under (inst. or acc.)
пода́ть [P], irreg. - serve, give
по́ два - two to each
подгоня́ть, IA - drive on
подъе́хать [P], ID* - drive up to
поднима́ть(ся), IA - lift up, go up
подня́ть [P], ID - pick, lift up: подни́му, -ешь
подойти́ [P], ID - go up to
подписа́ть [P], IB* - sign
подпи́сывать, IA* - sign
подрасти́ [P], ID - grow up
подру́га* - (girl) friend
поду́мать [P], IA - think
поду́шка - pillow (gpl.: поду́шек)
подходи́ть, IIB - come up to
по́езд - train (npl.: -а́)
пое́здка - trip (gpl.: -док)
пое́хать [P], ID* - go on vehicle
пое́сть [P], irreg.* - eat
пожале́ть [P], IA - have pity on
пожа́луйста* - please
пожени́вшиеся - married (pl. only)
пожени́ться [P], IIA* - get married
пожива́ть, IA - get along, live
пожима́ть, IA* - press
позво́льте - allow (me, us) (imp.)
позвони́ть [P] (IIA) по телефо́ну* - call up on phone
по́здно* - late
пойдём - let's go
пойма́ть [P], IA - catch
пойти́ [P], ID* - go
пойти́ бы и нам - let's go too (id.)
пока́ - while, until

показа́ть(ся) [P], IB - appear, seem(without reflex.: show)
пока́зывать(ся), IA - appear, seem(without reflex.: show)
покача́ть [P], IIA - rock, shake
покрасне́ть [P], IA - blush
покупа́ть, IA* - buy
поку́пка* - purchase (gpl.: поку́пок)
поку́шать [P], IA* - eat
пол* - floor (pr.: на полу́)
по́ле*- field (pl.: поля́, поле́й)
по́лный - full, stout
полови́на* - half
положи́ть [P], IIA*- place (perfec. of класть)
полу́чен - received
получи́ть(ся) [P], IIA - receive, get, be received
полчаса́* - half hour
поме́ньше - less, smaller
поми́луй - please
по́мнить, IIA* - remember
помога́ть, IA* - help (dat.)
помо́чь [P], IBг* - help
помоги́те* - (imp.)
помы́ть [P], ICc* - wash
понеде́льник* - Monday
понима́ть, IA* - understand
понра́виться [P], IIBл*- please (dat.)
поню́хать [P], IA - smell
поня́ть [P], ID* - understand: пойму́, -ёшь
попроси́ть [P], IIB - ask (gen.)
пора́* - time
(с тех) пор - from that time on
поре́зать [P], IB* - cut
поро́да - breed
портре́т - portrait
по-ру́сски* - (in) Russian
посеща́ть, IA* - attend, visit
посе́ять [P], IA (irreg.) - plant, sow
посиде́ть [P], IIB - sit for a while
посла́ть [P], IB (irreg.)* - send: пошлю́, -ёшь
по́сле* - after (gen.)
по́сле того́ как - after
после́дний - last, latest
посло́вица - proverb, saying
послы́шаться, IIA - be heard
посмотре́ть [P], IIA* - look
постоя́ть [P], IIA* - stand
постро́ен - built
постро́йка - building
постро́ить [P], IIA* - build
посу́да* - dishes
посыла́ть, IA* - send
поте́ряно - lost
потеря́ть [P], IA* - lose
пото́м - then
потому́ что* - because
по-укра́ински - (in) Ukranian
похо́д* - campaign
похо́ж (на)* - resembles (adj.)
поча́ще* - as often as possible, oftener
почему́? *- why?
почему́-то - for some reason or other
по́черк - handwriting
почини́ть [P], IIA - fix, mend
почита́ть [P], IA*- read
поэ́т* - poet
по-япо́нски* - (in) Japanese
по-э́тому* - therefore
прави́тельство* - government
пра́вый* - right
пра́здник* - holiday
пра́здновать, ICd* - celebrate
превосхо́дство - superiority
превыше́ние - increase
пре́жде - before, earlier
препя́тствие - obstacle, hindrance
при* - before, in the time, presence of (with pr.)
прибежа́ть [P], irreg.* - come running
привезти́ [P], ID* - bring on vehicle: привезу́, -ёшь
приве́т - greetings
приводи́ть, IIB* - bring

привози́ть, IIB* - bring (on vehicle)
пригласи́ть [P], IIB* - invite
пригоди́ться [P], IIB - be useful
придава́ть, ICb* - add to, subjoin, augment
приде́лать, IA - add to, join, affix
приезжа́ть, IA* - come riding
прие́хавший - arrived (past act. part.)
прие́хать [P], ID* - arrive on vehicle
прика́зчик* - clerk
приключе́ние - adventure
принести́ [P], ID* - bring: принесу́, -ёшь (p.: принёс)
принима́ть, IA - receive
приноси́ть, IIB* - bring
приня́ть [P], ID - accept, receive: приму́, -ёшь
присла́ть [P], IB (irreg.) - send: пришлю́, -ёшь
припе́в - refrain
притти́ [P], ID* - come, arrive: приду́, -ёшь
приходи́ть, IIB* - come, arrive
luminous пришёдший* - having come (p. act. part. of притти́)
прия́тно - pleasant
пробы́ть [P], ID* - remain, spend time
провёл [P] - spent (past of провести́)
проводи́ть, IIB - spend, accompany
проводи́ть вре́мя - spend time
проглоти́ть [P], IIB - swallow
програ́мма - program
прогу́лка - outing, walk
продава́ть, ICb* - sell
прода́ть [P], irreg. - sell
продолжа́ть(ся), IA - continue
проезжа́ющий - traveller
произнести́ [P], ID*-pronounce
произноси́ть, IIB* - pronounce
пролива́ть, IA - pour, spill
проси́ть, IIB* - ask (gen.)
просто́й - plain, simple
профе́ссор*- professor (npl.: -á)
прохла́дно* - cool
проце́нт - percent
проче́сть [P], ID* - read: прочту́, -ёшь
прочита́ть [P], IA* - read through
про́шлый* - past, last
пры́гать, IA - jump
пры́гнуть [P], ID - jump: пры́гну, -ешь
пря́мо- directly
пря́таться, IB - hide
пти́ца - bird
пти́чка* - little bird (gpl.: пти́чек)
пу́дель, -ля - poodle
пу́дриться, IIA-powder (self)
пусто́й - empty
пусть - let...
путеше́ствие - travels
путь (m.) - road (decl. like SFS nouns, but inst.: путём)
пье́са - play (in theatre)
пятиле́тний план - five year plan
пятна́дцать* - fifteen
пя́тница* - Friday
пя́тый* - fifth
пять* - five
пятьдеся́т* - fifty

Р

рабо́та* - work
рабо́тать, IA* - work
рабо́тник - worker (male), working man
рабо́тница - (female) worker
рабо́чий* - worker (adj. decl.)
рад*- glad, happy (pred. only)
ра́дио* - radio (not decl.)
ра́достный - joyful
раз - time, once, one time (gpl.: раз)
разбира́ть, IA - make out

разбо́йник - brigand, bandit
ра́зве - is it possible
  ра́зве...не - is it not so
разгова́ривать, IA - converse, chatter
разда́ться [P], irreg. - be heard
разделён* - divided (participial adj.)
раздели́ть [P], IIA - divide
разложи́ть костёр - build a campfire
ра́зный - various
райо́н - region
разре́зать [P], IB* - cut up into pieces
рак - crab, crayfish
ра́но*- early
расска́з* - story, tale
рассма́тривать, IA - examine
расти́, ID*- grow: **расту́, -ёшь** (p.: **рос**)
рвать, ID - tear: **рву, -ёшь**
ребёнок, -нка* - child (pl.: **де́ти; ребя́та**)
"Ревизо́р" - "Inspector General," supervisor
ре́вность, SFS - jealousy
револю́ция - revolution
ре́зать, IB* - cut
река́* - river (pl.: **ре́ки**)
рекомендова́ть, ICd* - recommend (dat.)
рельс - rail
респу́блика - republic
рестора́н* - restaurant
ре́чка - little river
речь, SFS* - speech
реша́ть, IA* - solve, decide
реши́ть [P], IIA - solve, decide
рису́нок, -нка - drawing, sketch
ро́бость, SFS - timidity, shyness
ро́вно* - exactly, precisely
ро́вный - even
роди́тели* - parents (pl. only)
роди́ться [P], IIB* - be born
ро́дственник - relative
ро́жки - little horns
рома́н*- novel
Росси́я* - Russia
рот, рта* - mouth (pr.: **во рту́**)
руба́ха* - shirt
рубль* - rouble
рука́* - hand (acs.: **ру́ку;** npl.: **ру́ки**)
ру́сский* - Russian (adj.)
ру́сско-англи́йский* - Russian-English
ручно́й* - hand (adj.)
рю́мка - wineglass
ряд* - row (pr.: **в ряду́**)

С

с - with (inst.); since, from (gen.)
сад*- garden (pr.: **в саду́**)
сади́ться, IIB* - sit down
саквоя́ж - travelling case
сам, само́, сама́, са́ми* - self (emphatic pronoun)
(в) **са́мом де́ле** - in fact (id.)
са́мый * - very, most (superlative of adjectives)
са́ндвич - sandwich
сарди́на - sardine
са́хар* - sugar (prt.g.: **са́хару**)
све́жий - fresh (soft adj.)
свет - world, light
свети́ть, IIB - shine
све́тлый - light
свисте́ть, IIB - whistle
свобо́дный* - free
свой, своё, своя́, свой* - one's own
сдать [P], irreg. - give, check (baggage)
сдви́нуть, ID - move(P)
себе́ - to oneself
сде́лать [P], IA* - do
се́вер - north
се́верный - northern
сего́дня* - today
сейча́с - right now, soon
секу́нда* - second
семна́дцать* - seventeen

семь* - seven
се́мьдесят* - seventy
семья́* - family (gpl.: се́мей)
се́мя, -ени* - seed (n.)
(gpl.: семя́н)
сентя́брь* - September
серди́т - angry
серди́ться, IIB* - be angry
се́рдце - heart
Серёжа - Sergei (dim.)
се́рый - grey
се́ренький - little grey
(dim.)
серьёзно* - seriously
сестра́* - sister
(pl.: сёстры, сестёр)
сесть [P], ID* - sit down:
ся́ду, -ешь (p.: сел)
се́ять, IA* - sow (irreg.) се́ю, -ешь
сжать [P], ID - press, squeeze
сза́ди - behind
сиде́ть, IIB* - sit
си́ла - strength
и́зо всех си́л - with all
(his) might
симфони́ческий - symphonic,
symphony (adj.)
симфо́ния* - symphony
си́ненький - little blue (dim.)
си́ний* - blue
сказа́ть [P], IB* - tell, say
ска́зка - tale (gpl.: ска́зок)
ска́терть, SFS - tablecloth
ско́лько* - how much, how
many (gen.)
(из) ско́льких - of how many
ско́ро - soon
ско́рбно - hurt (feelings)
скрыва́ть, IA - conceal
ску́чно* - lonesome, boring
(dat.)
сла́вный - fine, excellent
сла́дкое* - sweet, dessert
(adj. decl.)
сле́дующий* - following, next
слезть [P], ID - climb down
слепо́й* - blind
сли́ва* - plum
сли́шком* - too (much)
слова́рь* - dictionary

сло́во* - word
сло́манный - broken
слома́ться [P], IA - break
служи́ть, IIA* - serve as
(inst.)
слуша́ть, IA* - listen to,
hear
случи́ться, IIA - happen (P)
слы́шать, IIA* - hear
слы́шен - heard
смея́ться, IA (irreg.)* -
laugh: смеюсь, -ёшься
смотре́ть, IIA* - look
снег - snow (pr.: в снегу́)
снег идёт - it is snowing
снегова́я ба́ба - snow man,
woman
снегу́рочка - snow maiden
сни́ться, IIA - dream
соба́ка* - dog
собачо́нка - little dog,
puppy (dim.)
собира́ть, IA* - gather
собо́й* - with oneself
(inst. of себя́)
собра́ть [P], ID* - collect
собра́ться [P], ID - get
ready to go, get
together
соверши́ть, IIA - accomplish
(P)
сове́т* - advice
сове́товать, ICd* - advise
(dat.)
Сове́тский Сою́з* - Soviet
Union
совсе́м* - entirely (with
all)
согла́сно - agreeable,
agreeing with
сойти́ [P], ID* - go down,
out
сойти́ с ума́* - go insane
солда́т* - soldier
(gpl.: солда́т)
соли́дный - solid
со́лнце - sun
со́нный - sleepy
сообщи́ть, [P], IIA - inform
со́рок* - forty
сосе́д(и) - neighbor(s)

составля́ть, IA - put together, compose, comprise
соста́вить [P], IIBл - put together, compose, comprise
состоя́ть (IIA) из*- consist of
сосчита́ть [P], IA* - count
со́тня* - hundred (collec. noun)
спа́льня - bedroom
спаси́бо* - thanks
спать, IIBл* - sleep
спеть [P], ICo* - sing
специа́льный - special
спеши́ть, IIA* - hurry
спи́чка - match (gpl.: -чек)
споко́йный - quiet
  споко́йной но́чи - good night
спра́шивать, IA* - ask
спроси́ть [P], IIB* - ask
среда́* - Wednesday
сред(и́) - among (gen.)
сре́дство - means
сре́дний - middle (-sized, -aged)
СССР - Union (of) Soviet Socialist Republics (USSR)
стака́н*- glass
станови́ться, IIBл* - become
ста́нция* - station
стара́ться, IA - try
стари́к* - old man
стари́нный* - ancient
ста́рость, SFS - old age
стару́ха - old lady
стару́шка - little old lady
ста́рший* - elder
ста́рый* - old
стать [P], ID* - become: ста́ну, -ешь (inst.)
стена́* - wall (acs: сте́ну)
стесни́ть [P], IIA - crowd
стихи́* - poetry, verses
сто* - hundred
сто́ить, IIA* - cost
стол* - table
столб - column, post
сто́лик - little table
столи́ца - capital
столо́вая*- dining room, restaurant
сторона́ - side
стоя́ть, IIA* - stand
страна́* - country, land
страни́ца* - page
страх - fear
стра́шный - terrible
стро́ить, IIA* - build
студе́нт* - student
студе́нтка* - (female) student
стул* - chair (pl.: сту́лья, -ьев)
сту́льчик - little chair
сты́дно - shameful
  мне сты́дно - I am ashamed
суббо́та - Saturday
сумаше́дший*- insane, crazy
су́мма - sum
супру́ги - married couple
схвати́ться [P], IIB - snatch at
счастли́вый - happy
счита́ть(ся), IA* - count
съесть [P] , irreg.* - eat (p.: съел)
сыгра́ть, IA* - play (P)
сын* - son (pl.: сыновья́, -ей)

Т

табли́ца - table
та́йный - secret
так* - so, thus
та́кже* - also, too, likewise
так как - as
тако́й* - such a one
там - there
танцова́ть, ICd* - dance
таре́лка - plate (gpl.: -лок)
тащи́ть, IIA* - pull
Тверь - Tver
твой, твоё, твоя́* - your
теа́тр* - theatre
тебя́* - you (gen. and acc. of ты)
телегра́фный - telegraph (adj.)
телефо́н*- telephone

телефони́ровать, ICd* - telephone
те́ло - body
темно́ - dark
тёмно-си́нее - dark blue
тёмный - dark
тепе́рь* - now
тепло́*- warm
тёплый - warm
терпели́во - patiently
тётушка - aunty
тётя* - aunt
(gpl.: тётей)
техни́ческий* - technical
тече́ние - course
течёт - flows (infin.: течь)
ти́хий, ти́хо - quiet (adj.,adv.)
ти́ше - quieter, slower
това́рищ* - comrade
това́рищеский - comradely
то...то - now...now
тогда́ - then
то́же* - also
то́лько*- only
(как) то́лько - as soon as
то́лько что* - just
томи́ть, IIBл - oppress, torture
тому́ наза́д - ago
тон - tone
то́ненький - thin little (dim.)
то́нкий* - thin
топта́ть отцо́вские доро́жки - tread in your father's footsteps (id.)
тот, то, та; те* - that (one); those
траге́дия - tragedy
тра́ктор* - tractor
трамва́й* - streetcar, tramway
тра́тить, IIB* - spend
трево́жить, IIA - trouble, arouse
тре́тий, -ье, -ья (irreg.)*- third
три* - three
(decl.: трёх, трём, etc.)
три́дцать* - thirty
трина́дцать* - thirteen
тро́ллибус* - trolleybus
труд - labor
тру́дный* - hard, difficult
тру́дно* - (adv.)
туда́ - thither, there
тут* - here
ты* - you (familiar)
ты́сяча* - thousand

У

у* - at, near (gen.)
убега́ть, IA - run away
убежа́ть [P], irreg.* - run away
уби́т - killed (past pass. part.)
уби́ть [P], ICa* - kill
уважа́ть, IA* - respect
уважа́емый - (much) respected
увеличе́ние - enlargement, increase
уви́деть [P], IIB* - see, catch sight of
уви́деться, IIB* - meet, see each other
уга́с [P] - died away (p. of угасну́ть)
у́гол* - corner
(pr.: в, на углу́)
удержа́ть [P], IIA - hold back
(с) удово́льствие(м) - pleasure, with pleasure
удра́ть [P] - run away
уезжа́ть, IA* ride away
уе́хать, ID* - leave, go away (P)
ужа́сный - terrible
уже́ - already
у́жин* - supper
у́жинать, IA* - eat supper
узна́ть [P], IA - find out
у кого́ - who has, at whose house?
Укра́ина - Ukraine
по-укра́ински - Ukrainian
улете́ть [P], IIB - fly away
у́лица - street
уло́жен - put away, laid away

улыба́ться, IA - smile
улы́бка - smile (gpl.: улы́бок)
ум* - mind
у меня́* - I have
умере́ть [P], ID* - die:
  умру́, -ёшь (p.: у́мер)
уме́ть, IA* - know how, be
  able (with infin.)
у́мница - clever one
умножи́ть [P], IIA - multiply
умыва́ть, IA - wash
умы́тый - washed
у нас* - we have
у него́* - he has
у неё* - she has
универма́г - department store
универса́льный - universal
университе́т* - university
упа́сть [P], ID* - fall:
  упаду́, -ёшь (p.: упа́л)
управля́ть, IA* - govern, rule,
  direct (inst.)
упря́м - stubborn
у́род - monster
урождённый - born, "né"
уро́к* - lesson
уста́л* - tired
у́тро* - morning
  у́тром* - in the morning
  утра́* - a.m.
усы́ - moustache (pl.)
у́хо* - ear (pl.: у́ши, уше́й)
уходи́ть, IIB - go away
уче́бник* - text-book
учени́к* - pupil
учени́ца* - pupil (female)
учёный* - learned (person),
  scientist
учи́тель* - teacher
  (npl.: учителя́)
учи́тельница*- (female) teacher
учи́ться, IIA* - learn (dat.)
ую́тно - cozy

Ф

фа́брика - factory
фами́лия* - family name,
  last name
февра́ль* - February

фильм - film
фотогра́фия - photograph
фра́за - phrase, sentence
фру́кты - fruit (pl.)
фунт* - pound

Х

хитри́ть, IIA - dodge, be
  crafty
хлеб* - bread
ходи́ть, IIB* - go
хозя́ин* - master
  (pl.: хозяева́, хозя́ев)
холо́дный* - cold
  хо́лодно* - (adv.)
хоро́ший* - good
хорошо́* - well (adv.)
хоте́ть, irreg.* - want:
  хочу́, хо́чешь, хо́чет,
  хоти́м, хоти́те, хотя́т
хоте́ться, irreg. - feel
  like, wish (dat.)
хоть - although
хоть бы - if only, at least
хотя́ - although
худо́й* - bad, thin

Ц

цветы́ - flowers (pl. only)
це́лый - whole
  в це́лом - in all
ци́фра - figure, number
целова́ть, ICd - kiss
церемо́ния - ceremony
це́рковь, SFS* - church
  (decl.: це́ркви, etc.)
цивилиза́ция - civilization
цыплёнок, -нка - spring
  chicken

Ч

чай* - tea
час* - hour, o'clock, one
  o'clock
  в кото́ром часу́? - at
  what time?
  в час дня*- at one p.m.

в час утра́* - at one a.m.
котóрый час?* - what time?
ча́сто* - often frequently
часть, SFS* - part
часы́* - clock, watch (pl.)
ча́шечка - little cup, bowl
ча́шка* - cup, bowl (gpl.: ча́шек)
ча́ще - more often
чегó* - what (gen. of что)
чек* - check
человéк* - man, person (sing. only) (pl.: лю́ди)
чем* - with what
(о) чём - (about) what (pr. of что)
чемода́н - suitcase
чéрез - over, across, after (acc.)
через дéнь - in a day
черни́ла - ink (pl. only)
чёрный* - black
четвéрг* - Thursday
чéтверть, SFS* - quarter, a fourth
четвёртый* - fourth
четы́ре* - four (decl.: четырёх, etc.)
четы́рнадцать* - fourteen
Чéхов - Chekhov
Чика́го*- Chicago
числó* - number, date (npl.: чи́сла)
чи́сленный - numerical
чи́стить, IIB* - clean
чита́ть, IA* - read
чтéние* - reading
что* - what, that, that which
чтóб(ы)* - that, in order that
что э́то за* - what sort of...
что э́то такóе? - what is this?
что же - why not? (id.)
что-нибу́дь* - anything, something (indefinite)
что-то* - something
чу́вствовать, ICd* - feel
чудéсный -wonderful, excellent
чу́до - miracle
чужóй - strange, unknown
чулóк, чулка́ - sock, stocking

Ш

ша́пка - cap (gpl.: ша́пок)
швырну́ть [P], ID - turn out, hurl
Шекспи́р - Shakespeare
шёл, шло, шла, шли* - went (p. of итти́)
шестна́дцать* - sixteen
шестóй* - sixth
шесть* - six
шестьдеся́т* - sixty
широ́кий* - broad
шить, ICa* - sew
шкаф* - cupboard (pr.: в шкафу́)
шкóла* - school
шля́па* - hat
шум* - noise
шумéть, IIBл - make noise
шу́мно* - noisy
шурша́ть, IIA - rustle
шу́тка - joke, trick (gpl.: шу́ток)

Щ

щенóк, -нка́ - puppy

Э

экза́мен - examination
экипа́ж - carriage
электроста́нция - power plant
энéргия - energy
эскала́тор - escalator
эта́ж* - storey, floor
э́тот, э́то, э́та; э́ти* - this, these

Ю

юг* - south

Я

я* - I
я́блоко* - apple (npl.: я́блоки)

я́годы - berries
язы́к* - tongue, language
яйцо́* - egg (gpl.: я́иц)
я́мочка - little hole, pit, dimple
янва́рь* - January
(по-)япо́нски - Japanese
я́рко - brightly
я́сли - nursery, manger, crèche (pl. only)

ENGLISH-RUSSIAN VOCABULARY

A

(be) able - мочь, IBг; с- [P]
about - о́(бо) (with pr.)
accept - принима́ть, IA;
  приня́ть [P], ID
acquaintance - знако́мый
add - прибавля́ть, IA;
  приба́вить [P], IIBл
advice - сове́т
advise - сове́товать, ICd (dat.)
after - по́сле (gen.)
after, thru - че́рез (acc.)
airplane - аэропла́н
all - весь, всё, вся; все
all in all - всего́
all the time - всё
alone - оди́н (pl.: одни́)
along - по (dat.)
already - уже́
also - та́кже, то́же
always - всегда́
a.m. - утра́
America - Аме́рика
American - америка́нец, -нца
  (m.) америка́нка (f.)
among, between - ме́жду (inst.)
ancient - стари́нный
and - и
  both and - и...и
angry (be) - серди́ться, IIB(на)
another - друго́й
answer - отвеча́ть, IA;
  отве́тить [P], IIA
appetite - аппети́т
apple - я́блоко
April - апре́ль
arm chair - кре́сло
army - а́рмия
arrive - приходи́ть, IIB;
  притти́ [P], ID
arrive (on vehicle) - при-
  езжа́ть, IA; прие́хать [P], ID
as - так как, как
ask - спра́шивать, IA;
  спроси́ть [P], IIB;
  проси́ть, IIB; по- [P]
aspect, view - вид
at, near - у (gen.)
attend, visit - посеща́ть,
  IA; посети́ть [P], IIB
  (irreg.)
August - а́вгуст
aunt - тётя
author - а́втор, писа́тель
autobus - авто́бус
automobile - автомоби́ль
autumn - о́сень
  (in) autumn - о́сенью
await - ожида́ть IA;
  ждать, ID (both impfc.)

B

bad - плохо́й, худо́й
ball - мяч
banner - зна́мя, -ени (n.)
be - быва́ть, IA;
  быть [P], ID
be able to - мочь; с- [P]
be proud of - горди́ться,
  IIB (inst.)
be ready! - бу́дьте гото́вы!
be so kind! - бу́дьте добры́!
be well! - бу́дьте здоро́вы!
bear - медве́дь
beat, hit - бить, ICa;
  по- [P]
because - потому́ что
become - станови́ться, IIBл;
  стать [P], ID
bed - крова́ть, SFS
beer - пи́во
before - пе́ред (inst.);
  до (gen.)
begin - начина́ть(ся), IA;
  нача́ть(ся) [P], ID
beginning - нача́ло

believe - вéрить, IIA;
  по- [P] (dat.)
best of everything -
  всегó хорóшего
better - лýчше
between - мéжду (inst.)
big - большóй
bird - птúца, птúчка
black - чёрный
blind (man) - слепóй
blue - сúний, -ее, -яя
board, (black)board - доскá
boat - корáбль; пароxóд
book - кнúга; кнúжный (adj.)
(text-)book - учéбник
boring - скýчно
(be) born - родúться, IIB [P]
both and - и...и
bottle - бутылка
boulevard - бульвáр
bowl, cup - чáшка, чáшечка
boy - мáльчик
bread - хлеб
breakfast - зáвтрак;
  зáвтракать, IA
bring (on vehicle) - приво-
  зúть, IIB; привезтú [P], ID
bring (carry) - приносúть, IIB;
  принестú [P], ID
broad - ширóкий
brother - брат (pl.: брáтья)
bucket - ведрó
build - стрóить; по- [P]
building - здáние
but, whereas - а, но
butter - мáсло
buy - покупáть, IA;
  купúть [P], IIBл

C

call, name - называ́ть, IA;
  назвáть [P], ID; звать, ID
call up on phone - позвонúть
  (IIA) по телефóну
campaign - похóд
candy - конфéты
cap - шáпка
capital - столúца

carry - нестú, ID; носúть,
  IIB (both impfc.)
Caucasus - Кавкáз
celebrate - прáздновать,
  ICd
chair - стул (pl.: стýлья)
chalk - мел
change - менять, IA; сдáча
check - чек
Chicago - Чикáго
child - ребёнок
children - дéти; ребя́та
  look after the children -
  смотрéть за детьмú
church - цéрковь, -кви, SFS
citizen - граждани́н
  (pl.: грáждане)
city - гóрод (pl.: -á)
class - класс
class (adj.) - клáссный
clean - чúстый
clerk - прикáзчик
clock, watch - часы́
close - закрывáть(ся), IA;
  закры́ть [P], ICc
clothing - одéжда
club - клуб
coat - пальтó (not decl.)
coffee - кóфе (not decl.)
cold - холóдный
collect - собирáть, IA;
  собрáть [P], ID
collective farm - колхóз
collective farmer -
  колхóзник
come, arrive - приходúть,
  IIB; прийтú [P], ID
come running - прибегáть,
  IA; прибежáть [P], irreg.
come up to - подходúть, IIB;
  подойтú [P], ID
company - компáния
comrade - товáрищ
concert - концéрт
conduct - приводúть, IIB;
  привестú [P], ID
consist of - состоя́ть из,
  IIA
converse - разговáривать,
  IA

convey, bring on vehicle - (при)возить, IIB; (при)везти [P], ID
cool - прохладный
copy - переписывать, IA; переписать [P], IB
corner - угол (в, на углу)
cost - стоить, IIA
count - считать, IA
country, land - страна; деревня (village)
country place, house - дача
(of) course - конечно
cry - плакать; за- [P], IB
cry (out) - кричать, IIA; за- [P]; крикнуть [P], ID
cup, bowl - чашка (gpl.: чашек)
cupboard - шкаф (pr.: в шкафу)
cut - резать; по- [P]; вы- [P]; на- [P], IB

D

dance - танцовать, ICd
dark - тёмный, темно
date - число
daughter - дочь, дочери; дочка
day - день, дня
(in the) day-time - днём
dear, expensive - дорогой
(much respected) "dear" - многоуважаемый
December - декабрь
dessert - сладкое
dictionary - словарь
die - умирать, IA; умереть [P], ID
different, other - другой
difficult - трудный, трудно
dine - обедать, IA; по- [P]
dining room - столовая
dinner - обед
direct - управлять, IA (instr)
directly - прямо
dishes - посуда
disturb - мешать, IA (dat.) по- [P]
divide - разделять, IA; разделить [P], IIA
divided - разделён
do - делать, IA; с- [P]
doctor - доктор (pl.: -а)
dog - собака
doll - кукла (gpl.: кукол)
dollar - доллар
domestic, home-made - домашний
(River) Don - Дон (на Дону)
door - дверь, SFS
dozen - дюжина
dress - одеваться, IA; одеться [P], ID
dress - платье
dressed - одет
drink - пить, ICa; вы- [P]

E

each - каждый
each other - друг друга
ear - ухо (pl.: уши)
early - рано
earn - зарабатывать, IA; заработать [P], IA
earth, ground - земля (acs.: землю)
easy, light - лёгкий, легко
eat - есть, irreg.; по- [P]; съ- [P]; кушать, IA; по- [P]
eat breakfast - завтракать, IA; по- (P)
eating - еда
eat supper - ужинать, IA; по- [P]
egg - яйцо (npl.: яйца; gpl.: яиц)
eight - восемь (gen.: восьми)
eighteen - восемнадцать
eighty - восемьдесят
either...or - или...или
eleven - одиннадцать
eleventh - одиннадцатый
end - конец, -нца
end - кончать, IA; кончить [P], IIA
(in) English - по-английски

enter - входи́ть в, IIB;
  войти́ [P], ID
entirely (with all) - совсе́м
essential, necessary -
  необходи́мо
even - ещё, да́же, ро́вно
evening - ве́чер
  in the evening - ве́чером
every, each - ка́ждый
everything, all - всё
evident, is seen - ви́дно
exactly - ро́вно
examination - экза́мен
examine, look over - осма́тривать, IA; осмотре́ть [P], IIA
exercise - упражне́ние
explain - объясня́ть, IA;
  объясни́ть [P], IIA
eye - глаз (npl.: глаза́;
  gpl.: глаз); о́чи (poetic)

F

face - лицо́
factory - фа́брика
fall - упа́сть [P], ID
fall - о́сень
  (in) fall - о́сенью
fall asleep - засну́ть [P], ID
family - семья́
family name - фами́лия
far - далеко́
father - оте́ц, отца́
favorite - люби́мый
February - февра́ль
feel like, wish -
  хоте́ть(ся); за- [P]
field - по́ле
fifteen - пятна́дцать
fifth - пя́тый
fifty - пятьдеся́т
film - фильм
finally - наконе́ц
find (self) - находи́ть(ся),
  IIB; найти́(сь) [P], ID
finger - па́лец, -льца
finish - конча́ть, IA;
  ко́нчить [P], IIA
first - пе́рвый
five - пять

floor - пол; эта́ж (storey)
  on the floor - на полу́
fly - лета́ть, IA;
  лете́ть, IIB; по- [P]
fly - му́ха
following - сле́дующий
foot - нога́ (pl.: но́ги)
  on foot - пешко́м
for - для (gen.)
for, after, in search of -
  за (inst. or acc.)
former - бы́вший
forty - со́рок
four - четы́ре
fourteen - четы́рнадцать
fourth - четвёртый
free - свобо́дный
frequently - ча́сто
fresh - све́жий
Friday - пя́тница
friend - друг (pl.: друзья́,
  друзе́й)
(girl) friend - подру́га
(get) frightened -
  пуга́ться; ис- [P]
from - от (gen.)
frost - моро́з
future - бу́дущий

G

garden - сад
  in the garden - в саду́
gather - собира́ть, IA;
  собра́ть [P], ID
gay - весёлый, ве́село
Germany - Герма́ния
get up - встава́ть, ICb;
  встать [P], ID
girl - де́вочка
  (gpl.: де́вочек)
give - дава́ть, ICb;
  дать [P], irreg.
glad - рад
glass - стака́н; стекло́;
  рю́мка
glitter - блесте́ть, IIB
gloves - перча́тки

go - итти́, ID; ходи́ть, IIB
(both impfc.)
go away - уходи́ть, IIB;
уйти́ [P], ID
go out - выходи́ть, IIB;
вы́йти [P], ID
go strolling - гуля́ть, IA;
по- [P]
go visiting - ходи́ть в го́сти
gold - зо́лото
good - хоро́ший; до́брый
good-bye - до свида́ния
good morning - до́брое у́тро
govern, direct, rule -
управля́ть, IA;
упра́вить [P], IIBл (inst.)
government - прави́тельство
grammar - грамма́тика
grandfather - де́душка
(gpl.: -шек)
grandmother - ба́бушка
(gpl.: -шек)
great - вели́кий
green - зелёный
ground - земля́
grow - расти́, ID
guest - гость
guitar - гита́ра

H

half - полови́на
half hour - полчаса́
hand - рука́ (acs.: ру́ку)
by the hand - за́ руку
hand over - передава́ть, ICb;
переда́ть [P], irreg.
hang - висе́ть, IIB; по- [P];
ве́шать, IA
happy - весёлый, сча́стливый
hard, difficult - тру́дный
has, have - (у with gen.)
hat - шля́па
have command of - владе́ть, IA
(inst.)
he - он
he has - у него́
head - голова́ (acs.: го́лову)
hear - слу́шать, IA
слы́шать, IIA (both impfc.)
help - помога́ть, IA;
помо́чь [P], IBг
here - вот, тут
her, hers - её
hill - гора́ (acs.: го́ру)
him, his - его́
hold - держа́ть, IIA;
по- [P]
holiday - пра́здник
home - дом
(at) home - до́ма
(at my) home - у меня́
home-made - дома́шний
home(ward) - домо́й
hope - наде́яться, IA
(irreg.); по- [P]
horse - ло́шадь, SFS
hot - жа́рко, горя́чий
hour, o'clock - час
(в часу́)
house, home - дом
(pl.: дома́)
how - как
how are you? - как вы
пожива́ете?
how much, how many -
ско́лько (gen.)
hundred - сто
hungry - го́лоден
hurry - спеши́ть, IIA;
по- [P]
husband - муж (pl.:
мужья́, муже́й)

I

I - я
I have - у меня́
ice cream - моро́женое
if, whether - е́сли, -ли
if...would - е́сли бы...бы
impossible - невозмо́жно
in, into - в (acc. or prep.)
inhabitant - жи́тель
insane - сумаше́дший
interesting - интере́сный
into - в (acc. or prep.)

invite - приглашать. IA;
  пригласить [P], IIB
is that not so? - не так ли?

J

January - январь
Japanese - по-японски
journal - журнал
July - июль
June - июнь
just - только что
just the same - всё таки

K

key - ключ
kill - убивать, IA;
  убить [P], ICa
kilogram - килограмм
kind, good - добрый
(be so) kind - будьте добры
knife - нож
know - знать, IA; у- [P]
know how - уметь, IA; с- [P]
known - знаком
Kremlin - Кремль

L

lady, woman - дама, женщина
lamp - лампа
land - земля
language - язык
large, big - большой
last - последний, прошлый
late - поздно
laugh - смеяться, IA
  (irreg.); за- [P]; по- [P]
lawyer - адвокат
lead - водить, IIB;
  вести, ID (both impfc.)
leader - вождь
leaf - лист (pl.: листья,
  листьев)
learned man - учёный
learn - изучать, IA; изучить
  [P], IIA; учиться, IIA;
  на- [P] (dat.)

leave - уехать из, ID;
  оставлять, IA;
  оставить [P], IIBл
left - левый
lesson - урок
letter - письмо
  (gpl.: писем)
library - библиотека
lie - лежать, IIA; по- [P]
lie down - ложиться, IIA;
  лечь [P], ID
lie (untruth) - неправда
life - жизнь, SFS
light - светло
like - любить, IIBл;
  нравиться (dat.)
lip - губа (pl.: губы)
lively - весело
living room - гостиная
listen to, hear - слушать,
  IA; по- [P]; слышать, IIA;
  у- [P]
literature - литература
little, small - маленький
  (adv.: мало)
(a) little - немного;
  немножко
live - жить, ID; по- [P]
(be) located, find self -
  находить (ся);
  найти(сь) [P]
lonesome, boring - скучно
long - длинный
long (time) - долго, давно
look - смотреть, IIA;
  по- [P]
look for - искать, IB;
  по- [P]
love, like - любить, IIBл;
  по- [P]
lose - терять, IA; по- [P]

M

magazine - журнал
man, person - человек
  (pl.: люди); мужчина
many - много (gen.)
map - карта

March - март
married couple - супру́ги
marry, get married -
  жени́ться (for man);
  выходи́ть за́муж (for woman)
mathematics - матема́тика
mausoleum - мавзоле́й
May - май
(to) me - мне
mean - зна́чить, IIA
meat - мя́со
meet - встреча́ть(ся с), IA;
  встре́тить(ся с) [P], IIB
meeting - собра́ние
milk - молоко́
million - миллио́н
mind - ум
minute - мину́та
mix - меша́ть, IA
Monday - понеде́льник
money - де́ньги (pl. only)
  (gen.: де́нег)
month - ме́сяц
more - бо́лее, бо́льше
morning - у́тро
  in the morning - у́тром
Moscow - Москва́
Moscow (adj.) - моско́вский
Moscow citizen - москви́ч
most of all - бо́льше всего́
mother - мать, ма́тери, SFS
  (irreg.); ма́ма
mouth - рот, рта (pr.: во рту́)
movies, cinema - кино́
Mr., citizen - граждани́н
  (pl.: гра́ждане, гра́ждан)
Mrs., Miss - гражда́нка
much, many - мно́го (gen.)
museum - музе́й
mushrooms - грибы́
music - му́зыка
must - до́лжен, etc.
my - мой, моё, моя́

N

name, call - звать, ID; по- [P]
name (family, last) - фами́лия
name (first) - и́мя, и́мени (n.)
(be) named - называ́ться, IA
nation - наро́д
near - во́зле; о́коло; у;
  (gen.)
(it is) necessary - на́до,
  ну́жно
needed, necessary - ну́жен,
  etc.
neither...nor - ни...ни
nest - гнездо́
never - никогда́...(не)
new - но́вый
newspaper - газе́та
next - сле́дующий
night - ночь, SFS
  at night - но́чью
nine - де́вять
nineteen - девятна́дцать
ninety - девяно́сто
no - нет
  (is, are) no - нет
noise - шум
noisy - шу́мный, шу́мно
north - се́вер
northern - се́верный
nose - нос
not - не
not permitted - нельзя́
nothing - ничего́ (не)
novel - рома́н
November - ноя́брь
now - тепе́рь
number - число́, но́мер
nurse - ня́ня (gpl.:ня́ней)
nursery - я́сли(pl. only)

O

(be) obliged - до́лжен, etc.
October - октя́брь
of course - коне́чно
often, frequently - ча́сто
oftener, as often as
  possible - поча́ще
old - ста́рый
old man - стари́к
on, onto, to - на (acc.
  or prep.)
on foot - пешко́м

one - один, одно́, одна́
one, someone - кто, кто-то
(at) one a.m. - в час утра́
(at) one p.m.- в час дня
one's own - свой, -ё, -я́, -и́
one's self, alone - сам,
 -а́, -о́, ́-и
only - то́лько
open - открыва́ть(ся);
 откры́ть(ся) [P], ICc
open(ed) - откры́т (adj.)
or - и́ли
orchestra - орке́стр
order - зака́зывать, IA;
 заказа́ть [P], IB
(in) order that - что́б(ы)
 (with infin. or clause)
other, another - друго́й
our - наш, на́ше, на́ша
out of - из (gen.)
over - над (inst.)
overcoat - пальто́ (not decl.)

P

page - страни́ца
paper - бума́га
parents - роди́тели
park - парк
part - часть, SFS
past, last - про́шлый, проше́дший
pay - плати́ть, IIB; за- [P]
peace - мир
peasant - крестья́нин (pl.:
 крестья́не, etc.); мужи́к
pen - перо́ (pl.: пе́рья, etc.)
pencil - каранда́ш
people - лю́ди; наро́д
 many people - мно́го наро́ду
picture - карти́на
piece - кусо́к, куска́
pioneer - пионе́р
place - класть, ID;
 положи́ть [P], IIA
place - ме́сто, пло́щадь
play - игра́ть, IA; сыгра́ть
pleasant - прия́тно
please - пожа́луйста
please - нра́виться, IIBл;
 по- [P]; (dat.)
poet - поэ́т
poetry, verses - стихи́
political - полити́ческий
porridge - ка́ша
possible - возмо́жно
potatoes - карто́фель, -ля
pound - фунт
pour - лить, ICa;
 на- [P]; вы́- [P]
precisely - то́чно; ро́вно
prepare - гото́вить, IIBл;
 при- [P]
prepared - (при)гото́влен
(in) presence of - при
 (with pr.)
pretty, beautiful - краси́вый
problem - зада́ча
professor - профе́ссор
 (npl.: -а́)
pronounce, make (speech) -
 произноси́ть, IIB;
 произнести́ [P], ID
(be) proud - горди́ться, IIB
proverb - посло́вица
pupil - учени́к
(female) pupil - учени́ца
purchase (noun) - поку́пка
put, place - класть, ID;
 положи́ть [P], IIA
put on - надева́ть, IA;
 наде́ть [P], ID

Q

quarter (one-fourth) -
 че́тверть, SFS
quickly - бы́стро

R

radio - ра́дио
railroad - желе́зная доро́га
rain - дождь
(it is) raining - дождь идёт
read - чита́ть, IA; почита́ть,
 [P], IA; прочита́ть [P],
 IA; проче́сть [P], ID

reading - чте́ние
ready - гото́в
  be ready! - будь гото́в!
(for this) reason - по-э́тому
receive - получа́ть, IA;
  получи́ть [P], IIA
recommend - рекомендова́ть,
  ICd (dat.)
red - кра́сный
  Red Square - Кра́сная пло́щадь
remain - остава́ться, IA;
  оста́ться [P]; пробы́ть [P]
remember - по́мнить, IIA;
  вс- [P]
repeat - повторя́ть, IA;
  повтори́ть [P], IIA
resembles - похо́ж (на)
respect - уважа́ть, IA
respected - многоуважа́емый
rest (repose) - о́тдых;
  отдыха́ть, IA
restaurant - рестора́н,
  столо́вая
revolution - револю́ция
rich - бога́тый
ride - е́хать, ID; по- [P]
ride (often) - е́здить, IIB
ride away - уезжа́ть, IA;
  уе́хать [P], ID
right - пра́вый
river - река́, ре́чка
road - доро́га, путь
room - ко́мната
rouble - рубль
row - ряд (pr.: в ряду́)
rule - владе́ть, IA (inst.)
rule - пра́вило
ruler - вождь
run - бе́гать, IA;
      бежа́ть, irreg.
run away - убега́ть, IA;
  убежа́ть [P], irreg.
Russia - Росси́я
  (Сове́тский Сою́з)
Russian - ру́сский
(in) Russian - по-ру́сски

S

satisfied - дово́лен
Saturday - суббо́та
savage, wild - ди́кий,
  дика́рь
say, tell - говори́ть, IIA;
  сказа́ть [P], IB
scientist - учёный
school - шко́ла
sea - мо́ре
second - второ́й
second - секу́нда
see - ви́деть, IIB; у- [P]
seed - се́мя, се́мени (n.)
  (gpl.: семя́н)
seem - каза́ться, IB;
  по [P] (dat.)
self - сам, само́, сама́,
  са́ми; себя́, себе́, себя́,
  собо́й, себе́
sell - продава́ть, ICb;
  прода́ть [P], irreg.
send - посыла́ть, IA;
  посла́ть [P], IB
September - сентя́брь
seriously - серьёзно
serve as - служи́ть, IIA;
  по- [P] (inst.)
seven - семь
seventeen - семна́дцать
seventy - се́мьдесят
several - не́сколько
sew - шить, ICa; с- [P];
  вы́- [P]
sharp - о́стрый
she - она́
she has - у неё
sheet - лист (pl.: листы́)
shine, glitter - блесте́ть,
  IIB
singing - пе́ние
shirt - руба́ха
shop - магази́н; ла́вка
short - коро́ткий
sign - подпи́сывать, IA;
  подписа́ть [P], IB
since - с (gen.)
sing - петь, ICo; с- [P]
singing - пе́ние
sister - сестра́
  (pl.: сёстры, сестёр)
sit - сиде́ть, IIB; по- [P]

sit down - садиться, IIB;
сесть [P],ID
six - шесть
sixteen - шестнадцать
sixth - шестой
sixty - шестьдесят
sky - небо
sleep - спать, IIBл; по- [P]
slowly - медленно
small - маленький
so, thus - так
soap - мыло
soldier - солдат
(gpl.: солдат)
solve - решать, IA;
решить [P], IIA
someone - кто-нибудь; кто-то
some sort of - какой-то
something - что-нибудь; что-то
sometimes - иногда
son - сын (pl.: сыновья, etc.)
song - песня (gpl.: песен)
soon - скоро
south - юг
Soviet Union - Советский Союз
sow - сеять, IA; по- [P]
speak - говорить, IIA; по- [P]
speech - речь, SFS
(make) speech - произносить
речь
spend - тратить, IIB
spend time - проводить время
spring (adj.) - весенний
spring (noun) - весна
square - площадь, SFS
stand - стоять, IIA; по- [P]
station - станция
steamboat - пароход
still - ещё, всё ещё
stop - останавливаться, IA
store, shop - магазин
storey, floor - этаж
story - рассказ
street - улица
street car, tramway - трамвай
stroll - гулять, IA; по- [P]
student - студент; студентка
study - изучать, IA; изучить
[P], IIA; учиться (dat.) IIA
study, occupy self - занимать(ся); занять(ся) [P]
subway - метро
such - такой
suddenly - вдруг
sugar - сахар
(prt.g.: сахару)
suit - костюм
summer - лето
in summer - летом
sun - солнце
Sunday - воскресенье
surrounded - окружён,
-жено, etc.
sweet - сладкий
symphony - симфония

T

table - стол
(at the) table - за столом;
у стола
(have a) talk - поговорить,
IIA (P)
take - брать, ID;
взять [P], ID
tasty - вкусный
tea - чай
teacher - учитель (npl.: -я);
учительница
technical - технический
telegraph - телеграф
telephone - телефонировать,
ICd; по- [P]; позвонить
по телефону
telephone (noun) - телефон
tell, say - говорить, IIA;
сказать [P], IB;
рассказать [P], IB
ten - десять
tenth - десятый
text-book - учебник
thanks - спасибо
that - тот, то, та; те
that, in order that - чтоб(ы);
что
theatre - театр
them, their - их
there - там
there is, are - есть

there is, are, not - нет (gen.)
therefore - поэ́тому
they - они́
thin - то́нкий
thing - вещь, SFS
think - ду́мать, IA; по- [P]
third - тре́тий, -тье, -тья (irreg.)
thirteen - трина́дцать
thirty - три́дцать
this - э́тот, э́то, э́та; э́ти
thousand - ты́сяча
three - три (decl.: трёх, трём, etc.)
throw - броса́ть, IA; бро́сить [P], IIB
Thursday - четве́рг
thus - так
ticket - биле́т
time - вре́мя, -ени (n.)
time - раз (gpl.: раз)
  at what time? - в кото́ром часу́?
  from that time on - с тех пор
  on time - во́-время
tired - уста́л
to - к; до; в; на
to whom - кому́
today - сего́дня
tomorrow - за́втра
  tomorrow morning - за́втра у́тром
  tomorrow evening - за́втра ве́чером
tongue, language - язы́к
too (much) - сли́шком
too (also) - та́кже, то́же
tooth - зуб
toy - игру́шка
tractor - тра́ктор
train - по́езд (pl.: -а́)
translate - переводи́ть, IIB; перевести́ [P], ID
translation - перево́д
tree - де́рево (pl.: дере́вья, -ьев)
tribe - пле́мя, -ени (n.)
Tuesday - вто́рник
twelve - двена́дцать
twenty - два́дцать
two - два, две (decl.: двух, двум, etc.)
two hundred - две́сти
typewriter - пи́шущая маши́на (маши́нка)

U

uncle - дя́дя (m.) (gpl.: дя́дей)
under - под (acc. or inst.)
understand - понима́ть, IA; поня́ть [P], ID
unexpected - неожи́данный
university - университе́т
untruth - непра́вда
up to - до (gen.); к (dat)
us - нас
usually - обыкнове́нно

V

various (varied) - ра́зный, ра́зные
vegetables - о́вощи (pl. only)
verses - стихи́
very - о́чень
view, aspect - вид
village - дере́вня
visible - ви́дно
visit - посеща́ть, IA посети́ть [P], IIB
voice - го́лос (pl.: -а́)

W

wait - ждать, ID; подожда́ть [P], ID
wall - стена́
want - хоте́ть, irreg.; за- [P]
war - война́
warm - тепло́
wash (self) - мы́ть(ся), ICc; вы́ [P]
watch, clock - часы́

water - вода́ (acs.: во́ду)
we - мы
  we have - у нас
wear, carry - носи́ть, IIB;
  нести́, ID (both impfc.)
weather - пого́да
Wednesday - среда́
week - неде́ля
well - хорошо́
well, healthy - здоро́в(ый)
went - (по)шёл (past tense of
  итти́); (по)е́хал
what - что
(in, about) what - чём
what is this? - что э́то
what kind of - что...за
what sort of - како́й
what time is it? - кото́рый
  час?
(at) what time? - в
  кото́ром часу́?
when - когда́
where - где
where to, whither - куда́
which - кото́рый (interrog.
  or rel. pronoun)
white - бе́лый
who - кто
who has, at whose house? -
  у кого́?
whom - кого́
(to) whom - кому́
why? - почему́, заче́м
wife - жена́
wind - вить, ICa; с- [P]
wind - ве́тер
window - окно́ (gpl.: о́кон)
wine - вино́
wing - кры́ло
  (pl.: кры́лья, -ьев)
winter - зима́
  in winter - зимо́й
winter (adj.) - зи́мний
with - с (inst.)
with oneself - собо́й
with what - чем
with whom - с кем
without - без (gen.)
woman - же́нщина, да́ма
woods - лес (pr.: в лесу́)
word - сло́во
work - рабо́та
work - рабо́тать, IA;
  по- [P]
worker - рабо́чий
worker on collective
  farm - колхо́зник
world - мир, свет
world (adj.) - миро́во́й
would - бы
write - писа́ть, IB;
  на- [P]
write over, copy -
  перепи́сывать, IA;
  переписа́ть [P], IB
writer - писа́тель
writer (female) -
  писа́тельница
written - напи́сано (past
  pass. part.)

Y

year(s) - го́д(ы) (for age:
  with numbers 1, 2, 3, 4:
  го́да; with numbers from
  5 on: лет)
(in the) year - в году́
(a) year ago - год тому́
  наза́д
yes - да
yesterday - вчера́
  yesterday evening -
  вчера́ ве́чером
yet - ещё
you - вы (acc.: вас);
  ты (fam.) (acc.: тебя́)
young - молодо́й
your - ваш, -е, -а;
  твой, твоё, твоя́